JN119408

「私らしさ」の民族誌

現代エジプトの女性、格差、欲望

鳥山純子

春風社
shumpusha
publishing

はじめに

本書は、三人のエジプト人女性と私、という四人の「こじらせ女子」の民族誌である。登場するのは優しい優等生でありながら口うるさいところのある二〇代未婚学校教員のシャイマ、大して仕事ができないのに美貌と依怙贔屓で生徒の人気者になろうとする、二人の子を持つ学校教員サラ、そして貫禄たっぷりに相手を威圧することに長けた六〇代のリハーム校長、そして私である。彼女たちは、二〇〇〇年代初頭のカイロで国家、消費社会、さらには学問的枠組みにまで「私らしさ」を強制され、それぞれに夢見て、その実現に邁進していた。

二〇〇七年九月から二〇〇八年三月までの秋学期、私たちはみなエジプトのカイロ郊外にある、自称アメリカンスクールの私立学校（本書では以下A校と記す）で教員として働いていた。本書で扱う出来事のほとんどは、A校における日常生活の一部である。登場する女性たちは三者三様（四者四様？）に「私らしさ」をこじらせていた。私たち四人は他人からみれば、それなりに恵まれ、それなりに充実した日々を過ごしていた。しかしまた自分たちの生活に対してどこか割り切れないものを抱えていた。それは、あえて声高に語る必要のあるような重大な問題ではなかったし、意識的に無視することができきないものでもなかった。それでも、一度考え始めると、いつまでも話し続けられるようなものだった。

本書の特徴は、自分の描く理想と現実とのずれに思い悩む、女性たちの「こじらせ」に着目することにある。彼女たちが自分らしさをこじらせていたのも無理はない。欧米中心主義的植民地構造の中でグローバル化が進行する〇〇年代のカイロでは、格差の拡大、汚職、コネ至上主義がはびこっていた。その一方で、消費環境は豊かになり、誰もが消費主義的豊かさを求め、またそれが努力次第で手に入るような幻想を生きていた。人々は手に入れたいものと、実際に手に入れることができるものの狭間に自分を見出すことを余儀なくされていた。本書では人々の欲望や希求を起点に、制約や限界と期待や希望の間で、なりたい自分になるべく日々生きる人々の独創性や柔軟性、そしてエネルギーに目を向ける。

私にとって本書で行うことは大きく二つに分けられる。まず一つ目は、二〇〇七年八月から二〇〇八年二月にかけて、同じ場と時間を過ごした女性たちについて整理し、彼女たちが提示した「私らしさ」に従って彼女たちについての理解を深めることである。「私らしさ」は「誰でもない唯一無二の私」に関わる表現ではあるが、社会的に作られたものでもある。それは自分を定義し、自己の尊厳を主張する拠り所であると同時に、自己を制約するものでもある。「私らしさ」に則してA校で働く彼女たちを描写し、彼女たちと共に時間を過ごした私の姿を振り返ることで、二一世紀になって間もないカイロ近郊に生きた、三人の女性たちについて考えてみたい。

二つ目に試みたいのは、人々の包括的な生の描き方、すなわち民族誌の「書き方」に関わる取り組みである。実際のところを言えば、調査とはいえ当時は、突然成り行きで教員になることになり、私は日々の業務をこなすだけで精一杯だった。本書で描く三人の女性学校教員は、私にとっては同僚や上司であり、A校で児童・生徒やその保護者たちに対して共に戦う同志だった。彼女たちとは、日々共に働く中で、協力することもあれば、衝突することもあった。彼女たちの言動には、当時の私にとって不可解なものも数知れず、疑問に思ったものもあれば、その時は気にも留めなかったものもある。特に彼女たちの悩みには、私には取るに足らないと思えるものや、誤った認識に基づくように思えたものが多かった。彼女たちが何かを語る時には精一杯聞いているフリをしたが、今振り返ってみれば、自分がそれらにきちんと向き合えていたとは言い難い。日本に戻り、彼女たちの言動について議論を組み立てようとしたものの、驚くほど私には彼女たちのことが理解できていなかった。そうした理解不可能性を含みつつ、私が調査地で出会った人々を包括的に描くには、どのような方法があるのだろうか。

こうした問いを念頭に、本書では、当時理解できなかった言動を、今更無理に解釈しようとすることは止めることにした。わからなかったことはわからないなりに、自分の思い込みはそのままに、まずは文章として書き記してみることにした。当時彼女たちの話を十分に理解する努力ができなかった自分への反省もこめて、せめて彼女たちの言動を都合の良い枠組みでまとめることは避けたいと思う。

もしあの瞬間に時間を戻して、彼女たちの話を真摯に聞き、わからないことは粘り強く質問を重ね、一緒に悩むことができるなら、それに越したことはないかもしれない。ただ、それができない代わりに、今持てる私の精一杯の誠意として、彼女たちの多様な側面をできるかぎり描き出すことにする。

正直なところ、今に至るまで私にはよくわからないことは多々あるが、それらをそぎ落とさずそのままに記すことで、私の理解の限界を示すと同時に、今後より優れた解釈が出てくることを期待したい。

「私らしさ」の民族誌

現代エジプトの女性、格差、欲望

目次

第Ⅱ部／サラの生き方――消費至上主義的社会における家庭と仕事の両立

第III部／リハーム校長の生き方——時空を超えた植民地期エジプトの再興

凡例

アラビア語カイロ方言については、できる限り耳で聞いた音で表記した。そこで、アラビア語のローマ字転写に際しては、近年SNSでカイロ方言が転写される際の記載方法を参考に以下のようにした。

a	أ/ق
b	ب
t	ت
t /th	ث
g	ج
7 (ḥ)	ح
kh	خ
d	د
dh	ذ
r	ر
z	ز
s	س
sh	ش
ṣ	ص

ḍ	ض
ṭ	ط
dh	ظ
3 (‘)	ع
ġ	غ
f	ف
/gh / q	ق
k	ك
l	ل
m	م
n	ن
h	ه
w	و
y	ي

一エジプトポンド（以下LE）は、二〇〇七年九月一日のレートで二〇・三六円。参考までに二〇二一年九月一日のレートは六・九九円である［OANDA 2021］。

引用文中の〔　〕内は動作・発言の補足、（　）内は引用者による説明を示す。

地図

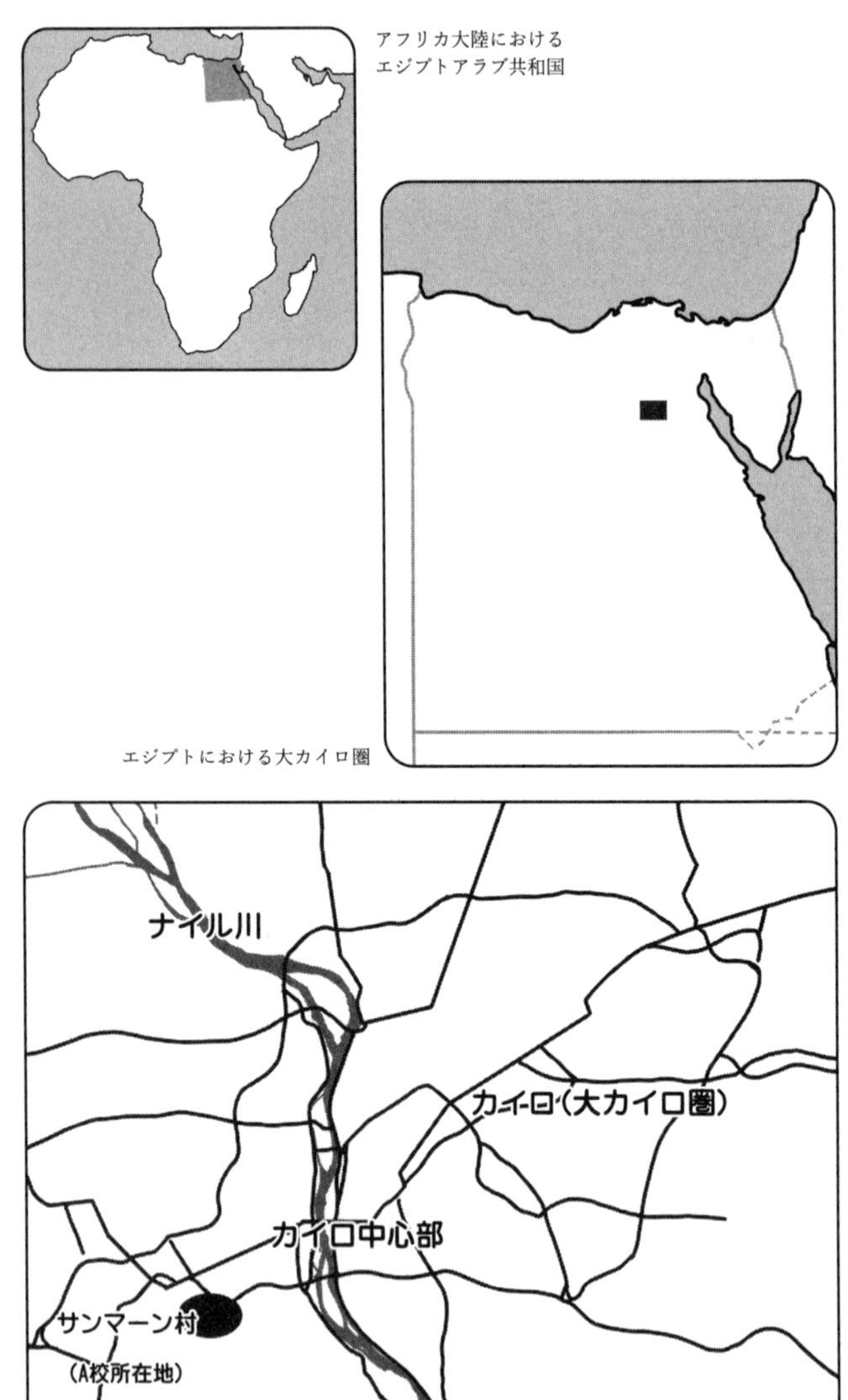
アフリカ大陸における
エジプトアラブ共和国
エジプトにおける大カイロ圏
ナイル川
カイロ(大カイロ圏)
カイロ中心部
サンマーン村
(A校所在地)

序章

1　本書の取り組み

人の民族誌

本書は、「私らしさ」についての民族誌と銘打ってはいるが、その内実は人の民族誌である。人の民族誌とは、その名の通り、観察者・執筆者のフォーカスを人に当てた民族誌である。本書では、シャイマ、サラ、リハーム校長という三名の人物が、いったいどのような人柄で、どのような見た目でどのように振る舞い、どのようなことを考え生きていたのか考察する。この三人は、いずれもカイロのA校[1]という学校で働く女性教員だったが、シャイマは二〇代未婚、サラは同じく二〇代ながら既婚

1　Daily News Egypt に掲載された記事によれば、二〇一二年に一三四校あるとされたエジプトの「インターナショナルスクール

で娘を二人育てていた。またシャイマが低層中産階級出身であるのに対し、サラはもともと富裕層といってもいいような上層中産階級出身者であった。またリハーム校長は、女性でありながら私立の学校校長を務める、富裕層の女性だった。この三人は、現代カイロで珍しい属性の女性たちではなかったが、同じ社会に属するとはいえ、世代や経済階層、あるいは生活水準にはそれぞれ違いがあり、通常であれば生活空間を共にするような関係にはなかった。本書執筆の最大の原動力は、この三人がどういった人々なのか、納得するまでわかりたい、という彼女たちに対する興味にある。

テーマや出来事やトピックではなく、人について書くことにしたのは、まず、人間が何よりおもしろいからである。人は矛盾し、変化し、状況的に行為する。人の言動は時に、目的なんてそもそも存在しないようにも思わせる。しかしその一方で、人は何かに興味を惹かれ、何かを求め、執着したりする。同じものを見ているようで、隣の人が全く別の物事に気をとられていたりもする。人のことは、わかるようでわからない。しかし、全くわからないわけでもない。私にとって人は、他のどんなものよりも私を驚かせてくれる、興味の尽きない対象である。そんな彼女たちのおもしろさを伝えるために、彼女たちの特定の振る舞いや発言を、ある特定のテーマに沿った形で切り取るのではなく、できるかぎり十全にそのまま提示することを試みる。なぜならそのおもしろさは、人々を包括的に描いた時に際立つものだと思うからである。本書では一人ずつ、できるだけ多くの情報をもとに、できるだけ多様な切り口から、彼女たちのことを考えてみたい。

私が人を書くことにした第二の理由は、私が人にしか十分な関心を向けておらず、それ以外に書けるものがないからである。フィールドにおいて、私の興味の対象は、「なぜ彼女はそんなことを言うのだろう」、「今の振る舞いにはどのような意味があったのだろう」、「どうしたら彼女にも納得してもらえるだろう」と、いつも人にあった。私の問いの主語は、いつだって人だった。私が注視していたのは、エジプト社会や、家父長制や、宗教儀礼ではなく、人の発言であり、人の振る舞いであり、人が醸し出す雰囲気であり、人の表情だった。シャイマであれ、サラであれ、リハーム校長であれ、私は四六時中、人について考えていた。

人について考え続けていたのは、もちろん日常的な実際的ニーズのためでもあった。フィールド調査を行っていることにはなってはいたけれど、A校での私はまず、彼女たちと共に教員としての業務をこなし、上手くやっていきたいと思っていた。それは簡単なことではなかった。物事のやり方をめぐって衝突することもあれば、知らない間に誰かの不興を買うこともあった。私はA校で、外国人教員として恵まれた地位を与えられてはいたけれど、それでも物事が私の思い通りにいくことはほとんどなかった。何をすべきかわからずに、あるいはやり方がわからずに、私はしばしば途方に暮れていた。そんな時、私に手を差し伸べてくれたのも人だった。私は、日本で生活している時以上に、フィールドで、人に頼り、人に助けられてようやく一人前に仕事をこなすことができた。私の教員としての生存と成功は、周囲の人間にかかっていた。だからこそ、私は人を観察する必要があった。彼女たち

…………………

（アメリカンスクール含む）」のうち、約二〇%が「インターナショナルスクール」と認定されうる状態にあったという［Daily News Egypt 2013c］。同記事によれば、エジプトでは二〇一〇年になってようやく、当時の教育大臣だったアフマド・ザキ・バドルにより、国からライセンス発行を受けた「インターナショナルスクール」の実態調査が行われ始めた。

はどのように仕事をしているのか。彼女たちは、どうしたら私に手助けしてくれるのか。どういった振る舞いをすると彼女たちを怒らせるのか。どのような発言をすれば、彼女たちの気を惹くことができるのか。こういったことは、教員として仕事をやり遂げるためにも非常に重要な情報だった。そして何より、どうしたら、彼女たちに私の調査に協力してもらえるのか……。調査研究そのものを遂行するためには、彼女たちからの支援を受けられるよう彼女たちを説得しなければならなかった。

結果として私は、人以外に語れるものを持たないまま、フィールドを後にすることになった。明敏な指導教官は、そんな私を見て、現地で「お前は何も見てきていないのではないか」と的を射た心配をした。確かに私は「何かを見た」と語ることはできなかった。「これがわかった」と言うこともできなかった。フィールドで、私が日々やっていたのは、彼女たちと上手くやっていく実践的方法を見つけ出そうと、もがくことだった。けれどそれは、調査成果として報告するようなことには思えなかった。それは、調査地で行ったと言うには当たり前すぎる、ただ生きてきた、と言うのと同じようなものだった。それでも、私は日々、必死に彼女たちと上手くやる方法を探していた。そして毎日、精一杯、目の前にいる彼女たちと生きていた。

だから私は、人として彼女たちのことを書いてみたい。私が唯一、しかし時間だけはかけて、ひどく熱心に観察してきた、彼女たちの人となりを書いてみたいのである。

「語るべき」ものを離れて――フェミニスト的企て

しかし、「何かを見た」とも言えないのに、いったい何を書けばいいのだろうか。フィールドから戻った当時、私は博士後期課程学生ではあったけれど、「語るべき」ものを書く力も、見る力も持っていなかった。修士課程で四年、博士課程にも結果として一〇年、その間必死になって、「語るべき」力を身に着けようと努力したけれど、一向にそれができたような気にはならなかった。フィールドに行ってすら私は、そこで日々生きていくことがせいぜいだった。私が「語るべき」ものを持たないのは当然にも思えた。

そんな時、私にブレークスルーを与えてくれたのは、フェミニズムだった。フェミニズムは、女性に限らず、声を発する立場になく、自分たちの意見に関心が向けられない立場に身を置く人々がいることを指摘し続けてきた［スピヴァック 1992; 2003; モーハンティ 2012］。そもそも、語られるべき文脈や、ロジックにそぐわない意見は届かない。だからこそ、それが書かれることに意義がある。▽2 そう考えた時にようやく、「語るべき」ものを書かなくてもいい、という選択肢が見えたのだった。フェミニズムは、女性たちについて書くのではなく、女性たち自身が女性たちの考えや、考察や、分析を書くことを重視してきた［藤田・北村 2013］。客体から主体へ。それは、語り手が固定されることで、特定の見解しか語るべきものとされず、それ以外の声が抹消されてしまう今の社会の在り方に対するアンチテーゼだった。語り手が多様化すれば、語られるものも、語るべきものも多様化する。そこで新しく語られ

2　こうした議論には例えば、ジュディス・バトラーの「見えない検閲と身体の生産――言説的行為体の未来」（2004）、また第三世界フェミニズムの論考としては、ウマ・ナーラヤーンの「鏡の向こう側の暗闇――使者・鏡・真の当事者という先入観」（2010）などがある。

ることが、形式に沿っていないと思われるのであれば、逆にそれこそが従来の枠組みが持つ限界を示すものだと言えるだろう。それは、「語るべき」もの以外を語るべきでないことの証左にはならない。そこに、権力性を強く反映した限定があるのなら、むしろそれが「語るべき」ものでないからこそ、語る意義がある［Prasad 2018］。

言われてみれば、私は長らく、「語るべき」ものを探しあぐねていた。私が躊躇し、戸惑っていたのは、私も人類学っぽいこと、研究っぽいことができる人として認めてもらいたい、という見栄と欲があったからだった。私がそこで「すべきこと」に想定していたのは、観察に基づき記述した具体的現象を、既存の人類学の議論を援用したり接合したりすることで、より広く「人間」に関わる知識として理論的議論を繰り広げることだった。▽3 しかし、その見栄や欲を一旦横に置いてみたなら、私にも語りたいことはあった。それが、女性学校教員たちと、A校という職場で日々共に過ごした時間と出来事と、そこでの交感だった。あるいは、彼女たちのおもしろさや、強さや、訳のわからなさだった。

とはいえ、私が共に時間を過ごした人と、その人たちと共に生きた経験について書くことに決めたはいいものの、その作業を、一体どこから始めたらいいのだろうか。いざ始めてみようとはするものの、彼女たちとの関係はフィールドワークに区切りをつけてなお現在進行形で続いていた。今この瞬間も続いていること、この先どうなるかわからないことには輪郭がない。終わっていないことには形が決められなかった。それを、あたかも形があるかのように、どこか一か所から書き始める方法が、私にはわからなかった。

迷った挙げ句、私は「彼女たちが語った彼女たち」を書くことから始めることにした。客体から、主体へ。彼女たちの言葉、彼女たちの身振りに注目して、彼女たちのことを彼女たちに探ること。そのためには、これ以上に適した出発点はないように思われた。

中東ジェンダー研究に見る「私」の不在?

彼女たちが語る彼女たちから書き始める。一度思いついてしまえば、もうそれ以上の方法はないように思えた。彼女たちについて書くのなら、彼女たちを彼女たちたらしめる、彼女たちにとっての「私」を中核に据えればいい。彼女たちを書いていく上で、その方法が最適だったかどうかはともかく、彼女たちが自分を表現した方法を、無視することができるわけはなかった(そんなことをしたら、どんな目に遭わされるかわからない!)。

思い返せば、エジプトの女性たちの「私」は、私が現地に赴き、最初に驚かされたことの一つであった。エジプトに行く前の私は、中東の女性たちに対して、イスラーム教や家族規範に抑圧された存在、といったありがちなステレオタイプを抱いていた。スカーフで頭髪を覆う、社会における女性の活躍が制限されている、移動の自由が制限されている、男女交際が禁止されている、男性の管理下におかれている。こうした私の抱いていたステレオタイプは、日本語で書かれた民族誌を読んですら、「意

3　こうした「人類学」っぽい議論を行わなければいけない、というのもまた当時の私の誤った認識である。例えば『「生」の人類学』において田辺は、近代人類学の根幹には、「儀礼的コミュニケーション」だけでなく「日常的コミュニケーション」の領域に関心を払うこと、すなわち人が生きるという実践そのものを見ることが含まれていたと指摘している[田辺 2010]。

外と自由もある」という程度にしか変化しなかった。むしろ当時の私は、中東の女性に関心を抱き、彼女たちについて勉強をしたからこそ、彼女たちに厳しい規範の遵守が求められていることを「知る」ことになった▽4。あれから二〇年以上たってなお、中東の女性が語られる際には、未だに、一夫多妻制や、社会空間からの女性の排除（スカーフ着用はこの象徴とされている）といった女性の抑圧に、高い関心が向けられている［アブー＝ルゴド 2018］。中東で抑圧される女性、を表す有名な表現に、「消し去られる身体」がある［cf. 大塚 2000］。これは、中東で女性たちが、頭髪や顔を隠すスカーフを通じた象徴的不在のみならず、実態としても中東社会には全般的に女性がいない、というイメージを捉えた言説である。こうした言説が生まれた背景として、中東の男女に課される厳しいジェンダー規範が指摘されてきた。なかでも、①厳格な男女の区別、②男女の空間的隔離、③強固なジェンダー役割規範、そして④家父長制の強い影響は、中東のジェンダー観の根幹とされてきた［Inhorn 1996; Joseph 1994］。こうしたジェンダー規範が実践された結果、女性の身体は社会的に不在になる、というのである。

　ところが、直接現地に行って、私はまず女性たちのバイタリティと、自己主張の激しさに驚かされた。言いたいことははっきり言う。魅力ある人間として、周囲に丁重な扱いを要求する。彼女たちは、「私は○○だ」、「私は××がしたい」と、出会ったばかりの私に対しても「私」優先の自己主張をした。誰に対しても遠慮のない、自信に溢れた姿に、若い私は大きなカルチャーショックを受けた。それは、中東だとかそういうことを離れて、「女の人なのに、こんな態度でいいんだ！」と、自分の生き方が揺さぶられる体験になった。

　それまでの私は、エジプトや中東を対象にした民族誌を読んでいても、女性たちの「私」の強さに、気づいていなかった。中東を扱う民族誌には、女性たちについて書かれたものも多い。都市の庶民街での生活を扱うものから、砂漠に暮らすベドウィンの生活を扱うもの、ヌビアとしての暮らしや、イスラーム教の宗教実践を扱うもの。そうした研究では、豊かで多様な生が描かれていた。しかし、そこで描かれる女性たちは、アラブ女性、ムスリマ（女性イスラーム教徒）、貧困層の女性、部族社会の女性、あるいは、妻、嫁、母、姉妹、そして女といった役割のもとに描かれてきた。女性たちが家父長制規範を遵守するのはなぜか、ムスリマはなぜスカーフを纏うのか、母役割にはどのような重要性が与えられているのか。女性たちの「私」は、そうした議論の背後に隠されているように思えた。ところが現地で私が日々時間を共にする女性たちは、そんな決まり事より、エゴや、強い個性や、個人的利害ばかりを前面に押し出し生きていた。私には、彼女たちの実態と、本に描かれる姿が一致するものには見えなかった。

①西洋中心主義的まなざしへの抵抗

中東社会における「私」の不在は、研究者による思い込みだけによって作り出されたものではない。それは初期の中東女性研究の取り組みが意図せず生み出した、ある種の偶発的な副産物として理解できるだろう。フェミニスト的希求を持つ研究者たちは当時、植民地を他者化し客体化するコロニアル

……………

4　当時日本語で読むことができた書籍には、アイケルマン（1988）、板垣（編）（1977）、大塚（1998）、片倉（1979; 1991）、ケネディ（1991）、清水（1992）、中山（1994）、レイン（1977）などがあった。

言説との闘いに挑んでいた。彼女たちはまず、イスラーム教やアラブ的親族や中東的家父長制として枠づけられ客体化された集合的な「女性たち」を、西洋中心主義的まなざしから取り戻す必要に迫られていた。彼女たちは個としての「女」を語る前に、コロニアル言説が作り出した「女性たち」の内実を読み替えることから着手した。

一九七〇―八〇年代、第三世界フェミニズムの台頭と共に、中東女性研究でも、中東の女性たちをムスリム男性の被害者とみなす、西洋中心主義的女性観に抗おうとする動きが活発化した。そこで取り組まれたのが、イスラーム教や家父長制を女性抑圧の源泉とする見解を、西洋のまなざしによる自文化中心主義として批判しつつ、文化相対主義に立脚して文化内部の価値観から、女性の主体性のもとにイスラーム教や家父長制を読み直す試みだった[cf. アハメド 2000; Mernissi 1975; エル＝サーダウィ 1988]。そこでは、男性中心的といわれるイスラーム教の教義が、女性にとっても魅力的なこと[Mernissi 1975]、また家父長制という権力構造が、女性による主体的参入によって支えられていることが明らかにされた[Kandiyoti 1988; 1991b]。こうした試みは、植民地の女性を「被害者」、宗主国の女性を「解放された女性」に一方的に位置づける植民地主義言説に疑念を呈する動きを生み出したが、文化相対主義の名のもとに、女性が従属的な社会的役割を積極的に引き受けているような印象を作り出すことにもつながった[L. Abu-Lughod 1991]。

②生活実態に基づく、格差や権力性の考察

九〇年代に入ると、それ以前の取り組みが、イスラーム教や家父長制という、システム内部の権力

性や差異に、あまりにも無批判であることが指摘されるようになった。ライラ・アブー＝ルゴドは、「文化」概念に備わる一般化の働きを問題化し、それを乗り越える記述の必要性を訴えた［L. Abu-Lughod 1991; 1993: 12, 13］。アブー＝ルゴドが特に問題視したのが、「文化」を用いた人々の生の描写が孕む、本質主義的な他者創出と、他者を劣位に置く序列付けの固定化である。彼女は特に、同質性の強調、一貫性への強い希求、歴史性の欠如という三点を、「文化」概念の特徴として糾弾し、それに抗う方法として、特定の個人と、その個人をとりまく特定の関係性に目を向け、それらをより大きな出来事と関連づけ記述する、「個の民族誌（ethnography of particular）」を提唱した。彼女が強調したのは、①典型創出を目指した一般化を避けること、②個々のケースが持つ特殊性、とりわけ個々の事象が起こった実際の文脈、歴史性、関係性に目配りすること、③人々の論理の組み立て、説明の仕方、人々の行動についての解釈に目を向けることの必要性だった［L. Abu-Lughod 1993: 14］。

こうした議論の発展には、バトラーの『ジェンダー・トラブル』（1999）をはじめとする、ジェンダー研究者による、構造とエイジェンシー▽5の関係や、そこに立ち現れる権力性の考察といった、ジェンダー理論の先鋭化が不可欠だった［シャクリー 2009］。構築主義的視座に基づくジェンダー理論の蓄積は、例えば「家族」などの、現地で生きられる独自のシステムを、諸悪の根源として根本から否定することなく、個々のイデオロギー実践における権力関係として問うことを可能にした。これにより中東

……………………

5　エイジェンシー（行為体・行為遂行体）とは、言語に先立つ自律的で絶対的な存在ではなく、言語を用いながらも常にずれを生み出し、言語を操る存在としての主体を表す概念である［竹村和子 2002］。

ジェンダー研究は、自文化中心主義（「中東の人々は劣っているので、女性を抑圧する」）か、抑圧の否定（「現地の女性たちはイスラーム教を女性抑圧的だと考えておらず、そこに抑圧はない」といった言説）かといった、文化相対主義をめぐるジレンマから解放された。権力を構造の問題として捉える枠組みは、権力を議論する場所を、決定的に変化させた。

理論的発展を背景に、女性を直接の考察対象にし、女性の論理から女性たちの実践に迫る民族誌も数多く出版されてきた。▽6 こうした著作では、実際の女性の生に焦点が当てられ、そこで発現する権力性と、抵抗する女性主体が明らかにされてきた。例えば社会経済学者／人類学者のフードファーは、カイロの貧困層家庭に生きる女性たちが、社会資源にも経済的資源にも恵まれない中で、伝統的価値観を主体的に流用し、読み替え、一種の資源としてそれらを利用しながら、コミュニティでの社会的地位の維持・向上に努める姿を明らかにした [Hoodfar 1997]。女性を抑圧すると考えられてきたジェンダー・イデオロギーすら、女性の主体的な利益追求の資源となっていたことが看破されたのだった。

③ジェンダー・イデオロギー実践の解明

人々の具体的な実践が語られ始めたことで、この時代の民族誌では、ジェンダー・イデオロギーの解釈と実践の広がりが議論されるようになった。しかしそこでは、固定的なイデオロギーを多様に実践する個人、という定式化された枠組みが、繰り返し援用された。この枠組みの問題は、想像力に富んだ主体性のある個人が称揚される一方、イスラーム的ジェンダー観や家父長制的傾向といったイデオロギーが、逆に、固定化されてしまったことにある。▽7

セクシュアリティへの関心に基づく女性身体管理言説や、「保護と従属」といった社会的性別役割の言説は、そのよい例である。どちらも、現地で広く流通するジェンダーにまつわる主流言説だが、研究者にも無批判に内面化されてきた。ただし、当然のことながら、女性の身体を隠蔽することと、セクシュアリティの管理はイコールでつながるものではない［鳥山 2010］。女性身体の管理（スカーフの着用をめぐる議論など）を、セクシュアリティで説明しようとすれば、女性を、セクシュアリティや性的器官・機能に矮小化することになる。こうした問題にもかかわらず、このロジックは、現在に至るまで多くの議論で無批判に用いられ、再生産され、真実化すらされてきた。▽8

……………………

6 例えば、L. Abu-Lughod（1990; 1993）、Ghannam（2004）、Hoodfar（1991; 1997）、Inhorn（1996）、MacLeod（1991）、Mahmood（2005）、Singerman（1997）、Werner（1997）、Wikan（1996）などがある。

7 著者らがイデオロギーの固定化に抗うことを意識した場合にも、こうした傾向を避けることは難しい。中東におけるセルフの研究はその一例である。レバノンをフィールドとする人類学者のジョセフは、中東で生きられている自己（セルフ）は、多分に家族内の親密性と家父長制的家族役割に基づいたものであること、またセルフの外縁は、個人ではなく家族にあることを議論した［Joseph (ed.) 1999］。中東的セルフを探求した研究としては他にも、信仰者として主体的に発揮されるセルフとしてイスラーム教の信仰実践を解明する研究［Mahmood 2005］、グローバルな消費者というセルフから身体や健康にアプローチした研究［Basyouny 1997; Sholkamy and Ghannam (eds.) 2004］、セクシュアリティを基点にセルフを考察する研究［Najambadi 2014; Ozyegin 2015］、さらには、精神分析におけるセルフを対象にした研究［El Shakry 2017; Mostafa 2008］が行われてきた。しかしこうした議論においては、実態を理解するための枠組みとして用いたはずのイデオロギー（イスラーム教やアラブ家族など）が、現象の説明要因として登場し、結果としてイデオロギーの固定化を招くという問題を生み出した。

8 もしもジェンダーが強いる格差の実態を明らかにしたいのであれば、それを可能にし、自然化するロジック、つまり、こうこうした研究は、確かに興味深い知見を数多く生み出した。しかしそれらの知見は、私が日々出会う女性たちの実態とはかけ離れているように見えた。人々は、個々のイデオロギーを実践するだけでなく、多種多様なイデオロギーに晒され、状況に合わせてイデオロギーを選択する。あるイデオロギーを選択すれば、それと衝突する別のイデオロギーは、まるで存在すらしないかのような振る舞いをする。まるで決まりなんて存在しないかのように傍若無人に振る舞う女性たちの、ましてや「私」を前面に押し出して自己主張する姿を理解したいのであれば、イデオロギー実践に先立つ、イデオロギーの選択に関する研究が必要となる。また、それぞれのイデオロギーが抱える権力性を問いたいのであれば、イデオロギー間の優劣や、その交渉を描く研究が必要である。残念ながら、中東ジェンダー研究においては、管見の限り、そうした研究は未だ多くない。▽9

顔が見えない研究の問題

こうした、顔が見えない中東ジェンダー研究の問題は、目の前の、一人の「私」として生きる具体的な女性を理解するために役に立たないだけでなく、未だに異文化の他者化・客体化へ貢献していることにある。議論の抽象度が増せば、具体的な経験に照らして議論の真偽を問うことは難しい。確かに、高度に洗練された理論的研究は、それ自体に議論としてのおもしろみがある。しかし、そうして得られた知見が、「私」を押し付けてくる人々と空間を共に生き上手くやっていくことに貢献するものでなく、逆にそれらが彼女・彼らを「他者」として固定するのなら、その意義はどこにあるのだろうか。

私にとっての関心事とは、当時も今も、同じ空間を共有する人々と共に、上手く生きていくことにある。目の前にいる人たちが理解できて、その時私が振る舞うべき方法がわかる。私には、それこそが重要だった。そもそもフィールドで生きていく最大の難しさとは、それがわからない場所で、それでも人々とやっていかなければいけないことにあった。

一九九八年初めてエジプトを訪れ、その四か月後にエジプト人男性と結婚した私にとって、夫の家族と暮らした最初の数年間は、「家族との日常」がサバイバル生活となった。私にとって、一緒に暮らす人々を理解することはすなわち、私の危機的状況にあった生活の質を向上させることを意味していた。ちやほやされる、歓迎される、まではいかなくても、せめて、突然いわれのない咎で糾弾されたり、無視されたり、目の前で悪口を言われる状態から脱出したかった[10]。そしてできれば、私がいることを、楽しんでもらえるようになりたかった。そんな私が欲していたのは、エジプト人女性たちが何を考え、何を大事にし、何を求めているのかが理解できるようになることだった。また、その場で私に何が期待されているのかがわかるようになることだった。そしてできることなら私は、その場で誰かに優しくしてもらえるような、「価値のある」人間になりたかった。しかし、女性のイスラー

……………

した現地の言説に見られる偏りの特徴にこそ、研究関心が向けられるべきである。詳しい議論は、鳥山（2019）を参照のこと。

9 社会言説におけるイデオロギー間の交渉を直接的な対象にした貴重な研究には、デュプレによるエスノメソドロジーを用いた議論の『真実をめぐる実践（*Practices of Truth*）』［Dupret 2011］がある。

10 エジプトでの日常生活での苦労については、別稿［鳥山 2021］を参照されたい。

ム教実践や家族内の女性の役割について、私が文献から得ることができた知識は、私を透明にすることには役に立った（人の邪魔になるようなことは減った）かもしれないが、人々を喜ばせたり、楽しませたり、私を好きになってもらうことには、ほとんど役立たなかった。むしろ知識を増やすことは、「私」を主張し、「私」自体に一ミリの疑いもなさそうな目の前の人々の言動を、イスラーム教の教え[11]や、ジェンダー規範に則して理解することの不可能性を突きつけた。

権力性の再生産と生の盗用

エジプトの女性を扱う民族誌の中にも、個別具体的な「私」に焦点を当てたものもある。その一つが、アティヤによる『フル・ハアアル——五人のエジプト人女性が語る彼女たちの物語（*Khul-Khaal: Five Egyptian Women Tell Their Stories*）』[Atiya 1982]である。五人の女性がそれぞれに日常や人生を語る体裁をとるこの本は、現在に至るまで、七〇年代にエジプト都市部に生きる女性のありのままの生活を活きと記した、名著とされている。[13]また、ヴィカンの『明日、神の御心があれば——カイロで自ら切り開く運命（*Tomorrow, God Willing: Self-Made Destinies in Cairo*）』[Wikan 1996]でも、長期にわたり構築した人間関係をベースに、一人の女性の生に寄り添った民族誌が書かれている。ライフヒストリーから、日々の詳細な人間関係に至るまで、ヴィカンの記述には、一人の女性の生の工夫に溢れている。

しかし人類学においては、この二篇のような、収集した語りを著者が編集し一人称で代弁することには批判も寄せられてきた。「日常人類学」を唱える松田によれば、こうした「セルフの民族誌」に対しては、著者性や他者の代弁をめぐる政治性と、著者性の問題、またそのことにあまりにも無自覚な人類学者の態度に批判が向けられたという。調査地で、調査者が、対象者を「理解してしまう」、まさにそのことが孕む権力性の問題が指摘されたのだった［松田 2009: 35］。

とはいえ、この二篇は私がエジプトで生き延びる上で最も多くを学んだ民族誌だった。確かに、対象とする女性たち自身の声であるかのように描かれたストーリーは、著者らにより編集・脚色されたある種のフィクションかもしれない。[14] それでも私にとっては、今、目の前にいる女性たちや自分自身が置かれた状況について理解を試みる上で、その民族誌がおおいに役立ったのである。私にとって、この二篇の民族誌が特別に思えたのは、彼女たちを対象にしながら、何か「別のこと」が議論されるのではなく、最初から最後まで登場する女性たちの生が議論の対象とされていたことだった。人類学

11 因みに、エジプトで私が経験したイスラーム教は、あくまでもエジプトで流通する主流イスラーム言説である。イスラーム教は多様である。様々に解釈され、実践されるイスラーム教の中でも、本書で言及するイスラーム教は、この時期のエジプト都市部で主流とされていたイスラーム観を指す。

12 *Khul-Khaal* とは足にはめる金属製の輪のこと。歩くたびに重ね着けした足環同士が当たって生まれる金属音が、女性が歩く音として認識されている。

13 著者のアティヤは、アメリカ育ちのエジプト人で、ストーリーを語る女性たちとの間に言語的問題はなく、女性たちの語りをテープに録音してこの本を書いたという［Atiya 1982: xxiii-xxiv］。

14 ヴィカンは、書くことで生じる調査者の権力性の議論［cf. クリフォード 2003; ギアーツ 1996］に否定的立場を表明し、この本について明確に「ストーリーとして読まれるべきである」と述べている［Wikan 1996: 9］。ヴィカンによれば、権力性は方法論から派生するものであり、そのことを念頭に序章では一一ページにわたり詳細に自らの方法論について述べている。

者のインゴルドの言葉を借りるなら、この二篇の民族誌は、「何かを論証するための証拠」として女性たちを描き出すのではなく、彼女たちのことを知ろうとする、つまり「他者を真剣に受け取る」ことを目的に書かれていた［インゴルド 2020: 21-23］。だからこそ、そこに書かれていたことが実際の状況を理解する上で役に立ったのだろう。

確かにそこには、著者による一方的な「理解」が提示されていたり、その背後には「共同性のまやかし」［松田 2009: 35］があったりしたかもしれない。しかしそれらは、私たちが普段生きる日常でも、程度に差はあれど同じことだろう。私たちは普段から、互いに一方的に他者を「理解」し、同時に共同性を妄想しつつ、相手のことを「わかった」ことにして生きているのではないだろうか。こうした理解に基づき本書では、調査者・被調査者間の権力的格差の再生産を避けることや彼女たちの生を盗まないことを意識しつつも、まずは人々と共に生きるための議論を目指すことにしたい。

パフォーマティブな「私」

本書で着目する「私」を考える際には、バトラーによるパフォーマティブな「エイジェンシー（行為遂行体）」［バトラー 2004］の議論を参考にする。「私」という自己は言語使用行為によって成型され、また行為は自己の価値観、目標、衝動といったものに根差して行われる往還関係にある［バトラー 2004］。すなわち、私たちが見ることのできるある人物の自己（＝「私」）とは、特定の物質的、経済的、社会的位置づけにある人物が、その特定の環境との往還において描いた「より望ましい自己」に向かって自分自身を成形するプロセスであるといえるだろう。このように「私」をパフォーマティブなエイジェンシーと捉える視点は、個々人の限定的で状況的な選択をミクロに描き出すだけでなく、その選択を成立させうる、物質的、言説的、関係的、政治的状況を描き出すことをも可能にするものである。[15]「私」をそのように捉えることで、可変的な自己が可変的な社会状況の中で何とか「私」であり続けようとする、その様相を描くことが可能になる。

パフォーマティブなエイジェンシーとしての女性たちを捉えれば、考察する際に注視すべきものが、彼女たちがどのような人物として生きていたのか（being）から、どのような人物になろうとしていたのか（becoming）に変化する。よって本書で関心を向けるべき対象は、多様な選択肢が提示される現代カイロで、女性たちがどこに自己を位置づけ、どのような自分になるかを想像すること（imagining）、夢想すること（dreaming）、欲望すること（desiring）、希求すること（aspiring）ということになる。彼女たちが自分をどこに位置づけるのか、という問いは、現代カイロの格差の内実を考察する上で重要である。また彼女たちがどのような自己を目指すのか、という問いは、彼女たちの社会認識の地図を提供してくるだろう。パフォーマティブなエイジェンシーに注目する視座は、これまでジェンダーや、イスラーム教、家族関係といった既存のカテゴリーに当てはめて語られることの多かった女性たちの生を、彼女たちの関心や、彼女たちの認識に沿って議論することを可能にするものだと言える。

15　エジプトの西方砂漠にベドウィンとして生きる女性たちを描いた民族誌の中で、人類学者のアブー＝ルゴドは、特定の個人と、その個人をとりまく特定の関係性に目を向け、それをより大きな出来事と関連づけ記述することの重要性を指摘している［L. Abu-Lughod 1993: 13］。

とはいえ、パフォーマティブなエイジェンシーそのものが何であるかを議論することは本書の主眼ではない[16]。これはあくまでも、二一世紀初頭のカイロを生きるエジプト人女性たちが、私との関係や、また彼女たち自身が望む自己を演じようとする際に立ち上がる彼女たちの姿を考察するための視座である。本書で目指すのは、彼女たち自身の姿について、その生を形作る社会状況を含めて議論することである。繰り返しになるが、私の関心は人にある。本書で行うのは、イデオロギーや規範、先行研究ありきで女性の生を考察するのではなく、特定の社会情勢を背景に、権力に絡めとられながらも主体的に営まれる、二〇〇〇年代カイロに生きる女性たちの生き方を考察することである。

「私」に注目するアプローチは、現代カイロのような、多様な価値観が衝突し、矛盾しながら併存する状況では有用なものになると考えている。これまでエジプトやカイロを議論する際には、イスラーム主義の台頭や、政治的独裁体制、腐敗政治、権威主義国家、民主化運動の展開、家族中心主義、開発途上国、といった抽象的文脈のもとに個々の事例が位置づけられ、考察がされてきた。近年であれば、グローバル化や、「コスモポリタン」といった概念による文脈策定が目立って増えた。

しかしそれらは、学問的概念として具体的な現象を考察・分析するために、多くの場合は研究者によって精緻化されてきたものである。それらの多くは、ローカルな現象から丁寧に抽出した現地の価値観に基づくものではあろうが、実際に現地を生きる人々の視点から見れば、そうした価値観や価値の指標は常に、多種多様で複雑に絡み合う数多の価値観やそれが基づくイデオロギーのうちの一つであって、そのどれかが状況を寡占しているわけではない［Scielke 2012］。人は、それらの多くに日々晒され、その中から特定のものを強要されたり、選択したりしながら生きている。個々の価値観やイデオロギーは、人々に欲望という形で内面化され経験される。また、その欲望の充足をめぐって格差が形成される。人が、自分で自由に求めるものを選び取っているようでいて、その実、人々の希求には、社会的位置や社会関係が反映されているという主張は、決して新しいものではない［cf. ブルデュー 1990］。しかし、特定のイデオロギーが状況を寡占しているのでないのなら、人には常に異なる欲望の選択肢が提供されていることになる。その複数の選択肢の中で、人がどのような社会的文脈を、どういったプロセスで選び取るのかを理解したいのであれば、「私」に観察の起点を据えることは重要な試みになると思うのである。

16　エイジェンシーの働きや自己そのものをパフォーマティブという視点で議論した論考の一つに、ルネサンス期英文学研究者として知られる、グリーンブラットによる『ルネサンスの自己成型――モアからシェイクスピアまで』（1992）がある。この本において彼は、一六世紀イギリスの文学作品の考察を対象に、自己を人々の生活を支配していた思考様式と照らし合わせることで、どのような自己が、どのような道具立てにおいて成型され、それをどのように作家本人が省察したのかを緻密に描き出した。中核的概念とされた自己成型（**self-fashioning**）の議論においては、自己を所与のものではなく、創作されるものとして認識する重要性が示された。
同様の議論に、最晩年のフーコーによる、「どのようにして『人間は自分を主体と化す』か」を探究した「自己のテクノロジー」がある［Martin et al. (eds.) 2004: iv］。統治の議論から主体の議論への移行について彼は、「今やますます私の関心は、自己自身と他者との相互作用に、そして、個人における支配のテクノロジーに、いかに個人が自分自身に働きかけるかの歴史に、つまり自己のテクノロジーに向かっている」と説明した［フーコー 2004: 20］。

「私らしさ」を考える

本書のテーマである「私らしさ」は、博士論文を書き終えた後にようやくたどり着くことができたキーワードである。博士論文執筆時には、とにかく彼女たちの姿を文字にすることに精いっぱいで、彼女たちの生きる姿を、端的な言葉で表現するには至らなかった。そんな中、本書をわざわざ「私らしさ」と鍵括弧付きで題したのには、彼女たちが主張する「私」や「彼女たちらしさ」を、私がすんなりそのまま受け入れることができなかったからでもある。自分のことを〈クバール〉（一かどの人物）だ、と言い張るシャイマには、彼女の自己認識と実像との乖離に寂しさまで覚えたし、自分のことを〈ヘルワ〉（美人）と形容するサラには、「よく、自分で言えたね！」とその図々しさに呆れかえった。

本書で扱った三人のエジプト人教員は、私にとってはそれぞれに面倒くさい存在だった。もちろん私は彼女たちに好意を持っていたし（今も持っているし）、日々の業務で助けてもらうことも多かった。それでも私は最後まで彼女たちと話をするとき、完全に気が抜けるようにはならなかった。私は常々彼女たちに気をつかい、彼女たちが望むように彼女たちに接することを心掛けていた。それは、私自身が彼女たちと過ごす中で学んだ方法でもあった。彼女たちにとって、自分にふさわしい対応がなされることは、とても重要なようだった。しかし私はそれに混乱した。彼女たちが考えるそれぞれの相応しさ（それは彼女たちの考える「私らしさ」に依拠している）と、私から見た「彼女たちらしさ」にはずれがあったからだ。このずれを意識し、補正する作業が、私にはとても面倒くさいものに思えていた。

面倒くささの中核に鎮座する、「客観的」な実像からずれまくった彼女たちの自己認識と押し付けがましさ。「私らしさ」という題名には、彼女たちの自己表現に真摯に向き合いたい、という気持ちと、今度こそ彼女たちの言いなりにはならない、という私の意思表示を投影したつもりである。

また、彼女たちの「私らしさ」は、彼女たちにとっては自分で選び取ったものだろうけれども、そこにもまた、社会的相互行為のプロセスがある。「全ての選択は、権力[17]によって条件づけられ、積み上げられたものである」［アブー＝ルゴド 2018: 31 で引用された、Brown 2012 の議論］というのなら、いかに「自由意志」で行った選択だとしても、それは権力からは決して自由ではいられない。本書では、彼女たちの選択を規定する、エジプト社会の権力構造についても目を向ける。

本書で、再度彼女たちの「私らしさ」に対峙することは、私にとっては、私と彼女たちとの隔たりを一〇年ごしに埋めようとするプロジェクトでもある。そして今度こそ、彼女たちの「私らしさ」から、何かがつかめたような気持ちになれたなら、それは私がついにたどり着くことができた、彼女たちとの共感、ということになるだろう。今更ではあるが、遅すぎたものではないことを祈って、そのプロセスを始めたい。

17 本書において権力とは、フーコーの議論［フーコー 1986］に倣い、知の生産と使用によって生まれる、自己と他者との相互関係のもとに作用する力と定義する。そこでは、言語にこそ強く権力が反映されていることを重視する。こうした権力は必ずしも「国家権力」や「権力者」といった表現における権力と同じものではない。

2　調査

本書の議論は、主に二〇〇七年八月から二〇〇八年二月に行った、カイロのA校という私立学校で実施した現地調査に基づいている。しかし考察においては、一九九八年から二〇〇五年までの現地生活、また二〇〇四年九月から二〇一九年三月にかけて断続的に行った計二九か月に及ぶ調査で得た知識も反映した。

A校での調査中は、日曜日から木曜日までの週五日、毎日七時四五分から一四時半までを校内で、また適宜夕方や夜間、あるいは休日に聞き取りを行った。働きながら調査をすることには難しさも利点もある。観察や聞き取りに先んじて職務をこなす必要があれば、前者に優先的に時間を割くことはどうしても難しかった。調査する自分と、働く自分との優先順位に悩むことも多かった。しかし働く中で、初めて見えたことも多い。業務をこなすことで、環境と、立場と、責任を共有することは、私に明確な居場所を与えてくれた。居場所を持つことは、特に周囲の人々と安定的な関係を構築する上で役立った。また業務をめぐって衝突することもあったが、それによって、観察者として見聞きするのとは違った人々の一面を垣間見ることもできた。職場は何より、きれいごとだけでは立ちいかない関係を与えてくれた。

カイロで外国人妻・嫁・母として調査をすること

私にとって「カイロで調査をする」ことは、私が調査をするための前提条件でもあり、だからこそ難しいものでもあった。私は当時、エジプト人の夫を持ち、七歳と五歳になる二人の娘の母でもあった。私たちは、カイロの中心地から南西に一五キロほど離れた、夫の出身地であるナズレット・エル＝サンマーン村（以下サンマーン）に住んでいた。サンマーンは、ギザのピラミッドの麓に広がる、カイロ郊外の住宅地である。今日でこそ大都市カイロの一部になっているとはいえ、未だに地縁、血縁の非常に強い土地柄である。私たちはそこで、夫の両親の住居に建て増しを重ねた、大家族で暮らす家に半同居[18]していた。

エジプト人男性と結婚し、彼の家族と暮らすことは、私にとってはエジプトの家庭の嫁になることを意味していた。どこまでいっても、私はいつも外国人ではあったけれど、エジプトの家庭の嫁として、勝手な振る舞いは許されなかった。当時私が自由に行き来できたのは、家族と暮らすエジプトの家と、日本の実家だけだった。昼間にどこで仕事をしても、夜は必ず、家族と暮らす「家」に戻らなければならなかった。それは、エジプトで女性として生きていく上で、調査に先立ち存在していた「決まり事」だった。もしも私が長期調査をするならば、それはカイロか、私の両親のいる東京のどちらかでなければならなかった。

18 夫の両親や兄弟の家族とは複数世帯住宅のようになった同じ建物に居住していた。核家族単位で独立した集合住宅一戸を所有してはいるが、日中は夫の両親宅で過ごすのが一般的である。またエジプトで一日のメインになる昼食は、両親の台所の設備を用いて一緒に調理する。食事は核家族単位で集まり、両親宅で食べる。朝食と夕食はそれぞれの独立した住居でとるが、その二食と就寝、シャワー以外はほとんどの時間を両親宅で過ごす。

しかしカイロで調査をすることにもまた、難しさが付きまとった。私のやることなすこと、全てが衆人環視のもとにあった。この、「世間の目（*alashan nās*）」を象徴する出来事がある。

ある日、仕事帰りに、サンマーン[19]とはカイロの中心部を挟んだちょうど反対側（北東）に位置する、ショブラ地区の外れでミニバスに乗った時のことだった。そこは私にとっては初めて訪れる全く土地勘のない場所だった。その日の仕事を終え、心細い思いをしながら家路に就いた。とりあえずカイロの中心部に向かい、そこでサンマーンに向かう公共交通機関に乗ろう。そう思いながら、中心部行きのミニバスに乗り込んだとたんのことだった。後ろに座っていた男性二人が、「見ろよ、L[20]（夫の名前）の日本人妻だ」とつぶやいたのだった。大カイロ圏は、人口二千万人を超える大都市である。その南西の端に暮らす私が、北東の端で、しかもたまたま乗り込んだミニバスの車内で身元が割れている。私の行いは、それがどこであろうと、やることなすこと当然のように周囲に知られていた。町の中心部で働く私が家に帰ると、一日を自宅で過ごしていたはずの義母や義弟に、その日の行動を把握されていることは珍しくなかった。

こうしたコミュニティに暮らす私にとって、自分の行動に否定的な噂が流されることは、日常生活が立ち行かなくなることを意味していた。そんなことになれば、もともと調査に懐疑的だった、夫や、夫の家族の反対に会うことは目に見えていた。彼らが調査に懐疑的だったのは、社会調査の意義や手法を理解できなかったからではなかった。むしろ調査で多くの人間と関わり、調査対象者の話にじっくり耳を傾けることを知っていたために、そのことを問題にしていたのだった。なぜなら、外からやってきた嫁にとって、調査として行うそれらの行為は、まさに嫁が、婚家の人間に対して果たす義務そのものだったのである。それをおざなりにして、わざわざ他人に対してそうした行動をとろうとすること自体、嫁としての忠誠心に疑念を抱かせる行為だった。

ところが、学校で教員として働きながら調査を行うとなれば話は別だった。学歴のある外国人嫁が教員になることが、コミュニティにとってプラスになると評価されたのだった。気が付けば私は、コミュニティのために尽力する、理想の外国人妻になっていた。加えて、私の娘たちがA校に通っていたことも追い風になった。常に子どもの側にいる、よくできた母親だということになっていたのである。こうした評価は必ずしも実態を反映するものではなかったが、調査を行う上では（家族との関係に対して）非常に有利に働いた。家事に十分貢献できなくても、休日に家族サービスをさぼっても、「理想的な外国人妻」の行いとして、寛大な目で見てもらうことができたのだった。

カイロで女性を対象に調査を行うこと

私にとって、A校で調査ができたことは僥倖以外の何物でもない。「職場」という居場所を与えられることは、カイロで女性を対象にした意味のある調査を行うためには不可欠だった。エジプトで女

19　カイロでは、ワゴン車を改造した乗合タクシーを「ミニバス」と呼ぶ。決まったルートを走るが、好きなところで乗り降りできる。バスと違って公営ではないが、カイロではバスに並んで庶民の足として最も一般的な乗り物である。

20　Wendell Cox. 2012.06.13. "THE EVOLVING URBAN FORM: CAIRO" *New Geography*. (http://www.newgeography.com/content/002901-the-evolving-urban-form-cairo) 最終アクセス日二〇二一年八月二八日

性を対象とする民族誌的調査は、そのほとんどが、家庭における女性を扱うものである。特に、九〇年代までの民族誌にこの傾向は顕著である。カイロの庶民街であれ[21]、西方砂漠や上エジプトであれ[22]、調査者は、女性たちと彼女たちの家庭での時間を共有しながら調査を行ってきた。例外として、病院やクリニックを基点にする民族誌もあるが[23]、いずれも観察地は固定されていた。固定された観察場所を持たず、友人関係を基盤に民族誌が書かれ始めてきたのは、つい最近のことである[24]。

こうした傾向には理由がある。話好きで、誰とでも会話を交わす男性とは異なり、カイロの公共の場所で、女性が見知らぬ人物と気楽に会話に応じることはほとんどない。相手が男性であればなおさらである。「家庭こそが女性の居場所である」。こうした価値観が根強く存在するカイロにおいて、家庭の外で時間を過ごし、不特定多数の人々と接することは、現在に至るまで、女性にとって決して奨励されることではない。女性の外出には未だに理由が求められている。仕事や学業、親戚訪問や買い物といった明確な目的があって初めて、女性は外出できるのである。こうした認識を背景に、そもそも女性が明確な目的なく存在する場所をカイロで見つけることは、一昔前までは本当に難しかった。今でこそ、西洋風のカフェやモールなどの特定の場所では、女性たちが所在なさそうにしている姿を見かけることもあるが、そうした場所になじみがある層はまだ社会の一部に限られている。

女性の家族を通じて女性と知り合い、家庭に出入りする許可を得ることができれば、女性たちと親しくなることの難易度は下がる。女性たちと時間を共にして、彼女たちの考えを聞かせてもらおうとするなら、家庭というセッティングは不可欠だった。

しかし私には、最初からその選択肢は与えられていなかった。すでにカイロに家族がいる私が、別の家庭に出入りをしようとすれば、自分の家族との信頼関係を大きなリスクに晒すことを免れられなかった。また、家族生活の重大な出来事を共に経験したければ、家庭で長い時間、とくに家庭で人々が活発に活動する、夜の時間を共に過ごす必要があった。そのどちらも私にはできない相談だった。私には、調査に使える夜の時間は与えられていなかった。こうした制約の中、毎日決まった時間に決まった場所で、決まった人々と時間を共にできる学校での調査は理想的なものだった。また学校は、被雇用者の数も多く、多くの女性たちと出会うことができた。しかも勤務時間が午後の早い時間に終わるため、家族からの調査に対する猜疑心を軽減させることもできた。夜はもちろん家族で過ごすこともできた。加えて学校で働くことが、調査にまつわる怪しさを軽減させたことは、すでに述べた通りである。A校で、教員業と引き換えに調査が許されたことは、私にとってはこれ以上ない幸運だったのである。

学校での調査は、カイロという場所で調査と私生活を両立する環境を整える上で非常に適していた。加えて、学校で参与観察を含めた調査を行うことができるのは、それ自体が特別な好機でもあった。エジプトの学校は、直接の観察がほぼ不可能な調査が非常に難しい現場の一つとされてきた［Farag

……………………

21　Rugh (1984); Wikan (1996); Singerman (1997); Hoodfar (1991; 1997); Köppe (2007); Ghannam (2002; 2004) など。
22　L. Abu-Lughod (1986; 1993) など。
23　Inhorn (1996); Basyouny (1997) など。
24　Wynn (2018); Shönfeld (2007); El Sayed (2017) など。

るだけでなく、学校で日々営まれている日常生活を至近距離から詳細に観察するまたとない機会となった。

誤解のないように言えば、私がエジプト人の夫を持ち、エジプトで家族の暮らしを送っていたからといって、私にはエジプト人のようにエジプト人を語る資格があるなどとは思っていない。そもそも、エジプト人だからといって、「エジプト人」が語れるわけではない。日本国籍を持つ私が、「日本人」を語れると思わないのと同じである。特定の属性をもってして、語られる権利が認められたり、はく奪されると考えるのはナンセンスだろう。

ここで調査について記したのは、本書で取り上げた三人の女性に出会った、調査という場もまた、その出会いの重要な一部だと考えたからである。こうした調査地での日常の制約は、調査結果にも大きく影響する。むしろ、調査の一部といってもいいだろう。私にとってこうした制約は、調査を行う上でも、調査について書く上でも、常に意識する必要のあるとても大きなものだった。言うまでもなく、違った環境で調査を行えば、得ることができる結果は違うものになる。調査はデータ収集のプロセスであるだけでなく、それ自体がデータであり、他のデータを枠づけるものでもある。

本書では、情報の真偽を問うことはしていない。それは本書が、私が観察できた彼女たちの姿を考察するものだからである。彼女たちが語った情報が真実なのかどうか、彼女たちが私に見せた姿が「本当」の彼女たちの姿かどうかは、本書においては重要な意味を持つものではない。本書で重視したのは、彼女たちが私に対して行った自己呈示と、彼女たちから語られたことである。私が出会うことのできた彼女たちの姿が、私との相互行為の中で立ち上がるものであったとすれば、私が書いたのは、彼女たちに関する私の経験、と言い換えることもできるかもしれない。本書で行おうとしたのは、彼女たちの真の姿を明らかにすることでも、彼女たちの意見を代弁することでもない。本書で行ったのは、私の経験という前提のもとに、私と関わり、働きかけ、私自身を作り出している存在として、女性たちの姿を検討し、そこに共感の可能性を探ることだった。人類学者の神本は、フィールドワーク体験を綴った論集『マルチグラフト』のまえがきで、「わかる」を「共感」と「理解（了解）」に分け、その論集で扱われるのが、「理解」という意味での「わかる」ことだと述べている［神本 2020: 3］。こうした立場は、同じように感じることはできないけれど、どうしてそういう風に感じるのかは「わかる」、という感覚を重視したものと言えるだろう。対して本書では、「理解」よりも「共感」を重視する。そこで重要なのは、どうしてそうなのかはわからないけれど、あなたの感情に共鳴できる、と感じることである。

日常生活の多くのことを、なぜそうなるのか、私たちは理解していない。しかし今、目の前にいる人と、とにかく一緒にやっていくことが求められ、よくわからないながらに、一緒に過ごしていると、自分でも上手く説明できないけれど、周囲の人々の感情に、共感できるという意味で「わかる」と思える瞬間がある。それを、センチメンタルで非政治的と批判することは可能かもしれない。しかし、そうした感覚があるからこそ、私たちは違う人とも共に生きていける。何が起きているのか、説明はできないかもしれないけれど、その人たちに寄り添うことができる。本書は、そうした意味では、三人のエジプト人女性に向き合い、共感しようとする、私自身の試みを書き記したものでもある。実際には、なかなか彼女たちに共感できず、不満ばかりを募らせてもいたが、その不満は、彼女たちへの不満というだけでなく、私自身が共感にたどり着けなかったことに由来していたものだった。それだけ私は、その時、彼女たちを理解し、説明できるようになることよりも、共感し、共感されようとしていたのだった。

3 本書の構成

本書は、第1章で本論の舞台となるA校について述べた後、第I部でシャイマ、第II部でサラ、第III部でリハーム校長と、A校で働く三人の女性教員を取り上げる。

第I部で取り上げるシャイマは、エジプトの女性学校教員というイメージにぴったりな、学歴は高くとも、社会的規範に従順な「いい子」に見えた。第2章ではシャイマにとっての学校教員として働くことの意義、第3章ではシャイマが自分を表現した〈クバール〉（大人）という表現に着目して、彼女がなろうとしていた人物像に迫る。そして第4章では、〈クバール〉として周囲に認められようとしたシャイマの奮闘を考察する。若者の労働市場参加、高学歴女性の就労、女性のイスラーム教実践といった角度では捉えきれない、グローバル化が進むカイロで、女性の生が主体的に作られる様相を

第Ⅰ部では考察する。国家との社会契約が反故にされてもなお、シャイマは自力で社会的居場所を得ようと奮闘していたのだった。

第Ⅱ部で取り上げるサラは、A校の他の教員よりも高い社会階層出身の新米教員だった。第5章では二人の娘を持つサラの学校教員としての就業意識、第6章ではサラが自分を表現した〈ヘルワ〉（美しい女性）という表現を手掛かりに、彼女がなろうとしていた人物像を探る。母親であり、妻でもある彼女が、〈ヘルワ〉として生きようと奮闘する姿から、特定の形に縛られない彼女のバイタリティの源に、他者との関係性を望む強い希求を描き出す。第7章では、近年のエジプトの民族誌で高い関心が寄せられる階級概念を取り上げ、彼女のA校での評価を考察し、階級議論の難しさに迫る。

そして第Ⅲ部では、A校に独裁者として君臨していた、リハーム校長を取り上げる。彼女は、誰がどこから見ても、権力者だと一目でわかる女性だった。第8章では彼女のA校での暴君ともいえる孤軍奮闘ぶりを、第9章ではA校で〈ソサエティ〉の守護者という、彼女自身がなろうとしていた自己像を検討する。同時代に生きる人々が、みな同じ歴史認識、歴史的文脈のもとに生きているとは限らない。リハーム校長が生きていたのは、五〇年代初頭のエジプトを理想とし、それ以降衰退が続くエジプトというものだった。孤独な闘いにも見えたA校での奮闘で目指されていたのは、植民地期エジプトの理想を社会に復活させるという、時空を超えたようにも見える壮大な試みだった。

三者三様の生き様は、それだけでも、現代カイロの女性たちの多様性を示す糸口になるだろう。

第1章 現代エジプトにおけるA校

1 格差社会としての二〇〇〇年代エジプト

エジプトは、アジアとアフリカをまたぐ形で中東地域の中央に一〇〇万二〇〇〇平方キロメートルの国土を擁している［UNDP United Nations 2005: 44-47］。国土の九割は砂漠で、人口のほとんどは、ナイル川沿いの地域に密集して居住する。本書で取り上げる女性学校教員が暮らす首都カイロも、ナイル川沿いに形成された都市である。厳密に言えば、行政区分としてのカイロ市は、ナイル川東岸に広がる地域を指す。ただ一般的には、ナイル川東岸だけでなく西岸のギザにも広範囲で広がる一大市街地のことも「カイロ」（区分としては大カイロ圏）と呼ばれている。カイロは、二〇〇六年には人口一五七五万人を擁し、ヨハネスブルグに次ぐアフリカの大都市、アラブ世界では最大の都市である［岩崎 2012: 一三］。都市としてのカイロは、近郊の村々や新興住宅地を吸収・合併し、九〇年代半ばに開発が始まった新しい郊外型の都市建設も進む中、さらに拡大している。

調査を開始した二〇〇七年のエジプトの人口は七三六〇万人（二〇一二年は八〇七二万）、そのうち一五歳から二九歳以下の人口は全体の三割強の一六九五万人だった［岩崎 2012: 114］。二一世紀初頭の一人あたりのGDP（名目GDP）は一〇一一九・五七エジプトポンド（以下LE）である。国連の絶対的貧困の指標である一日一ドル以下で生活する人口は少ないが、相対的貧困（一日二ドル以下）になると全体の二〇％を占めるに到る［UNDP and INP 2005: 207］。

エジプトでは、貧困ラインぎりぎりの生活を送る人々が多数いる一方、高級ブランドが入るカイロのショッピングモールは賑わいを見せている。地中海沿岸に開発が進む分譲型リゾートマンション市場も活況を呈し、消費市場としても急成長を遂げている。日常生活でも、こうした二極化は至るところに見ることができる。多国籍企業が経営するコーヒーショップで、高校や大学帰りに見える男女が、スマートフォンやタブレット端末をいじりながら、三八LE[▽25]のモカフラペチーノ・ソイミルクを飲んでいるかと思えば、その同じ街区で、その半額程度（一九LE）の日給を求め、早朝から日雇い建設労働者が列をなしている。外資企業の進出に伴い九〇年代以降出現した、生活スタイルのグローバル化と、そこから取り残された人々の生活格差は、現在の「グローバル・カイロ」において拡大の一途をたどっている［cf. Abaza 2006; De Koning 2005; Peterson 2011］。

グローバル消費主義の蔓延

一九九〇年代以降、エジプトは大きな社会変化を経験した。それを一言で言い表すなら、グローバル消費主義の蔓延になる。社会学者のモナ・アバーザは、この現象が巨大商業施設の台頭と並行して現れたことを示す「モール・カルチャー」という概念を使って、エジプトの近年の変化を説明した。この概念は、シンガポールをはじめとする東南アジア研究で生まれたものだが、現在のエジプト社会を説明する上でも優れているという［Abaza 2006］。

エジプトのショッピングモールは、九〇年代初頭、マニアル地区に現れたワールド・トレードセンター・アネックス・モールを皮切りに、海外ハイブランドや多国籍企業が運営する飲食店など、国内にいながらにグローバルな消費文化に触れられる空間として成長を遂げた。アバーザによれば、モールがそれ以前のエジプトに見られた小売店や百貨店と違うのは、モールが持つショーケース効果である。モールは、品揃えだけでなく、そこに身を置くことで消費参加ができる点に特徴がある。モールは来場者を選ばず、その顕示効果は社会階層を問わず社会全域に広がりを持っている。単に豊かな消費環境が提供されるだけでなく、そのことが全ての人口に認識される点で新しい。これによって、持たざる者にも、「持つ者」の豊かさが、「夢」や「希求」として提供されることになったのである［Abaza 2006］。二〇〇〇年代には、メトロ、サンスベリーといった外国資本の巨大スーパーを核とする中価格帯のモールも出現し、品揃えが良く清潔であることに加え、従来の店舗販売より安価な商品が流通する空間として、出身階級を問わず、一般の人々の暮らしに一気に浸透した。

モールには、物品販売を行う小売店だけでなく、マクドナルドやＫＦＣ、モーメン（*mo3men* エジプト発祥のサンドイッチショップ）やアル＝オムダ（*al-Omda* エジプト料理のファストフード）といった、ジャン

……………

25　二〇一九年の時点で、この価格は八〇ＬＥにまで上がっていた。

ルを問わない国内外のファストフード店が賑わいを見せている。欧米型のファストフードがそれほど普及していなかったエジプト社会において、ショッピングモールはこうした目新しい文化に触れる機会も提供した。また、モールは映画館、ゲームセンターといった商業複合施設として成長することにより、人々の余暇の過ごし方にも大きな影響を与えてきた［De Koning 2005］。親しい知人・親族の家庭を訪問し合う、というエジプトで従来一般的だった過ごし方に加えて、休日に核家族や親しい友人と、少人数で複合商業施設を訪れることも、一つのライフスタイルとして定着した。ショッピングモールの到来は、エジプトにも、顕示的消費に人々が駆り立てられる時代をもたらした。九〇年代後半は、衛星放送、携帯電話、インターネットの普及もみられるようになった時代でもある。こうした情報インフラの整備により、人々は多様な情報に、リアルタイムでアクセスすることが可能になった。自らが生きる物理的空間だけでなく、グローバルな消費文化に日常的に接することが、普通の生活の一部になったのである。

〇〇年代カイロの上流・中流文化について考察した人類学者のピーターソンによれば、この時期、これまで教育程度で測られてきた「民度」というあるべきエジプト国民の指標が、消費を通じて表現される「スタイル」や「モダン」さに置き換わった［Peterson 2011: 4］。従来エジプトの理想的な生活様式は、高度な教育を受けた中産階級が決めるものだとされてきた［Toth 2016］。ピーターソンは、それが、出身階層を問わず、消費スタイルによって決定されるものに変化したと分析するのである。同じ現象をもって、エジプト出身の経済学者で、著述家としても知られるガラール・アミーンは、エジプトにおける中産階級の消滅を指摘した［Amin 2011］。アミーンによるこの指摘は、中間所得層の消滅による所得層の二極化を意味するものというよりも、従来エジプトの文化や社会の在り方、とりわけ言説面において大きな影響力を持っていた中産階級の影響力が大幅に縮小した、という意味で理解ができる。消費という経済行動がモノの価値を規定する時代が到来したことで、従来文化の担い手とされてきた「中産階級」の存在意義がなくなった、と言い換えることができるだろう。土堤内によれば、「格差」という言葉そのものが示すのは、資格、等級、価格、程度などで格付けをするという前提をもとに行われる差異化である。資産格差、雇用格差、教育格差、地域格差、世代格差、男女格差、健康格差といった用語が示す通り、指示される事象によって、その差異は異なるものになる［土堤内 2011］。エジプトのモール・カルチャーは、格差の拡大という規模の変化だけでなく、格差の規準にも変化をもたらした。従来、教育を受けていることが中産階級の指標とされ、彼らの生活こそが「エジプト人」として目指すべき生活だとされてきたのに対し［Toth 2016］、購買能力と、欧米文化への近接性がそれにとって代わったのだった［Peterson 2011］。この時期エジプトは、階級社会の構成から格差の指標に至るまで、社会の在り方が大きく変化した。

二〇〇〇年代エジプトにおける私立学校

エジプトにおける、グローバルな消費主義の蔓延は、ショッピングモールといった商業空間だけでなく、社会の至るところに変化を生み出した。学校教育は、新たな格差の指標として、また新しい階級文化の生成場、身体化の場として、消費主義的格差の生成の主要な舞台の一つになった。そこで問われるのは、「学校教育を受けたかどうか」から「教育にいくらかけたか」というコストや資本の問題になった。

私立学校が走らせる清潔でピカピカのスクールバスは、グローバル消費主義化する現代エジプト都市部の一つの象徴とされている［cf. De Koning 2005］。学費の高い、高額私立校のスクールバスは、最新型の車両にお洒落なロゴを付け、砂埃の舞う中、カイロの至るところを走りまわっている。未舗装の道や、手入れの行き届かない集合住宅が密集する地域を、高額な学費を課す外国ディプロマ校の、清潔感と近代性を誇張したバスが走り抜ける。こうした幾重にも重なるちぐはぐさは、現代エジプトを象徴する現象として、何人もの研究者を惹きつけてきた▽26。彼らは、ピカピカのスクールバスの背景に、エジプト社会に存在する、持つものと持たざる者に課されるダブルスタンダードと、それが可視化され、固定化され、正当化されている現状を指摘する。とりわけ現代エジプトの都市部では、学校教育までもが商業活動の対象となっていること、人々の経済力によって教育空間が分断されていること、またそうした格差が、顕示的消費を通じて、直接その現象に馴染みのない人々の生活にまで浸透しているという状況が生まれている。現代エジプトにおいて、学校には、エジプトで活況を呈す新たなグローバル消費主義的ライフスタイルのショーケースという役割が与えられているのである。

2　調査当時のA校

調査地であるA校は、まさにエジプトのこうした消費主義時代の学校教育を象徴する場所といえるだろう。A校は、アメリカの教育カリキュラムを実施するエジプトの組織が運営する学校（現地の呼び方にならい、以下、アメリカン・ディプロマ校と記す）として、現在のエジプトの学費序列において、上位二番手のカテゴリーに入る学校だった。A校より学費で上位に位置するカテゴリーには、海外に本部を持つ学校組織に運営されるインターナショナルスクールや、インディペンデント系のアメリカンスクールが分類される。そうしたトップランク校の中には、学費が、年間二〇〇万円を超える超高額私立校も存在する。一方A校の授業料は、小学校であれば年間二〇―三〇万円程度だったが、▽27 エジプトでは、十分学費が高い学校として認識されていた。▽28 A校は、一般の人々には手の届かない学校だと考えられていた。▽29 外国語に力を入れた、ランゲージスクールカリキュラム▽30 を実施する同系列のB

26 例えば二〇〇〇年代のカイロの都市生活を扱った **Peterson** (2011) や **De Koning** (2005) には、こうした学校やスクールバスについての言及がある。

27 学費は学年に応じて七〇〇〇LE（KG）から一五〇〇〇LE（G12）となっていたが、それに加えて諸経費が三〇〇〇LEほど必要だった。

28 世界銀行の発表によれば、二〇〇七年のエジプト一人あたりGDPは一七五八ドルだった［World Bank 2015b］。

29 私立の教育機関に在籍する児童生徒は、全体のおよそ八パーセントといわれている。エジプト国家情報局のウェブサイトによれば、二〇〇四―二〇〇五年度の私立校在籍生徒数一二二万二六一六人に対し、全体では一五五一万一八一八人であり、私立校在籍割合は七・八八パーセントとなる［Egypt State Information Service N.D.］。

30 ランゲージカリキュラムとは、一般的なナショナルカリキュラムを踏襲しつつ、言語教育に力を入れる教育カリキュラムを指す。エジプト国家の修了証が発行される点で、「ディプロマ・カリキュラム」（海外からの修了証が発行される）とは異なっている。このカリキュラムが実施される学校は、ランゲージ・スクールと呼ばれている。

A校の校舎

校と比べても、A校の学費は二倍から三倍ほど高かった。世界銀行の統計によれば、二〇〇七年エジプトの一人あたりGDPは一七五八ドル（GNI＝九〇〇〇USD）[31]だった［World Bank 2015b］。A校の学費は、それを上回る額だった。

A校の教育システム

A校は、二〇〇三年に開校された、調査当時まだ新しい学校だった[32]。キャンパスを共有するB校は一九八六年に設立された英語のランゲージスクールで、どちらもOという、私立学校を運営する組織に属していた。Oは、一九五五年に設立され、調査時は百校以上の学校をエジプトで運営していた。A校はそのOが運営する、最もモダンで最も進んだ学校との触れ込みだった。定員未達であったため、入学に際して選抜試験は特に設けておらず、授業料を納めることのできる希望者は全員受け入れていた。

調査当時は、KG（プレスクール）からGrade 12（高校三年生相当、以下GradeはGと記す）までのクラスを開講する、小規模校だった[33]。どの学年も一クラスの人数は少なかったが、最高学年のG12は二五人以上（生徒の数は常に変化するので把握が難しい）の生徒が在籍していた。

A校のそれぞれの授業は、アメリカの提携校からまとめて送られてくる教材に沿って組み立てられていた。ただし、教材には、シラバスや授業進行に関する指示等は一切含まれておらず、授業内容は個々の教員に任せられていたため、内実にはかなり個人差があった。アメリカから送られてくる教員向けパッケージには、生徒用の教材一式（教科書、副読本、ワークブック複数冊）や教員用の『ティーチャーズガイド』の他、フラッシュカード（A5サイズの厚紙に、単語と絵が印刷されたカラフルなカード）や紙芝居、CD、辞典、パズル、楽器といった授業教材も一緒に梱包されていた。どの教材を使用するかは個々の教員の判断に任されていた。

A校は教育省より、アメリカ式の教育を行い、アメリカの教育修了証を出す許可を取得していた。それでも二〇〇七年には、社会科授業のみ、エジプト政府が策定したエジプトの教科書に基づく授業

………………

31 レンティル国家と呼ばれるエジプトにおいて、観光収入、石油収入、スエズ運河使用料にならび、海外からの出稼ぎ送金は重要な収入源となっている。GDPとGNIの大きな開きは、こうしたところに起因すると考えられる。

32 この段落の情報は、二〇〇七年に入手した学校のパンフレットによる。ただしA校はその後も周辺の私有地を買い上げ、拡張を続けている。調査に先立つ二〇〇五年には、隣に建っていた小規模の私立学校を買い上げ、その跡地を馬場とスクールバスの停車場にしていた。

33 基本的に全授業同じクラスで行うが、第二外国語、宗教、社会科のみ履修科目ごとに選択科目ごとに分かれて授業を行っていた。第二外国語ではフランス語とドイツ語が選択でき、宗教ではイスラーム教とキリスト教の授業が行われていた。社会化は、エジプトの社会科とアメリカ合衆国の社会科が選べることになっていたが、アメリカのものを選択した場合には、図書室で自習することになっていた。

同じ敷地内に建つＢ校

実施をするよう教育省から通達されていた。アメリカン・ディプロマ校は、最先端の教育を提供する場所と目されていた一方、しばしばスパイ容疑がかけられる、エジプト社会における両義的存在だった。

Ａ校の設備

Ａ校が位置していたのは、カイロの中心地から南西方向に一五キロほどの場所に位置する、九〇年代半ばになり急激に開発が進められた、カフリガバルと呼ばれるエリアだった。かつての田園地帯は、開発が始まってから数年のうちに土地の値段が何倍にも跳ね上がり、このあたりの農民は突然億万長者になったとも噂されていた。

Ａ校は二フェダーン[34]あるキャンパス[35]や学校設備の一部を、同じ学校[36]運営団体が経営するＢ校と共有し、Ａ校はその中の五階建ての建物一棟を専用棟として使用していた。建物には、通常の教室や教員用の部屋に加え、図書室、生物実験室、化学実験室、コンピュータルーム、集会室、美術室、講堂、食堂などが入っていた。全ての部屋にはエアコンが完備されていた。校内には別の建物に、保健室、ソーシャルワーカー・ルーム[37]、売店があり、屋外には、遊具場、屋外フットサルスタジアム、屋外バスケットボールコート、馬場、駐車場が設けられていた。三か所の校門には、二十四時間警備員が常駐し、中が見えないよう巨大な鉄板で作られた門を管理し、関係者と認められたものだけが、内部に入れてもらうことができた。

A校の規則

エジプトの学校には、ほとんどの学校に制服がある。エジプトの制服といって多くのエジプト人が思い浮かべるのは、白いシャツに青いスラックス／スカートに黒い靴である（色は場合によっては深緑や黄土色がかった茶色のこともある）。これは、公立校の制服のイメージで、現在でもカイロで頻繁に目にすることができる。このスタイルは現在では、中産階級以上の人々には、流行遅れと認識されている。現在制服として人気があるのは、ジャージタイプ（「トレーニング」と呼ばれていた）のものである。A校の制服には、このジャージタイプと、ポロシャツ、そして防寒着としてダウンジャケットが用意されていた。ポロシャツは、ジャージの中に着用するか、ベージュや紺のチノパンと着用することになっ

34 エジプトで用いられる単位。一フェダーンは四二〇〇平方キロメートル［Sizes.com 2015］。
35 二〇〇七年に入手したパンフレットの記載による。
36 エジプトでは日本式の一階を地階と呼び、日本でいう二階を一階とみなす。しかし本書では混乱を避けるために全て日本式の呼び方に統一した。
37 エジプトの学校にはソーシャルワーカーが常駐していて、学校と保護者との面談に立ち会うことがある。

ていた。[38]

制服は、校内に設けられた制服販売所で購入することできた。しかし、どれも非常に高額だった。[39]A校とB校では、色違いの同じ制服が指定されていたが、着こなしの自由度については大きく異なっていた。A校では、スラックスの色については特に指定がなく、生徒たちはカーキやベージュのチノパンをはいていた。しかし、B校ではスラックスの色は紺色と決められていた。またA校では、制服の上や下に、制服以外の好きな服を着ることができたが、B校では指定の物以外の着用は許されていなかった。このように、A校の制服着用のルールは、B校に比べて自由度が高かった。

制服の色以外にも、アクセサリーの着用や学校に持ち込む物品などについて、A校はかなり寛大だった。その当時A校でよく見かけた男子の装いは、白い長そでコットンTシャツにオレンジの制服ポロシャツを重ね、下着が見えるくらい低い位置で腰履きしたベージュのスラックスに、グレーのパーカーを羽織る、というものだった。なかには、カラフルで大きなヘッドホンや、ベースボールキャップをして登校してくる男子生徒もいたが、問題にはされていなかった。対してB校では、制服でないパーカーやヘッドホン、キャップはどれも「基準服」からは外れる違反品として、即刻没収の対象とされていた。

また女性が頭髪を隠すために被るスカーフ（タラハ）は、両校とも一応白と決められていたが、A校にはもともと、スカーフを着用する女子生徒はほとんどおらず、それ以外の色のものでも注意されることはなかった。

学校の施設利用や学校からの外出についても、A校の生徒にはより大きな自由が与えられていた。

授業時間中の学校からの一時退出は、A校の上級生には、自分たちだけが享受できる特権のように考えられていた。先述の通り、校門は常駐の門番によって常に管理されていた。これは外からの不審者対策というよりも、生徒による勝手な外出を禁止するものでもあった。ところがどういうわけかA校の上級生たちは、警備員と懇意になるなどして、自由に出入りしていた。彼らの中にはすでに自分の車を持っている者もおり、学校を出た後は、かなり遠くまで外出していたようだった。

A校という特権生成装置

A校には、優れた設備が備え付けられているだけでなく、児童・生徒たちを特別扱いする文化があった。A校では、生徒や保護者の自尊心を満たすことに高い優先順位が置かれ、A校が他の学校と違うこと、A校に通う生徒も他の人間とは違うことが積極的に強調された。

この効果を最大限に発揮させる上で重要だったのが、キャンパスの大部分を共有するB校の存在だった。設備の使用から、校則、職員の態度に至るまで、全ての場面において、A校の児童・生徒はB校の児童・生徒より優遇されていた。こうした秩序は、児童・生徒たちに敏感に受容・共有され、

38 制服の色は学年によって分けられていた。KGは赤地に紺のアクセント、G1—G5はベージュ地にオリーブのアクセント、G6—G12は、オレンジ地に紺のアクセントだった。

39 二〇〇七年の価格は、一二〇センチメートルサイズでジャージの上一三〇LE、下一三〇LE、ポロシャツ九〇LE、ダウンジャケット二五〇LEと非常に高額だった。学校外に行けば、同等のものを三〇LE程度で購入することができた。

A校の生徒たちの中には、B校の生徒が立場の違いをわきまえないと不平を漏らす者すらいた。彼らの不満の内容は大抵、B校の生徒が自分たちと同じように遊具やバスケットボールコートを使用したという程度のものだった。A校の生徒たちには、こうした行為が自らの特権を侵害する行為であるかのように捉えられていた。こうした意識は、A校の生徒たちの思い過ごしではなく、A校・B校の教職員にも共通して見ることができた。教職員の中には、こうした申し立てを深刻に受け止め、A校の生徒に代わって、B校の生徒たちを特定の場から締め出そうとする者もいた。そうした教職員の中には、A校の生徒の保護者から、特別に金銭を渡され、自分の子どもの面倒を見るよう言い付かっていた者もいた。

こうした明らかなダブルスタンダードは、A校だけでなく、B校にも受け入れられていた。むしろ、A校児童・生徒たちを必要以上に丁重に扱う雰囲気は、A校の教員や児童・生徒ではなく、B校の教職員に顕著だった。数多の規則に縛られ、教員に怒鳴られながら勉強に励むB校の生徒たちにとって、流行りの高級スポーツブランドの衣類やガジェットを身に着け、学校に自由に出入りするA校の生徒たちの姿が目障りでないはずはなかった。しかしA校の生徒を相手に問題を起こすのは、B校でも主に下級生で、彼らが上級生になるころには、こうした違いをすっかり従順に受け入れるようになり、A校の生徒相手にトラブルを起こすB校の生徒はほとんどいなかった。B校もランゲージスクールとして十分高額な授業料を徴収する、中産階級向けの学校だったが、そこに通う児童・生徒たちは学校において「A校以下」という社会的位置づけを身体化されていた。

3　A校の人々

A校の児童・生徒

A校に通う初等科のほとんどの児童は、エジプト国籍を持っていた。G1の場合、その中の三割ほどの生徒は、親のどちらかが外国籍だった。彼らの国籍は、イタリア、フランス、日本、フィリピン、アメリカ、サウジアラビアと多岐にわたっていた。他方、エジプト国籍を持たない児童には、パレスチナ、エチオピア、サウジアラビア、カタールの出身者がいた。後者の児童には、父親の仕事の関係上、一時的にエジプトに暮らしている、という共通の背景があった。

父親の職業として圧倒的に多かったのが、アラブ湾岸諸国で石油関係の仕事に就いているケースである。それ以外に確認できたところでは、ウェブデザイナー、外科医、実業家などがいた。エジプト国籍を持つ児童には、父親が家族を残して諸外国での仕事に従事しているケースが多く、海外在住経験を持つ児童が少なくなかった。母親も仕事を持っているケースもあったが（外科医や銀行勤務など）、大多数は専業主婦だった。母親が仕事を持っている家庭は、父親が海外勤務には従事していなかった。

兄弟姉妹がいる家庭は、子どもたちがそろってA校に通うケースがほとんどだった。KGとG1に関しては、他校に兄弟姉妹を通わせている家庭はなかった。また親戚同士でA校に通っているという家族も二組（四家族）確認できた。その四家族はいずれも、父親が湾岸（アブダビとクウェート）で石油関係の仕事に携わっていた。

湾岸諸国で石油関係の仕事に携わる父親が多かったことは、多くの家庭が昔からのカイロのエリートではなく、親の世代がランゲージ・スクール、そして国立大学という進路を経た、裕福なニューミドルクラスであることを示していた。昔からのエリート一家の一員で、父親が旧ミッショナリー系学校を出た家庭は一家族しかいなかった。

以上を総括すれば、A校に子どもを通わせる家庭の典型は、母親が専業主婦で、父親が国外で仕事に就いた経験を持つ、ニューミドルクラスかニューリッチと呼ばれる人々であったといえるだろう。国際結婚や海外移住経験を持ち、国際的な生活に馴染みのある家庭も多かった。

A校における学校教員

A校には、校長、副校長、教務主任以下二〇人の常勤学校教員、八名程度の非常勤学校教員（時期によって若干の変動があった）、理事長秘書、理事長秘書補佐、そして用務員が五名勤務していた。非常勤学校教員の中には、B校に正式な所属を置きながら、A校の欠員によって駆り出される学校教員たちもいた。常勤勤務者は週に一二コマ以上授業を担当する規定があり、多くの学校教員たちが一五コマ担当していた。常勤学校教員二〇名のうち一三名が女性、七名が男性だった。二〇〇七年度は、二〇代の女性未婚学校教員が五人と高い割合を占めていた。ほぼ全員がエジプト出身者で、外国出身の学校教員は三人だった。

基本的に授業は英語で行われるが、アラビア語学校教員、フランス語学校教員、ドイツ語学校教員、宗教担当学校教員、社会科（エジプト）担当学校教員はアラビア語カイロ方言で授業を行うことが黙認されており、教員の中には、英語が得意でない者もいた。学校からの配布物は基本的に英語で作成

表1　A校の学校教員

名前	年齢	性別	担当	補足情報
リハーム	60代	女	校長	A校の全てを取り仕切る
マイ	40代	女	理事長秘書	リハーム校長とは敵対していた
ドア	40代	女	教務主任	B校勤務時よりリハームの片腕を務める
ファトヒ	50代	男	数学	定年間近、 息子は石油会社勤務、自分の10倍の収入がある
カリーム	40代後半	男	副校長、英語	カナダで教員経験あり 時間割作成責任者
カリーマ	50代前半	女	数学	「イスラーム服」を着て、 職員室で礼拝をする唯一の女性
ムハンマド	40代	男	アラビア語	男性教員のリーダー的存在
ムハンマド	30代	男	英語	ある塾のスター教師という噂の教員
サイード	30代	男	アラビア語	
ハニ	30代	男	社会科、 宗教（コプト教）	2007年度より、エジプトの社会科担当。 英語を話さない、コプト教徒
ファティマ	35	女	英語	エチオピア出身。19歳でアメリカ在住の夫と結婚。 エジプトに来たばかり
私（ジョー）	32	女	英語、理科	
マルワ	30代	女	実験助手、司書	カイロ大学生物学部出身
ゼイナブ	30	女	フランス語	モロッコのフェズ出身
ナワール	28	女	コンピュータ	2006年度の産休より復帰したばかり
アブデルラフマーン	20代	男	コンピュータ	B校の事務員を務める姉の紹介で就職、 書類作成担当
アフマド	20代	男	理科	
ナディア	28	女	社会科	20代女性教員のリーダー的存在
モナ	28	女	ドイツ語	自称「ミニアっ子」、ガイドを目指す、婚約中
シャイマ	25	女	アラビア語、 宗教（イ）	20代女性で唯一の継続勤務
イマーン	25	女	アラビア語	
シェリーン	23	女	フランス語	マスコット的存在、 アシュートからカイロにきたばかり
サラ	29	女	英語	2007年度の途中から採用
ノハ	20代	女	美術【非常勤】	サンマーン出身者、ヘルワン大学美術学部修了
マハ	30代後半	女	英語【非常勤】	
シェリハーン	30代	女	英語【退職】	11月半ば、退職。不妊が原因（?）
ヘバ	20代後半	女	数学【退職】	10月半ばに解雇される
キャシー	40代後半	女	英語【退職】	アメリカ人教師、2003-2006年度A校で勤務。 引き抜きに合う
ナヴィーン	20代後半	女	理科【退職】	2006年度終了間際に家族の事情により退職
アリ	20代	男	体育【退職】	レスリングナショナルチームのコーチに転職

フィールドノートより筆者作成

されていたが、理事会によって発行される書類だけは、アラビア語のみのものもあった。一九八一年に制定されたエジプトの義務教育法は、エジプトで教員になるための要件に、四年制大学か教育専門学校を卒業していることと明記した。A校で勤務する教員は全員大学卒業資格を持っていたが、大学での専門とA校で担当する授業は必ずしも一致していなかった（アラビア語を含めた語学を専攻した場合は、その教科を担当するのが一般的だった）。

高額な授業料を徴収していたにもかかわらず、A校の教員の給与は、公立学校と同等水準に設定されていた。一般教師の初任給は当時三〇〇LE（この額は二〇〇八年に四五〇LEに改定された）に設定され、それ以外の特別手当や昇給は、個別の交渉ベースとなっていた。A校の教員には、基本的に放課後の家庭教師（ムダッレス・コソースィー *mudarres khososy*）は禁じられていた。家庭教師は、〇〇年代以降エジプトで問題になった社会問題で、担任の教員が受け持ちの児童・生徒に対して放課後、対価の支払いをもって個別授業を行うことである［Douban 2006; 田中 2006］。公立校の教員職は、この家庭教師の依頼を得るためのエージェントだと笑い話にされることもあるほど、この慣行は蔓延していた。そもそも、公立校の給与（A校の初任給も同様）は非常に低く設定されていたため、多くの教員が、家庭教師業に従事することで生計を立てているといわれていた。[▽40] 問題は、家庭教師として雇われている教員が、雇用先でもある家庭の子どもの学校での成績を水増ししているという噂が出たことである［Sobhy 2012］。また調査時には、家庭教師として雇ってもらうために、学校での授業で、わざと生徒の理解を促さない授業をする教員がいることが問題とされていた。

しかしA校の男性教員の中には、家庭教師業務に従事し、それを隠さない者もいた。そのうちの一人は、もともと近隣の学習センターのスター教師として知られている教員だった。彼の場合はセンターでの名声を聞きつけA校にスカウトされ、A校でも勤務するようになっていたらしい。つまりセンターでの活躍ありきで、彼の名声ごとA校が彼を教員として買い上げた形である。彼にとっては、A校での勤務が副業のようになっていて、A校も彼が引き続きセンターで教え続けることを、A校の宣伝活動として奨励していたようだった。

いくらアメリカン・ディプロマ校とはいえ、多くの教員にとって、A校で働くことは経済的なうまみをもたらすものではなかった。ただし女性教員にとっては、スクールバスを走らせている私立学校で働くことに魅力があると考えられていた。スクールバスがあれば、教員も通勤に公共交通機関を利用する必要がなく、痴漢やセクハラに遭う危険性から身を守ることができる。また、スクールバスが毎日自宅まで迎えにくる環境は、自宅周辺の住人に、自分がきちんとした仕事に就いていること、職場で厚遇されていることがアピールでき、体面が保たれると考えられていた。

40　家庭教師を雇わずに中等教育を修了することがほぼ不可能である実情に鑑み、授業料が無償であるとはいえ、公立校も実質的に私立校化していると指摘する研究者もいる［cf. Sobhy 2012］。

4　エジプトにおける学校教育

国民の権利であり、義務としての教育

とはいえ、こうしたA校の在り方は、エジプトの教育制度が意図していたものではない。多くの国家同様、エジプトでも教育は国民の権利であり義務であると定められている。一九六一年に発行された国家憲章には、「教育こそ権利であり、教育こそ尊厳であり、教育こそ義務である」という一文が含まれ、国家理念における学校教育の重要性が明文化されている［Farag 2006: 110］。また現行の教育制度を示した一九八一年の義務教育法の冒頭、第一部「教育の目的と一般規定」第一条では、その目的が次のように記されている。

> 大学前教育の目的は、社会発展と社会福祉、社会の繁栄、そして社会の前進のため、生徒をある一定のレベルまで文化的、社会的、国家的に形作ること、〔また〕神と国家を信奉するエジプト国民に対して、誠実さ、愛国的心、精神、社会性、健康、行動、そしてスポーツの要素、及び良しあしや正しさ、人道主義といった価値観を備えさせること、〔さらには〕適切な価値、理論、応用的学問に関する判断基準を与え、〔それによって〕人間性、誇り、自己実現能力、生産やサービスといった活動に貢献できる効率性、あるいは大学といった高等教育への進学を形にする力を身に着けさせることにある。
>
> ［一九八一年一三九法第一部第一条］▽41

初等教育と中等教育の目的は、「神と国家を信奉するエジプト国民」に自己実現を可能にする力を身に着けさせると同時に、社会の発展・前進に資する人材を育成することと明記されている。

学校教育を通じた成功モデル

エジプトで学校教育を普及させる上で重要な役割を果たしたのは、教育さえ受ければ社会的成功を手に入れることができるという、第二代エジプト大統領のナーセル統治下で浸透したエジプシャンドリームだった。この理念は、それ以前の階級社会的な社会構造を覆すものとして、人々に大きな期待とやる気を抱かせたという。それは今でも健在で、エジプトにおける学校教育には、未だ社会成功に到る上での不可欠なプロセスとして大きな重要性が与えられている。その様子についてエジプト近代思想を専門とする歴史家の池田は次のように書いている。

教育の機会均等の理念が掲げられ、公立では大学まで授業料が無償であるエジプトでは、同世代の約三人に一人が進学する[42]といわれ、どんなに貧しくとも難関の大学や学部に合格すれば、エリートへの道

41 The Middle East Library for Economic Services によって英語に翻訳された Law No.139/ 1981 Promulgating Education Law (2009: 3) を、筆者が日本語に翻訳。
42 この文脈では、大学進学のことを指す。

が開ける。そのため、親たちは子どものよりよい将来を願い、大きな犠牲を払って受験生のわが子を支える。

［池田 2012: 217］

この文章で池田が提示する大学進学の重要性は、現在でも多くのエジプト人ならびにエジプト研究者において共有されている。学校教育が普及した今日においては、大学まで進学を遂げることで、初めて教育の真価が発揮されると考えられている。同様の文章は、エジプトの新聞等では日頃から度々掲載され、とりわけ中等教育修了試験（*thnawwiyaanma*）が行われる初夏には、試験の内容や難易度、不正行為の有無といった情報が紙面を賑わせる。その過熱とも言える報道姿勢からも、若者の人生における教育と大学進学の重要性と、そこに到るまでの熾烈な競争、さらにそのチャンスにかける家族の熱い思いを感じることができる。[43] 彼らにとって教育、とりわけ高等教育とは、まさに人生に成功をもたらす魔法の鍵であり、そこでの成功こそ、エジプシャンドリームの礎とされているのである。

5 A校における複数の近代

学校教育は、エジプトにおける近代化の要とされてきた。それは、国家の開発プロジェクトにおける最強の武器として、社会や個人に開発や近代化へのインセンティブを与え、社会の変化に備えるものという位置づけを与えられてきた［Szyliowicz 1973: 3］。学校は、国家を支える近代的な国民として人々を教育し、文化的な社会形成のための基礎を形作る場とされた。学校教育は、国民の権利として、平等に提供されることが原則とされ、エジプトの場合はそれが一九五二年革命の正統性の担保にすらなってきた［Sayed 2006］。

ところが実態としての学校教育は、近年極端な二分化を見せている。片方には、旧態然として効果を発揮できない公立教育があり［Arab Republic of Egypt 2002; Cocharan 2009］、もう片方には、非常に高額な学費を徴収し、外国ディプロマを発行する私立学校がある。

後者の学校教育を受けた若者たちにとって、近代性は彼らの専売特許である、とピーターソンは指摘する。国際的な感覚を身に着けた、所謂エジプト人エリートとの会話において、彼は、近代性（modernity）という言葉を彼らが特別な意味で用いていることに気が付いた。ピーターソンによればそれは、個人のライフスタイルについての概念だった。そこで重視されるのは、欧米偏重の価値基準に照らし、上手くやっていくことである。彼らにとって、近代性を生きることができるのは、彼らを含めた、ほんの一部の限られた人々である。それは自分たちだけが手に入れるものであり、自分たちが享受する特権を正当化するものである［Peterson 2011: 5］。

ピーターソンが議論した、エリート層のフォークタームとしての近代性を《近代性》とするならば、それは、エジプトという国家の発展言説が立脚し、提示する理念としての〈近代性〉とは明らかに異なる概念である。二〇〇〇年代のエジプトにおいて、国家により制定され運営される学校制度はまさ

43 中等教育修了試験の加熱した点数争いは、エジプトでは「学歴病」として知られている［田中 2007］。

に〈近代性〉を体現し、近代性を普及する主要な装置とされていた。その一方で、消費文化の浸透したカイロでは、数ある私立学校が《近代性》を基準に序列が形成される現状がある。そこで人々は、学校教育というかたちで〈近代性〉に参加することで、後者の《近代性》により序列づけられる対象となる。二〇〇〇年代のカイロにおいて学校は、学校教育そのものが目的とする知識や技能の伝達に与えられた重要性はそのままに、点数至上主義やブランド主義といった、異なる《近代性》が混在する場所となっている。この二つは一見相反するようでいて、それが共存することがまさに現代カイロという場の特性を表すものである。そして学校、とりわけ私立学校という場は、現代カイロの近代性の混在という特性を象徴する場所と了解されるのである。

言わずもがなではあるが、こうした《近代性》や〈近代性〉は、「自らの自然権たる自由や平等を追求し、自然支配による人類の進歩を理想として行為するような『目的合理的』な行動様式」を基準とした発展モデル［藤本 2008: 165］といった、ジョン・ロック的な理念上の近代性でも、さらにはアメリカ出身のピーターソンが内面化していた「近代性」概念とも同じものではない。二〇〇〇年代のエジプトにおける学校はまさに、この《近代性》と〈近代性〉がせめぎあい、折衷されるアリーナとなっていた。

A校は、格差の蔓延が指摘される現代エジプトの《近代性》と〈近代性〉の融合を体現したような場所だった。エジプトは現在、資本主義経済化の進行の結果、個人の経済力だけが問われる社会になりつつある。人々は自らの社会的地位の上昇を目指し顕示的消費に励んでいる。それに伴い、富裕層のライフスタイルは、一般の人々にも可視化されるようになっている。A校はそんなエジプト社会で、ステータスシンボルとみなされるものの一つである。A校のようなステータスシンボルは、富裕層にとっては自分たちの豊かさを顕示するものであり、庶民にとっては自分が望む豊かな暮らしを象徴するものなのである。

学校がステータスシンボルになっているのは偶然ではない。現代エジプトに生きる人々は、国家による国民皆教育制度によって、半ば自動的に〈近代性〉の主体とされた。A校は、〈近代性〉の中でも、「豊かなライフスタンダードを享受し、国際的な生活スタイルや文化に馴染みのある」ライフスタイルとしての《近代》を象徴する存在である。人々は、学校教育という〈近代〉に参加することで、ライフスタイルとしての《近代》によって序列づけられる対象となっている。その序列においてA校は、誰もがうらやむものという位置づけを獲得するに至っていた。

ところが、そのA校で教育を担う学校教員には、両義的な意味付けがされていた。学校教員は、近代学校教育の担い手であるという意味で、必然的に〈近代性〉をまとった存在である。しかしA校の教員の多くは、A校の生徒のように《近代性》に馴染みがある人々ではなかった。学校教員の多くは、A校のような《近代性》を代表する組織においては、「持たざる者」と評価される側の人々であった。この構図において、〈近代性〉が担保する教員と生徒という上下関係が、《近代性》において逆転するという現象が起きていた。A校の教員とは、まさにこの、矛盾し、交錯する近代性を主体的にけん引しつつ、同時に、経済格差や社会矛盾の被害者と位置づけられる存在だった。

第I部

シャイマの生き方

学歴至上主義言説に基づく、階層社会の読み替え

第I部で取り上げるシャイマは、最初から私のことを気にかけてくれた女性だった。A校の生活において、私は事あるごとにシャイマを頼るようになった。圧倒されるほど押しの強い女性が多いエジプトにおいて、彼女が時折見せる少し自信がなさそうな様子や、少し控えめながら好奇心旺盛に人の話に熱心に耳を傾ける姿に、私はなんとなく安心感を覚え、すぐに彼女に強い信頼を寄せるようになった。特に学期最初の二週間は、彼女の手助けと優しさに助けられていた。何もわからない環境の中、不安と戸惑いを隠して業務にあたらなければならなかったなかで、彼女が虚勢を張らずとも私を一人前として扱ってくれたことが私にとっては単純に嬉しかった。私は、シャイマを通じてA校でのネットワークに参入したようなものだった。

シャイマのことを典型的なエジプトのいい娘だと思っていたのは私だけではなかった。シャイマは影日向なく、私から見ていてもいじらしいぐらい教員業務に打ち込んでいて、その姿はすぐに多くの教員の評価するところとなった。とはいえ、彼女が真面目ないい娘だけでないことも、一緒に職場で時間を過ごす中で見えてきた。彼女にも頑固な一面やこだわりがあり、私にとって理解しがたいと思える側面も持っていた。また理想的な女性教員にも見えた彼女の態度やふるまいが、A校で常に肯定的に評価されていたわけではないことも見えてきた。

シャイマのような都市の未婚女性を対象にした中東女性研究は多い。そこで頻繁に取り上げられるテーマは、結婚、就学、就労である。女性の就学や就労は、開発の分野でも高い関心が寄せられ、女性の社会参加の難しさが報告されてきた。結婚は、現在にいたるまで、女性が一人前になるためには避けて通ることのできないものとして、研究においても女性の人生の中心として扱われてきた。しかし本書では、そうした議論とは少し距離を置き、女性という属性や学校教員という職業をシャイマの全てとみなすことは留保する。その上で、彼女の振る舞いや話しぶりに則して、シャイマがどのような人物であったのかを考えたい。自己が社会との往還の中で立ち現れているという側面に気を配り、彼女の具体的実践だけでなく、その背景にある社会規範や、そしてそうした規範についての彼女の評価についても注目する。女性学校教員や、未婚女性といった特定の役割だけに目配りするのではなく、私が垣間見ることのできたシャイマの多彩な顔、そしてそれらの重なりの中にシャイマという人間を見つけていこう。

第2章 働くシャイマ、富裕層の教育者

A校で出会った女性たちについて具体的な記述を進めるにあたり、まずはじめに取り上げるのは、私がA校で最初に友人になった、二〇代半ばのアラビア語教師、シャイマである。彼女は、頭髪をスカーフで覆っていない当時数少ないムスリムの女性教員の一人で、最初に会った時には、流行に敏感な今時の女性、といった印象を受けた。[44] またはきはきとした少し高い声と、速いトーンでアラビア語混じりの英語をしゃべる様子は、明るくまじめな優等生という風情だった。本章ではA校で教員として働くシャイマの姿に着目し、シャイマの言動から、学校教員であることが本人にとってどのような意味を持っていたのか考えていきたい。

ただし、ここで行いたいのは、シャイマという人物を理解することであって、エジプトの女性学校教員や女性の労働市場参加の議論ではない。労働は人々にとって生活や人生の重要な位置を占めてい

44 二〇〇七年の秋学期準備の初日には、体にぴったりとフィットしたデザインのパステルピンクの半そでTシャツに、デニムのマキシスカートをはいていた。

る。しかし学校教員であることがシャイマの全てではないとするならば、シャイマはどのように教員を生き、そこにどのような意味を見出していたと考えられるだろうか。

エジプトでは長年、女性学校教員は女性のロールモデルのように扱われてきた。二〇〇三年から二〇〇四年にかけて、A校での調査に先立ち、私はエジプトの女性ツアーガイドの研究を行っていた。ツアーガイドの女性たちは、エジプト社会では「男勝りの」鼻っ柱と自己顕示欲が強い、目立ちたがりで、不道徳な女性の代表だと広く考えられていた。▽45 そしてその対極、つまりエジプト社会における理想的な「職業婦人」の在り方とされてきたのが、学校教員だった。エジプトで女性学校教員は、学力は高いが驕ることのない、おとなしく従順な、子どもへの愛情あふれる社会の女性ロールモデルとされてきた。どちらも大学卒業資格が要件の、高学歴女性にしか務まらない職業にもかかわらず、女性ツアーガイドと女性学校教員の社会的評価は対照的だった。

エジプトにおける女性の就労率は未だ低い。二〇〇九年における一五歳から二九歳の女性就労率は一三・四パーセントだった［SYPE 2011: 102］。女性全体の就業率は二〇〇五年で二三・一パーセントだった［CAPMAS 2013］。そんな中、小学校教員は女性が男性を上回る数少ない専門職となってきた。二〇〇八—二〇〇九年度のカイロ県とギザ県の合算教員数約四万六千人のうち、七割を女性が占めている。

女性学校教員は、エジプト政府広告にロールモデルとして登場することもある。調査当時（二〇〇七年二月—二〇〇八年二月）に放映されていた政府の識字プログラム（*“al qirā3a lil gami3”* 当時大統領夫人であったスーザン・ムバラク主導のもとに行われた「みんなで読書」キャンペーン）のテレビ広告も、二人の主人公のうち一人は女性学校教員だった。

このCMは、幼い女児が教育を奪われ読み書きできないままに生きる未来と、教育を受け識字能力を身に着けた未来という二つのシナリオが対比される構成でできていた。教育を受けていない女性の未来は、ナツメヤシの幹と泥で作った暗い家の中で、ガラベイヤ（長衣）を着た、口ひげを生やした夫に殴られるシーンと、その後、薄暗い家の中で乳児を抱きしめながら目元に痛々しい紫色のあざをみせ、一人涙を流す女性の姿で映し出される。それに対して、教育を受けた女性は、長く輝く黒髪と白い歯のコントラストが美しい、白いシャツとジーンズ姿の、幸せあふれる女性学校教員として描かれる。彼女には、清潔な洋服を着たハンサムな夫と、かわいらしい男児と女児との幸せで豊かな生活がある。このCMにはほとんど語りがないが、最後のカットでは、「あなたには選択肢があります」というナレーションが入る。この政府広告において、女性学校教員は、国民一人ひとりの「選択」の結果として、人々が目指すべき未来の女性のモデルとして提示されていた。

現実的に考えれば、女児が学校に通うようになるだけで、農村でつらい思いをする未来から、全てを手に入れた輝かしい未来へと、女性の人生が劇的に変化するはずはない。成功した姿として描かれているのは、学校教員であるだけでなく、育ちがよく同じく教育をうけた裕福な夫と、二人の健康な

45　ツアーガイドは、外国人観光客相手の商売であること、自営業であること、また宿泊を含むツアーを率いる仕事であることといった条件から、素行が悪い女性が就く仕事と考えられていた。また当時ツアーガイドになる女性は、実態は必ずそうとは限らないにもかかわらず、「飲酒、喫煙、濃い化粧」と言われる、エジプトでの売春婦と重なる否定的イメージを与えられていた。

子どもを持つ、全てを手に入れた女性である。少し考えてみれば、教育を受けるだけで夢の生活が手に入るというこのストーリーは、単純化が過ぎるだけでなく、あり得ないメッセージという意味で欺瞞的ですらある。しかし、女性学校教員が社会的成功の代名詞として登場すること、また女性学校教員になることですばらしい結婚まで手に入るかのように描かれている点は示唆的である。

1 先行研究におけるエジプトの女性学校教員

女性学校教員は、エジプト研究においても多くの関心を集めてきた。ここでは女性の労働市場参加論における女性学校教員、民族誌に描かれた女性学校教員、若者の社会参加論における学校教員について簡単に整理しておきたい。

女性の理想的な職業としての学校教員

学校教員は、性別役割分業が色濃く残るエジプトにおいて、特に都市部では、政治的、宗教的立場を問わず幅広い年齢層の男女に、女性に向いた職業とみなされてきた。実際、先述のように小学校教員の七割を女性が占めている。そのため学校教員は、学術研究においても高い関心を向けられてきた。女性と開発を専門とするフェミニスト社会学者のモガダムは、八〇年代の中東における女性の社会進出を語る中で、労働市場の低さと専門職に就く女性が多いことを指摘した。ここで言う専門職とは主に学校教員、秘書、看護師を指し、これらの職業に従事する女性たちの社会貢献を高く評価した[Moghadam 1993: 43]。また労働経済学や労働社会学を専門とするアッサードとアーンツやバルソウムらも、学校教員の就業時間が短く、勤務時間の変動が少ないこと（二部制の夜間部の担当でない限り、就業時間は基本的に午前七時半から午後二時半まで）、学校の数が多いため、比較的自宅の近くに職場が選べることを理由に、女性学校教員を家事と就業の両立が可能な職業であると分析した[Assaad and Arnts 2005; Barsoum 1999; Hoodfar 1997]。また職場規模が大きいことと、衆人環視下の仕事であること、多くの女性教員の存在、さらに「仕事相手が児童であるため、セクハラの危険が少ないこと」もまた女性に向いた職業である理由として挙げられてきた[Assaad and Barsoum 2007]。学校教員が女性教員に向いた職業とされてきた背景には、処女性と女性の貞節さを重んじるジェンダーイデオロギーをもとにした、学校は「性的な危険に身を晒すことのない職場」であるために、学校で働くのであれば女性の性的名誉が傷つけられることはない、という共通認識があった[Amin and Al-Bassusi 2002; Hoodfar 1997]。

女性がエジプトの労働市場に参入するようになったのは、エジプト第二代大統領ナーセル統治期（一九五二―一九七〇）の出来事だった。ナーセル大統領は国家憲章が定義した「大衆労働力」に、農民とインテリゲンチャに並んで女性を位置づけ、女性の社会進出が国策の一部であることをはっきりと明文化した[Bier 2011: 65]。▽46 歴史家のビエールによれば、エジプトではナーセル統治期以前の一九三

46　一九五六年憲法と国家憲章では、女性が男性と同等の市民と規定され、女性には新たな社会主義国家建設における労働の権利と義務があることが明らかにされた。さらに、一九五八年から一九五九年には、いくつもの女性労働に関する法案を通過

〇年代に女性の社会進出が進み、一九四七年には労働市場の四—六パーセントを女性が占めるようになった。女性たちは工場労働者、教員、看護師、商人だけでなく、少数ながら、高等教育を受けた弁護士やジャーナリスト、医師としても活躍した［Bier 2011: 63］。この時期にはまた、初等教育における授業料の完全無償化が施行され、学校に通う子どもの数が飛躍的に増え、それに伴い女性学校教員の需要が増加した［ibid: 66］。しかし女性の社会進出は、教育、保健衛生、社会サービスといった、過剰に「女性化」された賃金の安い仕事に限られていた。この時期の女性の労働参加は、社会におけるジェンダー役割を改変するには至らなかった［ibid: 66］。しかしビエールは、ナーセル期の女性の社会進出には、それ自体に大きな意義があったという。なぜならこれを契機に、女性の社会進出は、世俗的な、ポスト植民地期のエジプト社会の理想を議論する上で、中心的な課題となったからである［ibid: 69］。

民族誌に登場する女性学校教員

女性学校教員は、エジプトや中東を扱う女性研究でも頻繁に描かれてきた。カイロの庶民街を舞台とする民族誌には大抵、教育を受けた女性と、受けていない女性が登場する。八〇年代後半以降に書かれた民族誌であれば、教育を受けた女性として登場するのは大抵学校教員である。これは、八〇年代前半以前、教育を受けた女性たちの職業が公務員や工場労働者であったこととは対象的である。因みに、教育を受けていない女性たちの代表的な職業は、小規模な小売業だった［cf. el-Messiri 1978; MacLeod 1991; Rugh 1984］。こうした変化は、女性たちの学歴上昇を背景に出現した。

女性学校教員は庶民街で、最も高い社会参加を果たした女性として描かれてきた。例えば、八〇年代後半から九〇年代にかけて、カイロの庶民街で参与観察を行ったフードファーは、女性学校教員だったメイン・インフォーマントの娘が、結婚後も働き続けたがっていた様子を書いている［Hoodfar 1997: 117-119］。八〇年代半ばの学校教員の賃金は、必要経費を払えば終わってしまうほど低いものだったというが、多くの女性が、未来の夫の非常時や、結婚生活の危機に備えて、学校教員としての仕事の継続を望んでいたという。女性が賃金労働に従事することは、以前は夫の稼ぎが悪い象徴とされ、家庭こそが女性の適切な居場所であるとの風潮の中で、道徳性や貞節さに欠けた行為として避けられていたが、このころから庶民街でも、高学歴で賃金労働に従事する女性が、結婚市場で嫌がられなくなっていった。この過程で、女性たちが「働く女性＝不道徳な女性」という悪評を躱し、名誉を守るための手段として利用するようになったものに、スカーフがあった。フードファーの分析によれば、スカーフで頭髪を隠すことは、「仕事を持っている女性は家庭を顧みない」という世間の偏見を打ち破ることに一役かったという［Hoodfar 1997］。

また一九八五年にカイロの庶民街で参与観察を始めたシンガーマンも、女性学校教員について書いている［Singerman 1997: 164］。シンガーマンによれば、カイロの都市部においてはすでに、中等教育や高等教育を修了している女性たちの方が、結婚に際して新郎から受け取るダウリー（婚資）が高額で、

させ、給与と雇用における男女平等を保証した。同時に、家庭における妻・母役割と労働力としての女性役割遂行を可能にするため、法律九一条によって、産休の整備と百人以上女性を雇用する職場における保育所の設置が義務づけられた［Bier 2011: 65-66］。

下層中産階級の女性の中にも、上層階級出身の男性と結婚する女性たちが現れた。シンガーマンはこれを女性高学歴に付随する「玉の輿（marriage mobility）」効果と呼んだ。ひと昔までは嫌がられた、高学歴の働く女性たちが、結婚市場で高い価値を持ち始めたことについて、高学歴女性本人は、教育があれば、卒業後すぐ政府機関や学校で働くことができること、さらに自分の子どもの勉強を見ることができるためのものであると説明したという。シンガーマンによれば、八〇年代後半には、女高男低の夫婦の学歴不均衡は、破談の原因にはならなくなっていたという［Singerman 1997］。

高学歴プアのたまり場としての学校教員

他方、近年の労働市場の議論においては、学校教員は他に就職先のない高学歴プアの掃きだめであると議論されてきた。ほとんどの学校教員が自ら望んで教員になったわけではなかったこと［Farag 2006; Hartmann 2008］、またその背景には賃金の低さがあることが指摘されるにいたり、次世代の教育を担う学校教員が、嫌々この職業に従事する実態が浮かび上がってきた。経済学者のハリークらによれば、学校教員は、正規雇用として社会保険に加入でき、安定性のある職業である一方、将来的な賃金の向上可能性の欠如と何より賃金の低さのために人気の低い職業だという［Harik 1998; Abdel-Dayem and Ibrahim 2007; Assad and Barsoum 2007］。

教員の賃金水準が低く抑えられる理由については、国家による皆教育の徹底が教育の質の向上に優先され、教員の給料を安く抑えて、教育にかかるコストを少しでも抑制しようとしたことにあったと言われている［Harik 1998］。この状況は、現在まで改善されておらず、最近では、二〇〇七年法令第一五五条により、政府は公立・私立学校に勤める学校教員給料の均一化を図ると共に、全ての教員に五〇%の昇給を約束した。しかし昇給の約束は結局反故にされたままである［Al Ahram Weekly 2008］。二〇〇八年、教員の初任給は公立・私立を問わず一月におよそ三六〇LE（日本円でおよそ七二〇〇円）と、一日二ドル相当の水準にあった。これは、国連が定める貧困ラインの境界上である。もしこの金額だけで家族を養う必要があれば、自動的に貧困ラインを下回る計算になる。また問題のある教師を排除することを目的に、政府は二〇〇八年八月、初めて公立・私立の全教員を対象とした能力試験を行った。教壇に立つ全ての学校教員を対象に、教員としての継続勤務には試験への合格が義務付けられるのと同時に、政府は教員の初任給を五〇〇LEに引き上げることを約束した。しかし試験的に行われた能力試験では九〇%以上の教員が落第し、多くの教員がこの政策に懐疑的な姿勢を示すに至っている［Al Ahram Weekly 2008］。このように、女性学校教員が女性活躍のモデルとして称揚される一方で、職業やキャリアとしての学校教員は、特に男性にとって、従事する価値のない職業として扱われてきたことには注意を払う必要があるだろう。

社会のロールモデルか高学歴プアか

これまでのエジプトの女性学校教員の議論では、二〇一〇年においてなお、ジェンダー規範に関わるものが分析の中核を占めていた［Hassanien 2010: 2］。エジプトには男性を労働、女性を家庭に振り分ける性別役割分業が徹底されており、女性が労働市場に参入しようとすれば、「女性らしさ」が損なわれるリスクをとる必要がある［Barsoum 2018］。考えられ得る最も大きな代償は、性的、人格的スティグマを付与され結婚できなくなることである［Hassanien 2010: 10］。結婚ができなければ、女性の適切な居場所である家庭にも入れずに、女性として十全な生を生きることは叶わない。こうした恐怖が、女性の労働市場参入を拒む理由として提示されてきた。こうした議論は、女性の労働市場参加を阻む要因を探究する上では、参考になる部分も多い。しかし女性たちが教員として働く理由を、ジェンダーによって全て説明することは可能だろうか。

一方、若者の社会参加の議論では、学校教員として働く理由に、富裕層出身や外国語能力が特別に高い場合は除き、若者の就労先が足りないことが挙げられてきた［cf. Assad and Barsoum 2007; Assad 2002; EHDR 2006; Goldboom 2007］。この議論も同様に、エジプトに仕事の数がないことが、学校教員として働く理由として無批判に提示されてきた。

こうした議論に内包される問題を批判することは、難しいことではない。確かに女性規範や職の需要と供給は重要な問題である。しかしセクハラの危険がなく、他に仕事がない場合でも、教員として働くことを選ばない若者がいることも事実である。またこれまでの議論では、現場で働く教員の姿は考察対象とはされてこなかった。学校教員は、教員という身分のもとにまるで均質な存在であるかのように扱われてきたのである。

2　シャイマという教育者

それでは、本節からはいよいよ、シャイマの教員としての日常について見ていこう。シャイマは、自分自身の仕事をどのように考え、どのようなものとして学校教員を生きていたのだろうか。

学校教員としての一日

二〇〇七年の秋学期開始当初、シャイマはアラビア語の授業を担当する教員だった。彼女のA校でのキャリアは二年目に入ろうとしていた。彼女は、幼稚園、一年生、三年生、四年生、六年生、八年生のアラビア語授業を週に二回ずつ受け持っていたが、低学年の児童や保護者に人気が高いことを受けて、その後低学年専門（KG—G3）の教員になった。

A校では、二〇代女性常勤教員たちには毎日決まったルーティーンが課され、出勤時から退勤時までほぼ分刻みで予定が組まれていた。彼女たちはまず登校時、職員室の出勤簿台帳に出勤時間を記入し、荷物を職員室に置いた後、七時半までに中庭に出る。中庭には、スクールバスで登校してきた児童・生徒たちが三々五々集まってくるので、そうした生徒たちの相手をする。七時五〇分になると朝会（*tābūr* タブール）が始まり、そこで列を乱す生徒を注意したり、点呼をとったりする。エジプトの学校では、通常毎朝「軍隊式」と評される朝会が行われ、国歌斉唱から体操などを行うのが一般的だが、A校で行われていた朝会では、簡単な体操と点呼程度のものに形骸化されていた。[47] 朝会が終われば、

47　エジプトの学校で行われるタブール（*tābūr* = 朝会）では、国家斉唱、国旗掲揚、体操が毎朝行われている。B校ではタブールが行われ、A校でも学期が始まった当初は簡単な体操などが行われていた。それがなし崩し的に「教室に入る前に整列す

各自、おのおののスケジュールに沿って終日授業をこなす。常勤教員には、七五分の授業が週に一二コマ以上、平均して一五コマ程度割り当てられていた。[48] 若手教員には、授業担当のない空き時間にも、職員室で待機することが義務付けられ、何か突発的な事態が起きた場合には、若手教員に対応が任された。授業終了後は、帰宅時間を出勤簿に記入し、そこで一日の業務が終了する。教室は、授業終了直後に用務員によって清掃・施錠されるため、翌日の授業準備などで残りたい場合にも三〇分程度で清掃員に追い出された。

シャイマは、授業準備や宿題採点を行う時間でも、余裕があればG1の教室に顔をだし、G1の担任だった私と一緒に子どもたちの移動や遊び時間の監督をしてくれた。彼女は低学年の生徒から人気が高く、彼女が顔を出すと、子どもたちはいつでも喜んだ。

自分が自分でいるための仕事

調査当時のシャイマの月給は、公立学校の同水準の給与体系に基づくという理由で三〇〇LEに設定されていた。基本が三〇〇LE[49]とはいえ、実際には遅刻罰金などが引かれ、二七〇LEほどに下げられた上、日々の通勤にスクールバスを利用するための料金としてさらに五〇LEが引かれ、最終的に手にできるのは毎月二二〇LEほどになっていたという。二二〇LEといえば、当時のレートでも日本円で四〇〇〇円程度である。シャイマが着ていたデニム地のマキシスカートが一二〇LE、安いスカートでも八〇―一〇〇LEはするであろうことから推測できる通り、この金額はそれだけで生活していくには、到底足りない金額だった。

シャイマは当時、両親と二人の兄と共に実家で暮らしていた。シャイマの自宅はA校から公共交通機関で三〇分ほどの距離にあるハラム地区にあった。シャイマは自らの家庭を決して裕福ではないと話していたが、彼女の家が金銭的困窮に瀕する家庭でないことは、明らかだった。父親は公務員として働き、母親もかつては公務員として働いていたが、子どもが学校に通うようになったころから専業主婦になったらしい。

A校で働き始めてすぐ、私はシャイマに放課後お茶に行かないかと誘われた。遊びに誘われたことは素直に嬉しかったものの、どこに行きたいかと問われて、私は正直なところ、少し困ってしまった。A校での女性教員の給与の安さを知っていたので、彼女が支払いを負担に感じる行き先は提案したくなかった。この時は彼女からの誘いであったこともあり、私の分まで彼女が支払おうと考える可能性は高く、彼女が面子がつぶされることを避け、やせ我慢をしてでも全額支払おうとすることが予想さ

……………

48 るだけの時間」になった直接の原因は、一〇月の頭に行われた男性体育教員の解雇であった。その男性教員はA校唯一の体育教員としてタブールでも号令かけや体操の見本演技などを行っていたが、彼がいなくなってからは誰もその役目を引き継ぐものが出なかった。

49 一日の時間割は、七五分授業四回で構成され、二時間目と三時間目の間に一時間の休みが設けられていた。KGとG1のみ、六五分授業が実施されていた。

筆者が調査を終えた直後の二〇〇八年八月、私立学校の給与を一律一・五倍にする政府決定がなされたとする報道があった。結局それは実現されることはなかったが、二〇一〇年八月に筆者が行った追加調査の時には、A校でも初任給が三〇〇LEから五〇〇LEに上がっていた。

れた。もちろん、私はそれを望んでいなかったし、できるだけそうした事態を避けたいと願っていた。とはいえ、しみったれた所を提案して、私のことをつまらない人間だと思われたくないという気持もあり、どういう態度をとればよいのかわからなかった。

しかしそんな心配は必要がなかった。シャイマに誘われるままに向かったピザハットでは、五ＬＥのホットサンドを注文する私の傍らで、シャイマは私の心配をよそに、大きなピザと飲み物（セットで二四ＬＥ）を注文した。支払いは当たり前のように別々に行った。ピザハットといえば、日本では若者にも馴染みの深いファストフード店であり、高価なイメージはあまりないかもしれない。しかしエジプトでは、ピザハットやハーディーズ、マクドナルドといったファストフード店舗は四つ星（最高は五つ星）評価を与えられる中価格帯のレストランである。[50]四分の一から五分の一の値段設定のローカルレストランがある中で、あえてピザハットを選び、そこで躊躇なく店の定番商品を注文している姿を見て、彼女が無理をしていたわけではないことがわかり、私は安堵した。

話を聞いてみると、シャイマは自分の収入だけで生活をやりくりしてはいなかった。私の心配が見透かされていたのだろうか、席に着くとシャイマは自分から給与の話をし、Ａ校一か月分の給与三〇〇ＬＥは、彼女にとっては一度ショッピングに出かければ使い終わってしまう額だと言って笑った。その後親しくなるにつれ、普段の生活では、両親から小遣いをもらい、買い物に行く際には母親から二、三〇〇ＬＥをその都度出してもらっているらしいこともわかってきた。両親からの金銭的援助は、おおよそ一か月一〇〇〇ＬＥ、つまり自分の給料の三倍以上になっていたようだった。

大卒の初任給が当時三〇〇—五〇〇ＬＥ程度であったことに鑑みれば、シャイマの小遣いはかなり高額だった。シャイマの場合は、すでに職に就いていた二人の大卒の兄が家計に貢献していたことも考えられ、家計に余裕もあったのだろうが、この額は大卒公務員の初任給二五〇LEや、彼女自身の月給三〇〇LEに比べてもかなり多かった。いずれにしろ、彼女の生活水準において、給与所得が小遣い程度の位置づけであったことは明らかだった。実はシャイマだけでなく、A校に勤務していた他の二〇代未婚女性教員たちの多くも、同じように家族から金銭的援助を受けていた。彼女たちにとって、学校教員として働くことは、必要な収入を得ることを目的にしたものではなかった。高学歴ながら、少ない給与で最低限の生活を強制される。そんな、学校教員の負のイメージはシャイマたちには関係のない話のようだった。その後会話を交わす中で明らかになったのは、彼女たちが教員として働く目的は、主に「有意義な時間」を過ごすことにあり、シャイマにとっては働く意義とは、「自分が自分らしくいられる」ことにあったのだった。

エジプトの公的言説における女性学校教員は、肯定的な存在として描かれていたが、そうした言説では女性学校教員が、職業としてではなくエジプト社会の「理想の女性」という女性モデルとして描かれることが多い。職業とはいいながら、幸せな結婚や家庭といったイメージが女性学校教員に紐づけられていたことは特徴的である。驚いたのは、日々フルタイムで働いているシャイマもまた学校教員でいることを、稼得手段である以上に、生き様として捉えていたことである。シャイマは収入面での報酬は、初めから当てにするのをあきらめていた。彼女にとっては、学校教員として生きることと

50　欧米発祥のファストフードは九〇年代にはエジプトで普及をみせた［大塚 2007: 195］。

は、収入を得ること以上により自分らしい人生を送るための手段とされていた。

結婚とキャリアの分離

エジプトでは、現在でもシャイマのような状況で結婚を選ぶ女性は少なくない。エジプトの二〇一二年における女性の平均初婚年齢が、二一・二歳であることに鑑みれば [United Nations 2013]、大学卒業時の結婚は決して早すぎるものではないことがわかるだろう。A校でも二〇代女性学校教員のモナとナディアには婚約経験があり、他の二〇代女性教員たちにとっても結婚は最も関心の高い話題だった。二〇〇七年一二月半ばにモナが婚約を破棄された時には、それがどのように起こったのか、この先モナはどのように振る舞うことが予想されるのか、そして彼女がどのようにその状況に対処しているのかについて、二〇代女性教員たちは日々長い時間語りあっていた。

中東女性研究では長年、結婚は中東に生きる人々の人生の中心とされてきた [cf. Hoodfar 1997; MacLeod 1991; Singerman 1997; 清水 1994; ヴィカン 1986; Wikan 1996]。結婚を境に女性はビント（娘）からセット（女）へライフステージが変化することもあり、結婚は特に女性にとって最も重要なライフイベントの一つとされてきた [Dwyer 1978]。またエジプトでは女性の婚姻率が九五%以上であるなど [Rashad and Osman 2003]、女性の人生に結婚は欠かすことのできない人生の一大イベントである。とりわけ若い女性たちにとっては、自分たちの人生のこの先を決める、ある意味将来そのものと同義で扱われる重大案件である。

しかしシャイマは、他の教員が結婚や婚約の話で他の女性教員たちが盛り上がっている時でも、彼女たちと同じような興奮を見せることはなく、少し醒めたような態度を見せていた。私と二人きりになったようなときには一度、「女の子たち（モナとナディア）の態度は常軌を逸している。頭の中に結婚のことしかないみたい」と同僚を見下すような発言をした。シャイマは、自分のことを、結婚に夢を見る女性ではないと話していた。いつかは結婚がしたいし、子どもを持つことも楽しみとは言いつつも、結婚が自分にとって一番大事な人生のターニングポイントとは考えていないらしかった。未婚女性は結婚に漠然と過剰な憧れと巨大な理想を抱くもの、とされていた当時のカイロにおいては▽51かなり特殊な結婚観の持ち主だったと言えるだろう。なぜ卒業後すぐに結婚をしなかったのか、という質問に対しては、それでもよかったけれど、そういうことにはならなかったし、そうしたいと積極的に思っていたわけではなかった、という答えが返ってきた。

どうやらシャイマは、結婚をキャリアの一つとは考えていなかったようだった。シャイマは、結婚に対して夢がないといいつつ、結婚についてやけに具体的に語ることもあった。例えば彼女は、「結婚しても教員の仕事を続けたいが、子どもができて家庭との両立が大変になれば、専業主婦になってもいい」と話していた。近年のエジプトの風潮において、子どもの学校での成績は母親の責任となりつつある。母親が自分で勉強を見るだけでなく、塾や家庭教師を利用する選択肢もあるが、特に子どもが幼いうちは、母親がつきっきりで子どもの勉強を見るのがミドルクラスのスタンダードともなっ

51　カイロの未婚女性の大多数は決まって結婚は「ヘルワ（いいもの、美しいもの、すばらしいもの）である」だという。上層中産階級以上の家庭に育った女子だと結婚を望まないとはっきり語る女性も珍しくないが、A校やB校に勤務していた女性たちでは、この答えが圧倒的に多かった。

ている［鳥山 2018a］。そのため、子どもが学校に通い出すタイミングで仕事を辞める女性たちは多い。シャイマの母親も、子どもたちが学校に通い出してから仕事を辞めて専業主婦になっていたというので、自分がされたのと同じように子どもをかわいがりたい、という意思表示だったのかもしれない。

こうしたシャイマの結婚語りで特徴的だったのは、結婚が自分のキャリアの一部とは考えられていなかったことである。結婚自体は否定しないといいながら、それとキャリア形成は全くの別物とされていた。

3 「モダン」な教員としてのシャイマ

一緒に過ごす時間が長くなるにつれ、シャイマが第一印象の通りの、受け身で従順なだけの性格ではないことに徐々に気づかされるようになった。シャイマは、日々子どもたちが楽しめる授業を実施しようと自分なりに工夫を重ね、そこに自負を持っていた。また子どもたちの成長にも気を配り、一人ひとりの児童についてよく知っていた。彼女が、周囲に期待される以上の努力を重ねていたことは明らかだった。

A校についての知識もあり、教員としての経験もあり、聡明で前向きに話ができる。そんなシャイマの様子から、私は次第に彼女を自分の理解者とみなすようになっていた。エジプト社会で、なかなか腹を割って話ができる相手を見つけることのできなかった私にとって、シャイマは得難い貴重な友人だった。シャイマには、実際あらゆる場面で助けてもらっていたのだが、だからといって彼女に不満を感じることがないわけでもなかった。私からすれば、シャイマには自分の意見に固執するようなところがあり、食い違う意見に苛立ちを感じたことも少なからずあった。

シャイマの授業

シャイマは私が担任するG1のアラビア語を担当していたこともあり、私は度々彼女の授業を覗いていた。シャイマの授業はおもしろい、という評判通り、子どもたちは活き活きと授業に取り組んでいた。

エジプトの従来の学校教育は、暗記偏重のカリキュラムとして近年批判の対象になってきた。教科書の難易度が児童の学習能力に合っていないことや、ひたすら情報を暗記させる形式の授業スタイルは、エジプトの学力向上の阻害要因とまで議論されてきた［cf. El Sayed 2013］。シャイマが担当するA校のアラビア語の授業でも、私立学校でありながらエジプト政府によって無償配布される教科書やワークブックが用いられること、▽52 政府の統一カリキュラムで教えることが求められていた。これが、シャイマにとって頭を悩ませる課題となっていた。A校では、アラビア語と社会科以外の授業は全て英語で行われ、児童の中には家庭でアラビア語を話さない子どももいた。シャイマはこうしたばらつきを、

52 政府が無償配布する教材には、教科書（ペーパーバック、カラー刷り）と書き込み式のワークブック（二色刷り）があり、前期・後期それぞれ一冊ずつ配られていた。

授業における工夫で乗り越えようとしていた。例えばアラビア語授業で基本とされる複唱と書き取り[53]だけでなく、絵を描くことや歌が取り入れられた丁寧な教育を行っていた。また習熟度にばらつきのある生徒の正則アラビア語の学習進度に合わせ、一人ひとりのやる気を保つよう授業内でも宿題でも習熟度に合わせた個別の課題が出されていた。その成果もあり、G1の子どもたちはみなアラビア語の授業を楽しんでいたようだった。

独創的なシャイマの工夫は、新しいものを学ぼうとする彼女の高い学習意欲と向上心に裏打ちされていた。A校で働き始める前は、アメリカ式の教育を実践するどころか見たこともなかったというが、シャイマは二〇〇七年九月の新学期開始時には、アクティブ・ラーニングを取り入れた授業運営を、一人でできるようになっていた。

シャイマは、私と入れ替わりでA校を去ったアメリカ人教員のキャシーに、アクティブ・ラーニング中心のアメリカ式教育メソッドを教えてもらったと話していた。キャシーの授業には、児童たちを楽しませる工夫がされていた。エジプトの一般的な授業運営には、児童・生徒に学校や授業を楽しんでもらおうという発想がそもそもない、といわれてきた[El Sayed 2013]。A校に赴任する前のシャイマも、教員にとって重要なのは、児童たちに言うことを聞かせ、教えるべき内容をとにかくやらせる技術だと考えていたという。しかしシャイマは、児童たち一人ひとりに頻繁に声かけをし、児童を頻繁に褒めるキャシーの授業に、感銘を受けた。そして、小さなことを一つひとつ褒める姿に考えを改めた。幸い、元来子ども好きだったシャイマにとって、子どもたちと密にコミュニケーションをとることや子どもたちを楽しませる工夫を考えることは苦痛ではなかった。彼女はすぐにコツを飲み込み、自分が受けてきたエジプト式よりも、アメリカ式の教育が、より「モダン」で、優れたものであることを理解した。慣れないことでも肯定的に受け止め、積極的に吸収するよう努力できたのは、シャイマの柔軟性や向上心があってこそのものだったといえるだろう。

こうした経験のもと、二〇〇七年当時のシャイマの授業には、学習を楽しいものにする工夫が随所に盛り込まれていた。その一つが、単語の練習を早く終えた児童だけに与えられる、「色塗りの時間」だった。シャイマ曰く、子どもたちには、しっかり勉強する時間と、それ以外の楽しみのための時間が必要であり、楽しみの時間が子どものやる気を引き出すという。実際、G1の児童たちは、アラビア語授業でのこの色塗りの時間が楽しみなようで、その時間を少しでも多くとるため、書き取りを早く済ませようと一所懸命に取り組む姿を見せていた。子どもたちに色を塗らせた紙は、アラビア語単語を書き込んだ上で、壁に作ったワードツリーに貼りつけていた。こうした教材作成の作業を、シャイマは授業の空き時間に一人で行っていた。ワードツリーというアイデアはキャシーのものをまねたというが、誰に褒められずともシャイマはそれを継続する苦労を厭わなかった。G1の教室にも、授業時間に作った子どもの作品や、手作りの教材（ワードツリー）をシャイマのアイデアで飾り付けていた▽54。作品が飾られた子どもはそれを素直に喜び、また飾ってもらおうとやる気を見せていた。こう

……………………

53　エジプトの塾について民族誌的調査を行ったハートマンによれば、復唱は塾で最も中心的に行われていた教育方法であった［Hartmann 2008］。

54　掲示物等が貼られていたのは、KGとG1の教室に限られていた。その掲示物のほとんどは前任者のキャシーが二〇〇三年

した数々の工夫により、シャイマの授業は特に低学年の子どもたちの間で非常に高い人気があった。生徒たちに接する彼女の様子は、優しくきれいなお姉さんといった風情で、当時流行っていた、人気アラブポップ歌手がミュージック・ビデオで演じる学校教員のようだった。▽55

愛情重視、または規律軽視の教育メソッド

シャイマの授業上の工夫には感心する一方で、私はシャイマの教育観には違和感を覚えることもあった。彼女が語る教員として必要なスキルが、私には非科学的で感情論的であり、プロフェッショナルなものではないように感じられたのだった。

その違和感は、思い返せば授業の初日から芽生え始めていた。シャイマは、これから教員としてやっていこうとする教員初心者の私に対し、教員として最も重要なのは「子どもに対する愛情」であることを強調した。シャイマによれば、学校教員として成功できるかどうかは、「子どもたち」を愛し、彼らと上手に関わる方法を身に着けているかどうかにかかっているとのことだった。シャイマはこの説明を、学期の開始日に何度も私に対して繰り返した。

シャイマが初めてこの持論を語ったのは、学期初日の朝のことだった。緊張でガチガチだった私に、シャイマは「大丈夫。あなたはもう自分の子どもがいるんだから、子どもの扱いには慣れてるでしょ。どうやって子どもに振る舞ったらいいかわかってる。子どもを恐れることなんてない。いつもと一緒でいいのよ。先生としてやっていくことだってすぐにできる」と言葉をかけ元気づけてくれた。シャイマによれば、すでに子どもがいる私は、子どもの扱いには慣れている。つまり、教員として必要な

能力をすでに備えているので、何も心配はいらない、というのだった。そして、いつも私が自分の子どもたちと接しているように振る舞うようアドバイスをくれた。

この時のシャイマからの励ましの言葉はありがたく、シャイマに背中を押されたことで教員としての一歩を踏み出す勇気が湧いたことも事実ではあった。その時私は、シャイマがこの説明を、私を勇気づけるためだけに言った方便だと捉えていた。私にとって学校教員とは専門職であり、母親であることや子どもに慣れていることとは別に、教員としてのスキルがあるはずだと考えていた。そのことは、教員としての経験のあるシャイマにとっては無論当たり前のことだと思ったのである。そこで小さな違和感を覚えはしたものの、シャイマの励ましに感謝こそすれ、発言の内容について問いただすようなことはしなかった。

ところがシャイマは、緊張する私を励ますためだけにアドバイスをくれたわけではなかったようだった。シャイマは本気で、児童を自分の子どものように扱うべきだと考えていた。シャイマは児童たちのことを「子どもたち」、「私の子どもたち」と呼び、教員―生徒・児童という関係ではなく、親子のような親密な関係を生徒たちと築こうと努力を重ねていた。また何かもめごとが起こり、教務主任に咎められるような時には、自らの行為を「愛情から生まれた（*min el hob*）」ものであると釈明した。

から作りためてきたもので、二〇〇六年にはシャイマもその製作を手伝っていたらしい。

55 レバノン出身のナンシー・アジュラム（Nancy Ajram 一九八三―）が二〇〇七年にリリースした *Shakhbat Shakhbit* という曲のミュージック・クリップ冒頭には、ナンシー粉する教員と子どもたちのやり取りが登場する。

例えばある日、G1の教室から、授業時間中にもかかわらず子どもたちの嬌声がホールに響きわたり、同じ階の端にある職員室にいた私にまで、児童がはしゃいでいる様子が聞こえてきたことがあった。何事かと思いG1の教室まで行き、中を覗いてみると、アラビア語の授業中であるにもかかわらず、教室の中で児童がおやつを食べながら大騒ぎしていた。何かの授業で担当教員が席を外しているのかと教卓の方を確認すると、教卓の前の児童用の小さな椅子には、児童とのおしゃべりに興じるシャイマが座っていた。担当教員が教室内にいることを確認できたため、その時私はその場を離れ、授業を終えた後にシャイマにそれとなくG1の授業について聞いてみることにした。授業後、教室から出てきたシャイマに尋ねると、授業中にお腹がすいた子どもたちがいたので、おやつタイムを設けたのだという答えが返ってきた。彼女が言うには、自分が愛する児童たちがお腹を空かせているのをどうしても見ていることができなかったのだという。そして最後に、

> 彼ら（児童たち）がそれ（飲食）を望んだのよ。私は彼らを愛しているの。彼らがお腹を空かせているのがわかっていて、彼らが何か食べたいと思っているのに、どうしてそのままにできるの？　授業中の飲食はよくないこと。それはその通り。わかってる。でも彼らだって悪いことをしようとしているのではない。こんなに小さいんだもの。彼らを愛しているのに、どうやったら耐えられるの？

と説明した。また別の日には、児童が空腹であるにもかかわらず飲食を禁ずるやり方は、児童に対する愛情（*hob*, love）に欠ける行為ではないか、と私のやり方を非難されたこともあった。

私にとって規律や決まりは、六歳の子どもの集団と対峙する際の、数少ない有効な道具の一つだった。子どもたちに何をすべきか、何をすべきでないか、いつ行うのかをあらかじめ明確に提示することで、彼らは指示された行為をきちんとやり遂げようと努力する。また何であれ、教員の指示を自らやり遂げることができた時、子どもたちが自信をつけて満足気にいる様子を見ていると、彼らを誇らしく思えるのだった。愛情のあるなしにかかわらず、私にとって規律を手放すこととは、子どもたちが何をすべきか見失うだけでなく、ありあまるエネルギーの矛先を失わせ、彼らが問題を起こすことを助長する行為に見えていた。そんな重要な道具を、「子どもへの愛情」のために手放すことを肯定するシャイマの考えは、私にとっては、ただただ不可解なものでしかなかった。

次第に私は、こうしたシャイマの態度を、教育的配慮ではなく、個人的な感情に基づく問題行動だと思うようになっていった。彼女が頻繁に使う「愛情」という言葉の意味が、私には、自分が好かれたい、彼らに嫌われたくないというシャイマの自分勝手な関心に見えた。そして、秩序を奪われた子どもたちが感じる困惑に配慮しない姿勢を無責任なものだと感じるようになっていた。

私の不満と不信は、シャイマがテスト中にいくつかの答えを一部の生徒にだけ教えていたことを知り、さらに大きくなった。[56] 後日そのことについて説明を求めると、シャイマは、「子どもへの愛情の

56　エジプトの教育省が策定したカリキュラムではアラビア語の授業は週五回が行われることになっていたのに対して、アメリカ式カリキュラムを採用するA校では、アラビア語の授業は多くても週に二回までしか実施できなかった。同じ教科書を使い、同じワークブックを使用するためA校での授業進行は速くならざるを得ず、授業についていけなくなる子が出ていた。

明にどうしても納得がいかなかった。

あまり」にとった行動であって、責められるべきものではないと釈明した。私は、このシャイマの説

暴力への不寛容、または暴力への過剰反応

シャイマと私との間にはもう一つ、暴力をめぐる考え方にも違いがあった。校内での教員から生徒への暴力、また子ども同士の暴力は、エジプトではようやく近年になり問題視されるようになってきた新しい社会問題である。それまでは、多少の暴力の行使は、人間関係形成上やむなしというのがエジプト社会における一般的な見解だった。A校では、新しく進んだ価値観の一つとして、校長によって暴力の絶対禁止が掲げられ、暴力を容認するエジプト的価値観をなんとかして変革しようとする試みが行われていた[57]。しかしA校と同じ組織が運営する隣のB校では、日常の体罰は当然のように行われていた。そんな中、G1のリームという女子児童の暴力が問題にされ始めた。

当時G1に在籍していたリームは、六歳児にしては体格がよく、目が小さく団子鼻が目立つ顔立ちだった。あまり笑うタイプでもなかったためか、不愛想な子だとみなされることが多かった。リームは、新学期の途中でG1に編入してきた新入りで、当初クラスに馴染むのに時間がかかっていた。とはいえ、幼い子どものことでもあり、数日のうちにクラスメートとの追いかけっこ遊びを通じて、友達もでき、自分の居場所を見つけることができたようだった。

問題が起きたのは、シャイマをはじめ幾人かの教員が、この追いかけっこをリームによる暴力行為と捉え始めた時だった。リームは体が大きく、勢い余って同じ年齢の児童に接触すると、共にじゃれ

あう児童が転倒させられることがあった。また、追いかけっこに興奮した児童が奇声を上げたり、相手を非難する言葉を大声で口にしたりすることがあった。それはリームに限らず、他の児童も同様だった。またリームにぶつかり跳ね飛ばされたように見えた子どもたちも、それを楽しんでいたように見えた。しかしそれが、A校の教員間で問題視されるようになったのだった。シャイマが愛情重視の教育を語り、児童を我が子のように愛すべきと考えていたことは先に見た通りだ。私としては、この時リームにかけられた暴力児童の疑いにおいても、シャイマはいつもの調子でリームを庇ってくれるだろうと思い込んでいた。ところがシャイマは、私の期待に反してリームに対する非難の急先鋒に立った。

自分だけが「乱暴者で問題児」とされたリームは、子どもなりにそうした雰囲気を感じ取ると、すっかり「教員に怒られる子」として開き直ってしまった。注意されてもリームは、ただ薄ら笑いを浮かべてその場をやり過ごすようになっていった。リームを問題視していたシャイマや他の教員たちにとって、こうした態度は、リームの素行の悪さを証明するものとなっていった。リームを問題視する教員は、他の児童が近くにいようがおかまいなしにリームの悪口を口にするようになり、そのことによってリームはさらに教員の言うことを聞かなくなっていった。

57 A校はアメリカン・ディプロマを発行する教育機関であったが、初等科の修了時に *ibtidāiyya 3āmma* という初等科修了テストを受ける児童・生徒も多かった。この試験に合格すればアメリカン・ディプロマ以外の学校にも編入することができた。詳しい議論については、第7章第2節を参照のこと。

そうこうするうちに、二〇〇七年一二月のある日、リームによく追いかけてもらっていたアマルという女子児童の父親から、娘が学校で暴力を振るわれていると、学校に苦情が寄せられた。このことが、シャイマをはじめとする、リームを問題視する教員たちに大きな追い風となったようだった。そしてちょうどその二日後、いつもはアラブ湾岸諸国で石油技師として働いているリームの父親が、休暇中の一時帰国を利用してA校に面談に訪れた。リームの両親との面談には、担任である私に加え、特別に願い出たシャイマとフランス語担当のゼイナブが同席することになった。

リームの母親と教室にやってきたリームの父親は、リーム同様体が大きく、穏やかで教養があり、人の話をよく聞く人物だった。母親も大柄な女性だったが、面談の際にはほとんど言葉を発さず、この件については完全に夫に任せているように見えた。

面談においてシャイマは、リームによる暴力はA校では大問題だと切り出し、家庭でも暴力をなくす努力をするよう要請した。フランス語担当のゼイナブも同じ見解を示し、リームの暴力は家庭での子育てに由来するものだと父親を非難した。一方私は、そもそもリームの行動を「暴力行為」とは捉えていないこと、暴力と呼ばれているのは遊びの中での行き過ぎにも見えたこと、また子どもたち同士ではそれが遊びであったと了解がとれていること報告した。しかし私の見解が自分たちとは違うと知るや否や、シャイマとゼイナブは、「子どもは何もわかっていない」のだから彼らの意見は参考にならない、と言って私の意見を一蹴した。そして、これは私が関わるべき問題ではない、といってほとんど無理やり私を退席させた。彼女たちの態度に憤りを覚えていた私は、両親とは別の機会に話すことに決め、彼女たちへの抗議も込めてその場を立ち去った。退室する際には、リームの父親が、家庭では、暴力を受けたら暴力で返せと教えてきたこと、自分の身を守るためには、それが当然だと考えてきたことについて謝罪を口にするのが聞こえた。

その後聞いた話によると、シャイマとゼイナブは、父親の謝罪を聞き、リームが暴力児童であると確信したらしい。彼女たちは、今後のリームの態度によってはA校に残ることは難しくなる、と半ば脅しのようなことまで口にしたらしかった。それでもリームの父親は、最後まで彼女たちの話を聞き、自分の不在によってしつけが行き届かなかった、と自らの家庭での非を詫び退席したとのことだった。職員室に戻ってきたシャイマとゼイナブは、リームの父親のことを、自分の子どもに他の子どもを傷つけるよう教育する「ファラヒーン（農民）[58]の家族」だと形容した。エジプトで「農民」とは、粗野な無知蒙昧を意味する表現で、都市部で用いられる最も厳しい侮辱表現である。

私はこの件について最後までシャイマと理解し合うことができなかった。私から見れば、リームはたまたま体が大きく、乱暴な子どもに見えただけで、どちらかといえばこの遊びをけん引していたのは、もともとG1でリーダー格だった、別の男女二人組みだった。彼らはリームに自分たちを追いかけさせることを楽しみ、リームが暴力的なしぐさをすれば喜んだ。この一連のやり取りは、私には、興奮する子どもたちが騒ぐなかで、押したり押されたりしながら、時には思いの他痛い思いをして泣き出す子がでる、という子どもの遊びの一つに見えていた。そしてシャイマにも、冷静に事態を観察

58　エジプトでファラヒーン（農民）と言えば、農業に従事する人々という以外に、無知で野蛮であることを指す。この文脈のファラヒーンとは強い侮蔑表現である。詳しい議論については、エル＝メッシーリー［el-Messiri 1978］を参照のこと。

さえすれば、それがわかるはずだと思われた。またA校の方針として問題にされていたのは、教員による暴力であって、児童同士の問題ではなく、児童・生徒間の暴力について目くじらを立てて問題にする必要があるようには思えなかった。しかしシャイマは、私の言い分に全く耳を貸さず、泣き叫ぶ子どもの姿から、一足飛びにリームの暴力を「A校における大問題」であるかのように扱った。その態度は、自分の認識を顧みることなく、ただただリームを悪者にするだけのものに見え、私はシャイマに失望した。私からすれば、シャイマの反応は、暴力への行き過ぎたアレルギー反応であり、問題のないところに問題を作り出す態度に見えた。

　リームをめぐるやりとりについては、教員間にも温度差があった。シャイマとゼイナブが、何としてもリームの暴力をやめさせなければいけないとする立場だったとすれば、私はそもそもそこには問題になる暴力はないと考える立場だった。また年配の女性教員の中には、児童・生徒間の暴力を問題にする必要はない、と考える立場の者もいた。リームの父親の見解でも触れたように、そもそもエジプトの学校空間において暴力への容認度は高い。二〇〇七年当時、学校における暴力はようやく問題化され始めたところだった。教員による子どもたちへの暴力は、この間度々エジプトの紙面をにぎわせるようになってきた。[▽59] しかしながら、力の行使を絶対悪とみなす見解は未だ主流ではない。リームの父親も口にした、「やられるぐらいなら手を出すほうがまし（*darab a7san min idrāb*）」という表現は、エジプトで頻繁に耳にする慣用句として使われ続けている。

　この手の言い回しは、幼い男児を育てる家庭では、喧嘩や嫌がらせに涙をながす子どもに、よく投げかけられている。そもそもエジプトでは、親の目の届かない学校という危険な環境で、息子に強く生き抜いて欲しいと思うあまり、こうした表現を口にする親が多い。勿論こうした言い回しは、暴力を全面肯定するものではない。またこの表現から、社会に暴力を禁止・抑止する価値観がないと判断するのは早計であろう。親たちはまた、他人への思いやりの重要性も説いている。現在この表現が一般的に意味すると考えられるのは、「相手に力ずくで負かされてそのままにするな。悔しかったらやり返すだけの気概を持て」という、自分の身を自分で守ることの重要性、また自分の尊厳が傷つけられることの深刻さを唱えるものと理解できる。しかしシャイマはこうした文脈を無視し、ただリームを非難した。このシャイマの態度が、私には価値観の行き過ぎた押し付けに見え、腹が立った。

A校では、しばしばエジプト社会の主流価値観と学校で提供すべき価値観とのずれが問題になることがあった。暴力にしろ、資産能力を背景にした特権意識にしろ、こうしたことはA校では問題になりこそすれ、エジプトの一般社会で問題になるものではなかった。そうした状況で、アメリカ式教育が提供する価値観や、それに沿ったふさわしい態度をとれる児童・生徒を教育することは、A校の重要な課題の一つとされていた。[60] しかし私にはリームを非難し否定するシャイマの態度は、アメリカ式教育を建前にした、犯人捜しとその糾弾という形でのうっぷん晴らしに見えた。もし本当に「暴力」を問題化する理念を重視するのであれば、リームや彼女の両親に対するシャイマの態度もまた正当化

59　例えば二〇一三年のエジプトの英字新聞 Daily News Egypt の場合、一月五日に続いて三月二四日にも学校における教員・スタッフによる児童・生徒に対する暴力の使用が記事になっている［Daily News Egypt 2013a; 1013b］。

60　教員による児童生徒への暴力が禁止されていたことについては、第9章第2節を参照のこと。

されるものではなかったはずである。とはいえ、シャイマの態度が問題にされることはなく、またこうした私の意見が聞き届けられることもなく、私たちの話し合いは平行線をたどるしかなかった。私としては、彼女を信頼していただけに、なぜシャイマがあのような態度をとったのか理解したかった。しかしシャイマは、その後私とこの話をすることを嫌がり、このことが話題に上ることはそれきりなかった。

当時、私にとってシャイマのこうした不可解さは、不可解なままに残された。そこにあえて説明を加える必要もなかったし、わかり合えないこともありながら、それはそれとして日々親しく付き合っていく上では何の問題もなかった。

教育者という腐敗文化の防波堤

私にとってシャイマが度を超した執念を持って取り組んでいるように見えたものには、もう一つ、「メーク狩り」があった。シャイマは、女子学生のメークを異常ともいえる執念を持って、厳しく取り締まっていた。女子生徒によるメークは、エジプトの学校ではA校に限らず広く禁止されていた。メークをして登校すれば、重大な規則違反とみなされ懲罰の対象となることもある。A校でもメークをしていることが明らかになれば、校長室での説教と、場合によっては保護者を呼び出しての面談が行われていた。これは、児童・生徒による問題行動への対処の中でも、最も厳しい部類の懲罰だった。シャイマにとって女子学生のメークは、深刻なルール違反であった。それでも、上級生女子たちが先生に気づかれない程度にメークをしてくるケースは後を絶たず、シャイマはそうした女子学生を探し出そうと、わざわざ上級生の階の廊下で見回りを行っていた。
シャイマは、規則違反としてのメークを、反抗的態度の表れであり、重大な問題だと考えていた。「メークをする女子生徒には、家庭に重大な問題がある場合が多い。そうした問題を早急に察知するためにも、メーク違反を厳しく取り締まることが重要だ」と話していた。シャイマは、「きちんとした家庭であれば、娘が学校に化粧をして通うことを認めるはずがない。娘をメークしたまま学校に行かせるのは子どもに無関心な家庭か、メークの不道徳さを問題にしない道徳心に欠ける家庭かのどちらかである。最近では、娘のメークに無関心なだけでなく、学校に呼び出された親が、メークを許可しない学校への苦情を述べることがある。そうした家庭ではもちろん、子どもが善悪や社会の規律を学ぶことはできず、問題は悪化するばかりだ」というのであった。[61]
さらに、シャイマには「残念なことに、このような親の無知や放任、責任の逃れは、特にA校のようなお金のある家庭に多い出来事だ」という持論があった。その背後には、「お金を持っている親たちは、親が子どもに果たす責任を理解しておらず、金銭的な援助しかしない。しかし、実際には過剰な金銭的余裕は、時に子どもを危険な状況に追いやることがある。親はそれを理解していない。子どもをA校に通わせる親はその典型で、その結果、周りの大人を尊敬しない、金の力でやりたい放題するダメな子どもが育っている」という危惧があるらしかった。
シャイマの考えの中には、暴力の容認やメーク禁止という規律の違反は、女子児童・生徒の反抗的

61　これは、二〇〇七年一二月五日、シャイマが上級生のメークを咎めた後に口にした見解である。

態度を意味し、それはまた裕福な家族の道徳的荒廃の中で育まれているという腐敗のスゴロクがあった。そして、A校に通う児童・生徒の恵まれた家庭の経済状態を問題の核心に位置づけ、裕福な家庭環境が作り出す社会問題の具体例として暴力やメークを捉えていた。ルールに厳しいシャイマだからこそ、金銭的対価や社会階層の高さを嵩（かさ）に懸けた特別扱い（エジプトではこれをワスタと呼ぶ）に嫌悪を感じていた、と推測することは難しくない。暴力やメークに対するシャイマの頑なな姿勢は、彼女に言わせれば、問題のある特権階級意識に対抗するためのものだったのである。しかしA校から一歩外に出れば、シャイマもまた富裕層に軽くあしらわれることになる一人だった。しかしA校で教員であればこそ、富裕層の子どもの教育を通じて、彼らの思い上がりや、堕落した価値観を矯正することができるのだった。

4　価値ある人物となるための舞台としてのA校

エジプトにおける女性学校教員にはこれまで、相反する二つの評価が付されてきた。一つは、高学歴で、ジェンダー規範に逆らわない次世代の国民の教育者という「モデル女性市民」のイメージ、もう一つは、高い学歴を持ちつつもそれ以外の仕事に就くことのできない、現代エジプトの若者問題の犠牲者というものである。金銭的利益を求めずに、教員としてのやりがいに身を投じるシャイマの姿は、とりわけ一つ目のイメージを補完するものに見えた。しかしシャイマは無私の精神で自分の時間と労力国家のために捧げていたわけではなかった。シャイマと共に働く中では、彼女が個人的な利害を重視しすぎるように思えて苛立ちを覚えることも少なくなかった。私は、学校での勤務時間内では何より教員としての責務を重視することを優先すべきだと考えていたし、教員間の関係性や利害はともかく、同じ学校で働く教員チームとして、教育という職責のもとに協力することが重要だと信じていた。私に言わせればシャイマは、児童・生徒からの愛情を求める姿と暴力やメークに対する過剰反応において公私混同が過ぎた。

児童・生徒からの愛情によって自己肯定感や自尊心を満たしてもらおうとする姿勢は、その一例である。彼女は頻繁に「愛」や「愛情」を口にしたが、彼女が欲しがっていたのは、児童・生徒たちに強い好意を寄せてもらうことに見えた。私にはそれは、児童・生徒たちの成長を願うという意味での、教員としての児童・生徒への愛情には見えなかった。シャイマが、暴力やメークといったものに過剰な嫌悪を感じる姿もまた、私には職務の軽視に思えた。暴力を否定することや学校のルールを順守させることは、確かに重要なことではあったが、彼女はそこにこだわりすぎるあまり、教員として冷静な対応ができなくなっているように見えた。シャイマは児童・生徒たちを、腐敗した金持ち文化から守るため、とは口にしていたが、過剰な拒否反応は、恵まれた経済環境の児童・生徒たちへの逆恨みにも見えた。そのどちらのケースにおいてもシャイマは、教育者としての職務に先立ち、自分の欲求を満たそうにしているように見えた。

愛情重視の教育と暴力の否定は、シャイマにとってはどちらもアメリカの優れた教育方針として理解されていたものでもあった。A校は高額な授業料を課すアメリカンスクールで、エジプト社会においては、最先端のグローバル文化を象徴する、「モダン」な施設とされていた。アメリカンスクールは、その新しさだけでなく経済的豊かさ、そして強い海外とのつながりにおいて、グローバルスタンダードを代表する、富裕層の新たな階級指標であった［Peterson 2011: 39］。二一世紀初頭のカイロの社会現象を考察したピーターソンは、エジプトで重視される欧米由来の商品や欧米的価値観への近接性を「コネクテッドネス」と呼び、価値体系の一つであると議論した［Peterson 2011］。コスモポリタンなカイロの社会的序列において、海外とのつながりは、経済状態や出自といったものとならび、文化資本であった。エジプトにおいて「コネクテッドネス」は、すでに社会的に意味のある価値と認識されていたが、それによって他者に対する優位性を発揮できる人々は限られていた。

ピーターソンの議論に習えば、シャイマは、A校での就労を通じてコスモポリタンな「コネクテッドネス」を、限定的にではあるが自分に有利な形で使いこなせる環境に身を置いていたことになる。シャイマを始め、A校で働く教員は、ほとんどがアメリカンスクールとは縁のない、地元の学校で教育を受けた優秀な若者だった。しかし彼ら・彼女らは、A校に身を置き、A校で求められる教育メソッドに精通することで、「コネクテッドネス」という価値体系における優位性を主張することができた。A校という環境で、アメリカ式の教育法を身に着け、欧米的な価値観の啓蒙者として振る舞うことで、「コネクテッドネス」の上では、富裕層に対して自らの優位性を主張することが可能になっていたのである。

シャイマはさらに、富裕層と腐敗した道徳観念とを結びつける社会言説を利用し、保護者に対する優位性の主張も行っていた。エジプトの富裕層にはこれまで、西洋的、モダンと同時に不道徳という汚名が着せられてきた[62][cf. Ghannam 2002; Toth 2016]。エジプトにおける富裕層は、彼らが持つ植民地主義的志向性を背景に、西欧的価値観を生きる人々、あるいはルールを守らない汚いビジネスによって巨万の富を築いた人々とみなされている。とりわけ、富裕層と関連づけられることの多い飲酒と開放的な性はイスラーム的価値観と対置され、彼らが地元の価値観を軽視し、道徳的に劣るといった評価の根拠とされてきた[Peterson 2011: 3]。シャイマは、そうした富裕層に付随する不道徳性を敵視し、そこから子どもたちを守るという行動をとることで、道徳の守護者として優位なポジションを主張していた。

シャイマは、国家開発に献身的に尽力する従順な女性労働力である一方で、エジプトの労働市場における不均衡の単なる犠牲者になっていたわけではなかった。彼女は、既存の言説を積極的に読み替え、組み換え、自らの優位性を示すことにある程度の成功をみていた。A校という環境を用いて、コスモポリタンな「コネクテッドネス」や、富裕層の不道徳さを持ち出すことで、児童・生徒に愛され、彼らを不道徳から守り、健全で「正しい」道に導く道徳的に優れた啓蒙者としての自己を生みだしていたのだった。一般的に言えば、欧米との「コネクテッドネス」は富裕層や上層中産階級の寡占状態

62　ガンナームは、アメリカで成功したことで自らの「出自」を忘れたエジプト人女性が周囲から慎ましい暮らしを取り戻すようながされたエピソードを紹介した[Ghannam 2002]。トスは、富裕層を指す「イブン・アル＝ザワト（Ibn Al-Zawat）」という呼び方が、横柄で、外側ばかり飾りたてる人々、さらにはエジプト社会の汚職と不道徳を生み出す人々と理解されていることを指摘した[Toth 2016: 165]。

にあり、シャイマのような下層中産階級に属する人々は排除されていることが指摘されている［Peterson 2011］。シャイマの場合も、A校という場で働き、直接欧米の教育方法を取得する機会がなければ、決して「コネクテッドネス」における優位性を主張することは不可能だったはずである。こうした状況を踏まえれば、このシャイマの、A校における対児童・生徒や保護者へのポジション取りが、いかに特殊なことだったかがわかるだろう。彼女が主張する優位性は、A校という空間でのみ効果を持つ、限定的なものではあったものの、暫定的な下剋上を可能にする点においては、非常に貴重なものだった。A校で学校教員として働くことは、たとえ収入の面でうまみがなかったとしても、教育者という立場から、「コネクテッドネス」という指標に照らして、さらには道徳の守護者として、自分自身の優位性を富裕層に対し主張できる、特別な経験を彼女に提供していたのである。

第3章 〈クバール〉を生きる

日々活き活きと学校教員としての業務に励んでいたように見えてはいたが、シャイマはしばしば、好きで教員になったわけではない、と周囲に漏らしていた。彼女が幼いころに夢見ていたのは、「キャリアウーマン」になることだった。シャイマが夢見た「キャリアウーマン」とは、バリバリ働いて、大きな責任や金銭を任され社会で成功する女性のことを指し、学校教員はそれには当てはまらないらしかった。彼女は現在の自分に少なからず失望していたようだった。話を聞いてみると、どうやら彼女の不満は学校教員という仕事にあるわけではなく、学校教員にしかなれなかったことに対するもののようだった。彼女は自分のことを〈クバール〉[63]と形容し、それにもかかわらず学校教員にしかなれ

63　シャイマの実際の語りでは、自分はキビーラ（*kibīra*）、もしくはクバール（*kbār*）であるという表現と、自分はすでにキビルト（*kibirt*）しているという三つの表現が混在していた。キビーラとはキビールという形容詞の女性単数形であり、クバールは形容詞キビールの複数形である。一方、キビルトとは、動詞ケブルが女性過去形に変化した動詞である。しかしこの三つの表現はカイロ方言の話者にとって全く同意として理解されているため、本書では全ての表現を〈クバール〉という同一の表現として扱った。

ていない現状を憂いていた。

アラビア語カイロ方言でクバールという単語は、日本語では通常「大人[64]」と訳される。しかし、この言葉には、「年嵩」という意味以外にも、「（大人としての）能力がある」、「社会的に（大人としての）大きな力を持っている（重要人物である）」、「（大人として）優れた振る舞いができる」、「（大人として）尊敬されるべき人物だ」といった意味合いも含まれる。[65] 例えば、「クバールぶっている（*beta2mel nafso kibir*）」と言えば、偉そうに振る舞う、という意味になる。つまりクバールとは、年齢やライフステージ、自律能力や社会的影響力および社会的賞賛といった要素が絡み合う、ある種の社会的優越性を意味する表現として理解ができる。ただし、シャイマが用いていた〈クバール〉には、こうした一般的用法とのずれも観察できた。そこで本書では、シャイマが自分のことを形容して用いた表現は〈クバール〉と記し、一般的な用法と区別しておく。本章では、シャイマが用いた〈クバール〉という概念に着目しつつ、彼女にとっての理想の人生や、それを断念せざるを得なかったいきさつについて検討していきたい。

1 〈クバール〉な女性になるまで——シャイマの生い立ち

新学期のドタバタも過ぎ、少し児童も教室で落ち着きを見せ始めたころ、私はシャイマにインタビューを申し込んだ。当時私は女性の化粧行為を調査していて、彼女にそのインフォーマントになってほしかった。シャイマはそれを快諾し、私たちは二人の休憩時間が合う時には二人きりで話をする時間を持つようになった。はじめのころは私が質問しシャイマが回答する、といったやりとりが続いたが、次第に彼女は、自分の生い立ちについて長い時間をかけて話すようになった。そこで頻繁に語られたのが、就職での挫折と、そこからの再起のストーリーだった。以下、シャイマの語った生い立ちを時系列で整理してみよう。

勉強ができるいい子

シャイマは自分のことを勉強ができる子どもだったと説明した。学校では常に苦労せず勉強することができ、調査当時の彼女は大学を卒業してなお、大学の夜間クラスで英語を勉強していた。彼女の学力は、自分の頑張りだけでなく、母親の協力で伸びたところが大きいようだった。シャイマの母親は、高校卒業資格を持ち、かつては政府機関で働いていた都会的な女性だった。シャイマは彼女のこ

64 チケットの大人料金はクバール（もしくはキビール）、子ども料金はアトファールと表現される。

65 「彼らは会社のクバールだ」と言えば、その人々は会社で要職に就き、能力が高く、重要な働きをする、偉い人々だという内容が伝達される。また子どもに対して「クバールだ」と言えば、〈クバール〉のように優れた行動ができたことへの賛辞か、〈クバール〉のように優れた行動をするようにという勧告、もしくは年齢的に大きくなり〈クバール〉に近くなったことへの承認が伝達される。クバールに付与される意味には一）年齢の高さ、二）それに見合った自律した振る舞い（社会的責任の遂行）、三）社会的に持つ大きな力、そして四）その人物が得る尊敬、が含まれる。しかしカイロ方言話者にはこの四つの要素がそれぞれ独立したものとして意識されず、総体としてクバールと認識されている。

とを、厳しくはなかったが、しっかりと子どもの勉強を見るすばらしい母親なのだと話していた。シャイマの母親は、子どもの教育に熱心で、子どもの勉強を見るために、子どもの就学を機に、長く続けていた仕事を辞めていた。子ども（男児二人、女児一人）は三人とも成績優秀で、シャイマも女児であることを理由に勉強で特別扱いされたことはなかったらしい。三人に同じように家事の手伝いが求められ、同じように遊ぶ自由も与えられ、何より同じように勉強に真剣に取り組むよう励まされた。兄二人と同じようによく勉強ができたシャイマは、次第に周囲から勉強ができるいい子として評価されるようになった。

自分の子ども時代について、シャイマは次のように話したことがあった。

小さい時は学校でよく褒められた。どんな教科でも勉強ができたから。特に重要だったのは、数学、アラビア語、宗教、英語。その成績がいいと、父や母は喜んでくれた。特にアラビア語や英語、宗教がすごくよくできた。勉強は嫌いじゃなかった。すごく勉強したとも思わないけど。他の子たちと同じくらい〔勉強した〕。（中略）塾（タムリーンと呼ばれる学外授業）を受けるためにセンターに通ってたこともあった。でも勉強するというより、友達と会うために。勉強はたいてい家でやった。ベッドの上とかね。

学歴の高い母親と勉強ができる兄（二人はその後カイロ大学理工学部に進学した）との生活は、勉強するには恵まれた環境であった。末っ子でただ一人の女の子ということもあり、シャイマは幼い時から家族では特別にかわいがられていたらしい。シャイマも含め、彼女の兄弟は全員、小学校から大学まで公立の学校に通ったが、当時は私立学校の数が少なく、彼女の住んでいた地域では特別な理由がない限り公立校に通うのが普通だった。一九八三年生まれというシャイマの年齢を考えれば、彼女が学齢に達するころにはすでに、言語教育に力を入れた私立のランゲージスクールなどの特殊校がカイロに登場し始めていたはずである。しかしシャイマは、大学に入るまで、その存在を知らなかったという。近隣地区にも、九〇年代の半ば以降、複数の私立学校が新設されてはいたが、近所の家族に、子どもを私立学校に通わせる選択肢はなかったという。

近代的な住宅地の出身者

シャイマは、父、母、シャイマ、二人の兄からなる五人家族でハラム通りに派生するエル＝アリーシュ通り[66]に暮らしていた。兄は二人とも大学に進学しすでに仕事に就いていて、結婚はしておらずシャイマが暮らす3ＬＫの集合住宅で共に寝起きしていた。シャイマと兄二人はみなこの家で生まれ、以来同じ家で暮らしてきた。子どもが幼いうちは、二人の兄と子ども三人で三部屋のうちの一つを一緒に使っていたが、その後、長兄が応接間で寝起きするようになり、シャイマは次兄と二人で部屋を共有するようになった。カイロでは、富裕層でもない限り、異性の兄弟姉妹同士に一つの部屋があてがわれることは珍しくなく、自分専用のベッドがない場合も多い。エジプトの、一般的な集合住宅の

……………

66　カイロではある場所について語る際、住所を手掛かりにしない。代わりに近くにある目立つ施設の名前や近くを走る主要幹線道路の名前、有名な通りの名前などといったものが言及される。

使い方と比較しても、シャイマのケースは特段珍しいものではないだろう。

シャイマの両親はカイロのダウンタウン（ウィステルバラド *wist el balad*）出身らしく、結婚を機に、現在の住まいに新居を構えたという。ハラム通りは大カイロ圏でも非常に有名な通りだが、ハラム通り沿いとはいえエル＝アリーシュ近辺は、彼女の両親が居を構えた七〇年代初頭にはまだできたばかりの新興住宅街だった。当時このあたりでは、カイロの中心部に比べずっと手ごろな価格で新居を構えることができた。日本では、二〇〇一年に起きたアメリカ同時多発テロの首謀者の一人、ムハンマド・アタの父親が暮らす、閑静な住宅街として紹介されたこともある［朝日新聞アタ取材班 2002］。

エル＝アリーシュ街区も含め、ハラム地区一帯で育った女性は、カイロでは一般的にハラム地区の女性（ハラマウェイヤ）と呼ばれている。しかしシャイマはこう呼ばれることに強い嫌悪感を示し、その理由を次のように説明した。

> 私はハラマウェイヤじゃないと思う。新しい考え方をするから。私たち家族は、自分たちをハラムの人間だと考えたことはないの。あのあたり（エル＝アリーシュ）▽67では、私みたいな人も珍しくない。あそこはもともとハラムとは違うから。あのあたりの人はカイロからやってきた。カイロに土地や住居がないから。みんな外に出るしかなかった。父も母ももとはダウンタウン出身。母はファラキ▽68出身なんだ。父と母は恋愛結婚だった。出会いは職場。二人とも政府の仕事についていたの。
>
> 両親がハラムに引っ越したのは私が生まれる前。結婚したときだから七八年かな。でもここは今みたいな場所では全然なかったんだよ。ひどい渋滞はないし、こんなにうるさくなかった。静かな場所だった。

そのころ周りには何もなくて、あったのは砂漠と畑。新しい町だった。両親が家（集合住宅）を買ったころはね。

シャイマがハラム地区の女性と呼ばれたくなかった理由は簡単に推測できる。ハラム地区に住む人間は、カイロ圏において広く、オサーバ（*osāba* やくざまがい）、ビッア（*bi3a* 粗暴）、ワヘシ（*wa7esh* 粗暴）、イグノラント（*ignoranto* 遅れている）、ガーヘラ（*gāhila* 後進的、無知）といったイメージが持たれている。また、ハラム地区の女性には、粗暴でセクシーといった、「夜の街」のイメージがある。こうした表現は、エジプト独特のブラックユーモアとして各有名街区に与えられている。ハラム地区の場合、ハラム（アラビア語でピラミッド、カイロの中心地からギザのピラミッドを結ぶ道であることからこの名前がつけられた）という名前の通り、世界的な観光地の印象が強く、強引な客引きをすることで悪名高いラクダ引きや、観光客目当てのキャバレーやナイトクラブなどの存在からこうしたイメージが形成されていた［Wynn 2007］。それらは決して、女性にとって誇りに思えるようなステレオタイプではなかった。

シャイマが、自分をハラム地区の人間ではないという時に根拠にしていたのは、まず両親が別の地

……………………

67 この文脈におけるカイロとは、ナイル川東岸（ハラムは両岸）の、なかでもダウンタウン近郊のこと。その近年の様相についてはシムズ［Sims 2010］に、歴史についてはJ・アブー＝ルゴド［J. Abu-Lughod 1971］に詳しい。

68 ファラキとは、タハリール広場にほど近い、二〇〇九年までアメリカン大学のキャンパスがあった辺りを指す。ファラキ出身といえば、典型的なカイロの下町っ子である。

域（カイロのダウンタウン）から流入してきた人間であったこと[69]と、両親共にハラム地区を代表する観光産業従事者ではなく、政府機関の雇用者であったこと、さらに古くからある街区ではなく新興住宅地に暮らしていたことだった。

カイロの中心地区出身者で政府機関に勤めていた彼女の両親は、カイロ市内の住宅事情の悪さから、彼女が生まれる前にハラム地区に住居を構えたという。シャイマが暮らす街区は、一九七〇年代に政府が住居対策として開発を進めた地域の一つである［Rageh 1985］。シャイマが言うには、近所の住民には両親と同じようなカイロ中心部出身の政府機関関係者が多い。そのため、その地区の住民は「より新しい」考え方をしたという。確かにシャイマの父母のように、大学進学、政府機関への就職、郊外への流出という流れは、七〇年代多くの若者がたどった、一つの都市型新興中産階級[70]の新しいライフスタイルだった。同じような生活を送る近隣住民の中には、学校に通わない子どもや、卒業前にドロップアウトするような子どもはいなかったらしい。大学進学も珍しくなく、高等教育を受けずに結婚した知り合いもいないという。農村部に近いハラム地区でありながら、卒業前に結婚した若者が出ていないという事実は、その街区が、都会的で、「新しい考え」を持つ人物が暮らすコミュニティであったというシャイマの主張を裏付けるものと考えられるだろう。

充実した大学生活

成績優秀なままに子ども時代を過ごしたシャイマは、大学入学審査に使われる、中等教育修了試験でも十分に高い点数を取ることができた[71]。エジプトでは、この中等教育修了試験の点数が大学進学の基準になる。よい大学に進学することがよい将来の第一歩だと考えられる中、子どもの中等教育修了試験の点数が家族全体を一喜一憂させ、子どもを心配する母親が試験会場に押し寄せる風景が夏の風物詩にもなっている。子どもたちはプレスクールのうちから、この中等教育修了試験のために無理やり勉強させられ、こうした詰め込み教育が近年では大きな社会問題になっている。シャイマはその試験で上位五%に入る成績を残したらしいが、それは日本でいえば、希望する国公立大学にどこでも入学できるようなとんでもない高得点ということになる。

しかし残念ながら、シャイマの点数は、第一志望であった文系最難関、アインシャムス大学外国語翻訳・通訳学部に進学するにはわずかに足りなかった。シャイマは小さなころから漠然と「キャリアウーマン」になることを決めていたので、夢を叶えるために翻訳・通訳学部を希望していたらしい。

希望の学部に入れないことがわかり、シャイマは次に新しい進路について両親のアドバイスを求めた。すると両親は、もう〈クバール〉なのだから、自分が望むところに進学すればいい、とシャイマ

……………………

69　両親の出身地に自らの地縁をたどることは、エジプトでは珍しくない。とりわけ、上エジプト出身者にこの傾向が強いが［Miller 2004］、一般的傾向として広く見ることができる。

70　本書では、エジプトにおける中産階級（ミドルクラス）とは、高卒以上の学歴を持った稼ぎ手を中心とする核家族を指すというデ・コニング［De Koning 2005］の定義を用いる。この定義において、中産階級は、所得水準が平均値にあることを意味しない。この文脈のミドルクラスとは、経済的指標ではなく、社会的地位を表す指標である［El Sayed 2017］。

71　エジプトでは、中等教育修了試験の成績によって大学への入学許可が出る。〇〇年代初頭の大学進学率においては女子学生が全体の四五パーセントを占めていた［Meghad 2010］。

の意向をもとに決めるよう促したという。結局シャイマは、自分の興味に従いアラビア語専攻を選び、アラビア語文学が学べる最難関の大学、アインシャムス大学に入学を決めた。マンモス大学として知られるカイロ大学とは違い、同じ国立でも比較的規模が小さいアインシャムス大学は、入学が非常に難しいことでも知られている。入学後は自宅から片道一時間、公共交通機関を用いて毎日通学し、無事四年で大学を卒業した。

中学・高校では男女別学だったが、共学の大学構内では男性の友人もできた。しかし「一歩門の外に出れば他人（*barra el-bāb e7nā el-ġarb*）」▽72という表現の通り、その友人関係は大学のキャンパス内だけのものとされていたらしい。こうした価値観は、シャイマの世代の男女観としては若干保守的な傾向はあったが、そもそもシャイマの学科には男子学生がほとんどおらず、彼女の仲良しグループには男子学生はいなかったらしい。

大学への入学は、シャイマの生活を一変させた。大学入学を機に、シャイマには家族からも近隣住民の目からも離れて自由な時間を持つことができるようになった。日々深夜まで勉強することが期待されていた高校時代とは違い、大学の授業では自分のペースで勉強を進めることができた。また通学以外の外出も自由になった。毎日私服姿で、通学には公共交通機関を利用し、行動範囲も広がった。大学帰りに友人とファストフード店や映画、時にはショッピングモールに寄り道することもできるようになった。門限も、午後七時や八時から、午前一時、二時にまで延びた。▽73しかしシャイマはそれだけ自分の行動に責任を持たなければいけなくなったのだと、気を引き締めたという。また遅い時間にシャイマが帰宅する時には、それが何時であろうと、必ず母親が寝ずに帰りを待っていたという。

シャイマにとって大学入学は、大きな人生の転機となった。大学入学は一般的に〈クバール〉、つまり大人になる時期だとみなされる[El Sayed 2017]。大学入試という大変な試練を乗り越え、晴れて子どもから一人前になれるのである。シャイマもまた大学入学を契機に、それまでにはありえなかった、新しい経験や行動の自由を得たのだった。

2 〈クバール〉の危機

就職でのつまずき

ところが、順風満帆と思われたシャイマの人生には、大学を卒業した後に、思わぬ困難が待ち受けていた。▽74 彼女は大学でも成績優秀で通し、周囲の友人や教員からの評価も高かった。しかし晴れて

---

72 門の中では親しく、門の外では他人（*gowwa el-bāb, e7nā a7bāb, barra el-bāb e7nā el-ġarb*）」というように、いくら大学内で親しくしようと、外に出れば同僚関係（同じ所属を通じた知り合い、それ以上に関係性はない）に限定した素振りをするべきというのが、エジプト都市部の一般的な認識とされてきた［El Sayed 2017］。

73 「夜が遅い町」として知られるカイロでは、週末になると文化的イベントが一二時や一時まで続くこともあり、この門限は特別なものではない。

74 彼女が経験した就職難は、実際にはエジプトでは一般的なものである。ゲベルとヘインの研究によれば、女性が公的セクターの仕事に就くのに平均二年半、プライベートセクターの仕事であれば二年五か月かかっていた。シャイマのケースは、むし

大学を卒業したにもかかわらず、別の学科に通っていた友人たちが次々と就職を果たす中で、彼女は就職面接すら受けることができなかった。何社に連絡をとってみても、彼女一人だけが、色よい返事をもらうことができなかったという。シャイマは、予想外の展開に戸惑いながらも、その状況が自分の外国語能力不足によって生じたものだと理解した。▽75 周りで就職が決まった友人たちは、シャイマのようにアラビア語を学んでいたのではなく、外国語を専攻していた。彼女は、就職における外国語の重要性を知らなかった自分の無知を悔やみ、その事実を教えてくれなかった周囲の大人を恨んだ。どうしてアラビア語専攻を辞めるよう言ってくれなかったのか、どうして真面目に勉強することが就職につながらないのか、自分に何が足りないのか。シャイマはこうした悩みの中ですっかり自信を失ってしまったという。

シャイマは、どうしたらいいかわからない中で、母親に勧められるままにとりあえず家事手伝いをすることにした。その時はシャイマの家族も、どうでもいい仕事（*shogol aiya haga*）に無理やり就き、セクハラや身体的な負担に悩むぐらいなら、家事手伝いがいいと賛成してくれた。彼女自身にとっても、大好きな母親と共に、結婚まで家にいることも悪くないと思ったという。

家事手伝いから鬱状態へ

家事手伝いの生活は、勉強や社交に忙しく飛び回っていたそれまでの日々とは全く違うものだった。シャイマは、家にずっといる生活に対して、すぐに強い不満を抱くようになった。唯一顔を合わせる母親とは、四六時中顔を合わせるためにすぐに話題がなくなった。学生時代の友人とも、生活時間も話題も合わず疎遠になった。大学時代は日々何らかの理由で外出することが当然のような生活をしていたが、家事手伝いになってみると、家から一人で外出する理由が見つからなかった。一日中時間を持て余し、何をしたらいいのかわからなくなった。

こうした不満は、一時はインターネット・チャットで解消された。当時ようやく家庭に普及し始めたインターネットを家で使うようになり、新規友人が週に四五〇人増えた時期もあったほど、インターネット・チャットに長い時間を費やしていたという。しかし、昼夜を問わずネットでの会話に励んだのは結局二、三か月のことだった。インターネットにはまっていた数か月は、生活全てがネット・チャットを中心に回り、できるだけ多くの友人を得ることに全力を注いだのだという。しかしすぐにその浅さと虚偽の関係に気づかされ、ある日を境に全く興味が湧かなくなった。当初は、とにかく友人が欲しいという目的があったが、チャットでの関係性に先がないと思った瞬間に、全ての興味は消えてしまった。卒業から半年がたつころには、シャイマはすっかりザアラーナ（不幸）[76]になりふさぎ

ろ恵まれていたともいえる［Gebel and Heyne 2014］。

75 近年エジプトでは、外国語能力とコンピュータの知識が、就職における必須能力といわれている［Assaad and Barsoum 2007; Barsoum et al. 2009; Goldboom 2007; Hendy 2015］。しかし現実にはそれらのスキルがあっても仕事を見つけることは難しい。

76 エジプトで貧困層の女性の精神状態を考察したクリーガーは、多くの女性達がザアラーナ（*za3lana*）、メトナルフィザ（*metnarfiza* イライラする）、ベテトハッラ（*btitkhalla* ヒステリー）などの感覚を覚えていることを記述した［Krieger 1989］。これらはある種の鬱状態といえるだろう。

込むようになった。[▽77]

しばらくシャイマを温かく見守ってくれていた彼女の家族は、以前の明るさをすっかり失い、ザアラーナになったシャイマにたまりかね、次第にいろいろな方法で彼女を励まそうと試みるようになった。一向に明るさを取り戻さない彼女を見かねて、再度仕事を探すよう提案したのは次兄だった。なかなか元気を取り戻せなかったシャイマが、もう一度頑張ってみようという気持ちになれたのは、こうした兄からのサポートだったという。その当時は、シャイマとしても再度職を探して何かが変わるとは思えなかった。しかし、心配してくれる兄の気持ちを無碍にすることもできなかった。そんなシャイマを見て、次に母が動き出した。シャイマの母は、かつて働いていた役場に娘の仕事の斡旋を頼み、娘を連れて役場を訪れた。その時に役場で紹介されたのが、最初の仕事となった公立学校でのアラビア語教員の職だった。

教員としての再起

兄と母親の支援によって教員になったシャイマだったが、一度働き始めると、学校教員という仕事が意外と自分に合ったものだということがわかってきた。最初の職場は、自宅から公共交通機関で一時間半ほどかかる、カイロの別の地域にある小学校だった。自分が子ども好きであることも、子どもの扱いが上手いことも、教員になってみて初めてわかったことだという。毎日仕事にでかけることは体力的にはきつかったが、それまでの生活にはなかった充実感を得ることができた。しかし二か月もたたないうちに通勤に体力的な限界を感じ始めたシャイマは、自宅近くに新しい職場を探し始めた。

そこで見つけたのがA校での仕事だった。彼女は二〇〇六年の年末からA校で働きだした。A校にはスクールバスがあり、通勤時間の短縮だけでなく、痴漢などのセクハラの危険性に身を晒す必要もなくなった。多くの女性の例にもれず、こうした心配をせずによくなったことで大きなストレスから解放されたという[cf. Hassanien 2010]。しかしA校が魅力的に見えた理由は、スクールバス以上に、同世代の教員たちが何人も働いていたことにあった。最初の勤務校には同世代の教員がおらず、自分以外はみな年上で、話の合う友人はできなかった。そこで新しい職場では、同年代の友人が欲しいと心から願っていた。A校で働き始めた後に、アメリカ人教員キャシーの影響をうけ、アクティブ・ラーニングを取り入れた授業を始め、英語を再度学ぶようになったことについては、先述した通りである。

3 〈クバール〉に見る学歴至上主義

ここまでの話を、シャイマが自分を形容するのに用いた〈クバール〉という概念に照らして考えてみたい。エジプトの政府広告に出てきそうな「教育を受けた女性」そのものに見えたシャイマは、就職で挫折を経験した後、学校教員になったという経歴を持っていた。彼女は高い学力を持ち、努力を

……………

77 エジプトの女性が抱える精神障害について研究したモスタファは、精神障害のきっかけを八つに分類した[Mostafa 2008]。シャイマのケースは、四番目の社会上昇の阻害と、五番目のエントラップメントに分類できる。

怠らなかったにもかかわらず、自分が望んでいたような「キャリアウーマン」にはなれないでいた。しかしそうした状況にあってなお、彼女は自分を〈クバール〉だと形容した。

彼女が〈クバール〉になった契機として語っていたのは、大学進学だった。中産階級出身の女子大学生だったシャイマは、学業に尽力することで男女問わず成功がもたらされるという言説を疑わなかった。シャイマが就職でのつまずきを経てなお、こうした信念を持ち続けていたことを考える上で、シャイマの両親が二人とも公務員であったことは示唆的である。二〇〇四年に制度自体が廃止されるまで、エジプトでは高校卒業資格以上の取得を条件に、国家が職を斡旋する就労制度があった［柏木 2008］。七〇年代に社会に出たシャイマの両親は、ちょうど初めて教育を受けた世代として、この制度によって公務員になり、生活水準の上昇を経験した年代である。当時の公務員は食べていくのに十分な仕事であるだけでなく、国家の発展に寄与するエリートだと考えられていた。

一度も民間企業で働いた経験のなかったシャイマの両親が、高学歴の若者が就職で苦労していたこと、民間企業への就職が一筋縄でいかないことに通じていなくても不思議ではない。両親の世代が経験したエジプシャンドリームは、すでに実態としては姿が消えてはいるものの、言説としてはエジプト社会にしっかりと根付いている［柏木 2008］。シャイマの家族に見られた公的セクター志向や（シャイマも最初の仕事は国立の小学校の教員だった）、受験勉強での成功を重視する姿勢、女性にも男性同様社会での活躍を求める姿は、そのままエジプトの国家開発言説に通ずるものがある［cf. 長沢 2008］。

七〇年代に、エジプト都市部に見られる女性自己イメージについて研究したエル＝メッシーリーは、地方から都市に移住してきたファラヒーン▽78（農民）、伝統的庶民街に暮らす女性でビント・アル＝バラド（地元の女性）、教育を受けた中産階級の女性たち、ビント・アル＝ザワート（貴族の女性）と呼ばれる富裕層の女性たちという四類型に女性を振り分け、伝統的庶民の女性と教育を受けた中産階級女性たちとを分ける重要な違いは、地元への愛着だったと分析した［el-Messiri 1978］。ビント・アル＝バラドが自分の生まれ育った地域で生計を立て、同じコミュニティに暮らし続けることを望む一方、教育を受けた女性たちは、コミュニティの外に働きに出かけ、結婚を機に転出する傾向を持っていた。シャイマが育ったコミュニティが、こうした教育を受けた都市からの流入者でできていた、という点は重要である。シャイマの両親は、エル＝メッシーリーの分類でいう「教育を受けた人々」だった。

また社会学者のジャネット・アブー＝ルゴドは、カイロの街区を住民の特性に応じて「農村」、「伝統的都市」、「近代的都市・産業的都市」の三つの居住地カテゴリーに分けた［J. Abu-Lughod 1971: 219］。エル＝アリーシュ街区が位置するハラム地区は、「農村」と「伝統的都市」の悪いところが醸成された地域として知られており、カイロ市内にはこの地域に行きたがらないタクシー運転手も少なくない。この区分けに従えば、シャイマの出身地であるエル＝アリーシュは、悪名高いハラム地区の内部に作られた、「近代的都市・産業的都市」コミュニティだと考えられるだろう。

就職での挫折をへてなお、シャイマは、「教育が将来の成功をもたらす」という国家開発言説を疑ってはいなかった。彼女は国家開発言説が成功を約束する〈クバール〉であり続け、さらなるスキルアッ

78 ファラヒーンには、地方からの移住者、すなわち田舎者という意味にならんで、無知で野蛮という意味がある。注58も参照のこと。

プを目指し、調査当時には夜間の英語の授業にまで通っていた。外国語能力とコンピュータスキルは、エジプトの新聞・テレビでも頻繁に取り上げられる、今や誰もが知る、就職に必要なスキルセットである。

収入の高い仕事に就いていなくても、華やかな生活を送っていなくても、彼女は大学進学者であり、国家に成功が約束されたという意味では〈クバール〉だった。学業での成功がもたらす社会的成功、キャリアウーマンという夢、そしてその背後にある「自己改善」の称揚。こうしたシャイマの人生観にエジプト社会が打ち出す国家開発言説が大きく影響したのであろうことは明らかである。シャイマが国家言説の存在を、どれだけ明確に意識していたかはうかがい知れないが、シャイマがそれを深く内面化していたことに疑いの余地はない。

4 〈クバール〉が可能にするメーク

ところで、A校であれだけ女子生徒のメークを厳しく取り締まっていたのにもかかわらず、メークはシャイマの趣味でもあった。シャイマにメークが許され、女子生徒には許されない理由は何なのか。その理由を語る際にもシャイマは〈クバール〉に言及した。シャイマにとっての〈クバール〉をさらに明らかにするために、続いては、メークの語りで現れた〈クバール〉についても整理をしておきたい。

二つの〈クバール〉

自分でメークを楽しみつつ、女子生徒のメークを問題行動とみなす。私にはそのシャイマのロジックが理解できなかった。それをシャイマに尋ねると、彼女は「簡単なことだ」、といって次のように説明した。

大学ではみんなメークをしていて、メークが当たり前だった。もう〈クバール〉だし。〔大学入学以前の〕学校に通っている間は勉強が仕事だからメークは許されるべきではない。でも大学は違う。〈クバール〉として自分の選択をすることが許される、大学生だから。メークはもう当たり前。人の目があるんだから当然。メークをしていない方がちゃんとしていないと思う。メークは当然のこと。

端的に言えば、〈クバール〉だからシャイマにはメークが許され、推奨されるが、女子生徒はまだそうではないのでダメだ、ということだった。つまりメークが許されるかどうかは、その人が〈クバール〉かどうかで決まる、というのである。シャイマの回答からは、〈クバール〉が含意する二つの基準が見えてくる。

まず一つ目は、大学生[▽79]という、年齢やライフステージを指す基準としての〈クバール〉である。すでに述べたように、エジプトでは、一般的に大学進学をした人物は〈クバール〉ということにされている。その基準が年齢やライフステージにある、という考え方である。二つ目は、社会的ステータスとしての〈クバール〉である。エジプトでは、大学生であることは、それだけで社会での成功を約束された人物だと考えられている。つまり大学進学者としての〈クバール〉とは、成功者としての生活水準やライフスタイルを指す概念としての〈クバール〉と考えられるだろう。それぞれの含意について、もう少し詳しく見ていきたい。

ライフステージとしての〈クバール〉

大学進学前の〈クバール〉ではない女性にメークが禁止される理由については、別の機会に次のように説明された。

> 高校までは勉強が仕事だから、メークは許されるべきじゃない。〔勉強に〕集中できない。でも大学は違う。〈クバール〉として、自分で選択することができる。もうメークはするのが当たり前。身だしなみ、みたいな感じ。メークをしていないとちゃんとしていないと思う。
>
> 〔私がメークをしていないのに気づいて〕でも、みんながそうだとも思っていないよ。私の考え方は「新しい」と思う。私は、周囲の人が自分

と違う考え方を持っていても問題はないんだ。ジョー（私）とかファティマとか外国人だし、メークしているかどうかで人は決まらない。人それぞれだよ。やる人によってメークは違うから。

シャイマの説明に従えば、まだ〈クバール〉ではない女子生徒にメークが許されないのは、メークが、彼女たちにとって最も重要なはずの学業への集中を阻害するからである。シャイマも、大学進学以前からメークに興味はあったというが、当時は自室で、一人で楽しむことしか許されていなかったという。シャイマが通っていた中学・高校ではメークをしての通学は許されていなかったし、両親も、メークをして家の外を歩くことすら許してくれなかったらしい。女子生徒のメークが許されないのは、まだ特定のライフステージに達していないことと、女子生徒の本分である勉学と衝突するからなの

…………………

79　カイロ方言では、幼稚園から中等教育機関を「マドラサ（学校 *madrasa*）」、大学や全日制の専門学校などの高等教育機関を「コッレイヤ（大学 *kollayya*）」と呼び分けている。コッレイヤとはそもそも大学の学部のことを指し、総合大学以外の高等教育機関はこれに入らないという意見を聞いたこともある。ただ、私の経験では、全ての高等教育機関をコッレイヤと呼ぶ使い方がより一般的だと思われる。例えば、全日制の専門学校に通う生徒たちは、自分たちの所属機関を「マーハト（専門学校 *ma3had*）」とは決して呼ばず、コッレイヤと呼んでいた。マドラサとコッレイヤは全く別のものと考えられ、進学の可能性がある場合であれば、マドラサに通う間は、コッレイヤに進学することが当面の目標に据えられる。人々の意識における二つの違いは厳然としており、日本にいる時の感覚で大学をマドラサと呼び間違えると、即座に訂正される。これは英語での会話でも同様で、カイロに暮す人々と英語で話をしている時でも、スクール（school）とカレッジ（college）は全く別のものと考えられていた。

だった。他方、〈クバール〉な女性にメークが許されるのは、〈クバール〉であればやるべきことに集中する能力があること、また、〈クバール〉な女性のやるべきことにメークが含まれているから、と理解できるだろう。いずれにしろ、〈クバール〉な人物には、メークをする自由もしない自由もあり、どのようなメークをするのかもその人次第だと言うのである。

ライフスタイルとしての〈クバール〉

他方、ライフスタイルとしての〈クバール〉についてはどのように考えられるだろうか。本章の前半で検討したように、エジプトで、大学生であるというステータスには、社会の成功の鍵を手に入れた人物、成功が約束された人物、という意味付けがされている。[▽80] 大学生は、勉学に秀でているだけでなく、成功が約束された、つまり成功者としてのライフスタイルを生きる者として社会に位置づけられている。

そのため、「大学生らしい態度」には、学業だけでなく、経済的にも、社会的にも成功した人間としての振る舞いが許され、またそれが期待されている。言うまでもなく、大学に進学できる人々全員が裕福な生活を送っているわけではないが、「大学生」という表現には、豊かさが強く紐づけられている［El Sayed 2017］。また大学生には、時代の最先端を行く「モダン」さも求められている。一九九八年にエジプトで大ヒットした映画、『サイーディ、アメリカン大学へ行く』では、後進性や無知蒙昧の代名詞とされる「上エジプト人（サイーディ）」が、エジプトで最も「モダン」なアメリカン大学に行く、という設定の不調和が、コメディとしてのおもしろさを作り出していた［Peterson 2011］。つまり大学にはそれだけ特別な「モダン」さがイメージされていて、〈クバール〉という表現には、豊かなライフスタイルが享受できる人物、という意味があると理解できるだろう。

また、現代カイロの成功者にはもう一つ、欧米への親和性という含意がある。外国語能力が社会での成功と強く結びつけられているのは、それが実用的な意味で成功をもたらすからというだけではない。そこには、成功と欧米との距離の近さ（「コネクテッドネス」）が反映されていると理解ができる［cf. De Koning 2009; El Sayed 2017; Peterson 2011］。

シャイマの先の発言でも、彼女が〈クバール〉を説明しつつ、私やエチオピア系アメリカ人のファティマを引き合いに出し、また自分のことを、異なる考え方をも許容する「新しい」考え方をする人物であることが強調されていた。

メークでの差異化

こうした欧米との親和性は、シャイマがメークで最もこだわるポイントでもあった。シャイマの

80　エジプトでは、○○になる資格を備えた人のことを○○と呼称することがある。例えば、結婚したばかりの花嫁をまだ生まれていない子どもの名前をつけて「××の母」と呼んでみたり、博士課程の学生を「ドクター」、大学で働き始めれば「プロフェッサル（*professor*）」と呼ぶ、という具合である。もちろんその呼称を使用する人々は、子どもが生まれていないこと、学位をとっていないこと、教授に昇進していないことを知っている。しかし、そうした呼称を使用することは、誰かをその呼称や称号にふさわしい人物であると承認することとなり、尊敬を含んだ表現として用いられている。

メークは、どちらかと言えば控えめで、インパクトに欠け、彼女が自分でメーク好きを公言しなければ、取り立てて人の注意をひくようなものではなかった。自分のメークについてシャイマは次のように説明したことがある。

メークは好きだけど、あまりやりすぎないようにしているの。やりすぎはよくないと思う。見て。私のメークはナディア（社会科教員）のメークとは違う。私はマスカラやフェイシャル（ベースメーク）を大事にしているの。そういうところを上手にやれば、やりすぎっていう感じはしないのよ。
私はスキンケアにも興味があるの。オリフレームって知ってる？　私はあそこのスキンケア用品が好きなの。いいものって感じがするし、スキンケアってやっぱり大事だから。それが私のメークの特徴かもしれない。

中東の中でも、カイロの女性は「三〇メートル離れたところからでも認識できるオシャレを目指す」[▽81]、派手好みなファッションで知られている。確かにシャイマのいうとおり、ナディアに限らず、調査当時にカイロの街で見かける若い女性たちの間では、目の周囲を漆黒や紺色の太目のアイラインで囲み、その外縁にはっきりとした色のアイシャドウを入れる、かなりインパクトの強いメークが流行っていた。モナやナディアのメークはその流行りに沿うものだった。
それに比べるとシャイマのメークは、コンシーラーやファンデーションでしっかりベースを作ることと、主張しないアイメーク、ブラウンやベージュといった自然な色使いが特徴的だった。シャイマはそれを、「ナチュラール（*natyurālu*）」という、「新しい」メーク様式だと説明し、それがエジプトの主流のメークと異なることを強調した。シャイマによれば、「ナチュラール」はヨーロッパからやってきた新しいメーク方法で、目元を強調するエジプトの主流メークとは全く違うという。[82]こうした語りで彼女は、彼女のメークがエジプトよりも欧米的なものである、と何度もくり返した。

欧米ブランドへの憧れ

当時シャイマは、化粧品の中でもオリフレームという会社を絶賛していた。オリフレームは、一九九六年にエジプトに進出したスウェーデン発祥の化粧品会社で、調査当時のカイロでは、若い女性の間で圧倒的な人気を誇っていた。オリフレームのカタログには、美しい風景にたたずむ女性（北欧系美人）や男女のカップルのイメージショットが多用されていた。カタログでは北欧らしさが重視され、洗練されたインテリアや、緑の多い屋外の写真に溢れていた。[83]写真は全てヨーロッパ系のモデル（白

……………………

81　これは、二〇〇七年一一月、取材に訪れたザマレックの高級美容室の経営者と、レバノン出身というサミーと名乗る美容師が口にした表現である。サミーによれば、ヘアスタイルであれメークであれ、三〇メートルの距離で友人に気づいてもらえないようでは、カイロの顧客を満足させることは不可能である。カイロでは、レバノンはトレンドの発信地という認識があるためか、高級美容室の関係者にはレバノンやシリアの出身の男性が多い。

82　エジプトでは「目はその人の門（*el 3ainmatiktbsh, a3rfak min 3ainak*）」、「女性のイサーラ（魅力）は目にある」と言われていた。エジプトでは、化粧品の中でもアイメークへの支出が突出して高かった［Euromonitor 2000: 235; 2006: 212］。

83　オリフレームとのインタビュー（二〇〇六年八月）において、カタログはオリフレーム・エジプトではなく、その上部ブラ

人か黒人）で、アラブ、中東、イスラーム教といったローカルな要素は全く感じられなかった。

ただしシャイマは、全ての化粧品をオリフレームで購入していたわけでもなかった。シャイマは月に約五〇ＬＥから七〇ＬＥ程度、多いときには一〇〇ＬＥ近く化粧品購入に支出していたというが、アイシャドウなどの色物コスメは、より安価で買える服飾店か文具店や二・五ＬＥショップ（日本の一〇〇円ショップのような安売り小売り販売店）で購入していた。シャイマには、化粧品のクオリティと商品の製造場所に関する明確な序列があった。クオリティが最も高いのは北欧発祥のオリフレーム、続いてそれ以外の欧米製、国内製、そして最も低いのが中国製の商品と認識されていた。ハイブランド化粧品や、有名な化粧品会社の商品についても知識は持っていたが、それらに実質的に手が届かないために選択肢には入っていないようだった。

シャイマが語った「こだわり」には、欧米のトレンドが色濃く反映されていた。シャイマの言う「最新」や「違い」は、欧米風と言い換えることができた。こうした志向は、彼女が情報ソースとして挙げた「ファッションＴＶ」（正確にはレバノンの放送局が放映していた「Fashion TV Arabia」）に顕著だった。

シャイマが良いと言うので、私も一度「ファッションＴＶ」を見てみることにした。するとそこではほぼ一日中、レバノンの首都、ベイルートのナイトライフの様子や、レバノンや湾岸諸国で開かれるファッション・ショーの映像が、ハウスミュージックに乗せて流されていた。主要な視聴者は、富裕層か、ファッション・美容産業の関係者であろうと思われた。エジプトでレバノンやベイルート（レバノンの首都）といえば、中東随一の洗練された欧米的な場所を指す。普通のエジプト人にとって、ベイルートは、一張羅を着て赴く憧れの街なのである。エジプトでは、ベイルートのトレンドは、そのまま欧米のトレンドとみなされていた。シャイマは、ベイルートのナイトライフの映像を見て、そこに出てくる女性たちの姿をまねることで、欧米に近い「モダン」を生きていたのだった。

5 〈クバール〉と女性の評判

信仰に篤いシャイマ

私にとって興味深かったものにはもう一つある。それは、シャイマが、礼拝と同じぐらいメークが重要なのだと公言していたことだった。彼女はメークの重要性を語る際、次のように説明した。

一日はメークで始まるの。私メークがすごく好きなの。とにかく好き。メークをしないなんて考えられない。朝まず起きたらするのが、メークとファグル（朝の礼拝）。メークはファグルの次に大事なこと。（中略）どうしてだかわからないけど、ずっとメークをしてもいいぐらいメークが好き。朝メークをす

・・・・・・・・・・・・・・・・

ンチである、オリフレーム・ミドルイーストから送られてくるものが使われていたことを確認できた。オリフレーム・ミドルイーストによれば、エジプト向けのカタログでは、他の中東諸国向け以上に意識的にローカルを排除したデザインが用いられていた。

ると、学校に行く準備ができるの。自信がつくの。私もきれいになるから。

A校では、シャイマは、二〇代女性教員たちの中でもとりわけ宗教熱心なことでも知られていた。シャイマは、幼稚園と小学校低学年の宗教（イスラーム教）の授業▽84も担当していたが、彼女が宗教熱心だと言われる理由はそれだけではなかった。彼女は、イスラーム教信仰の核となる「六信五行」の一つ、一日五回の礼拝を日々欠かさないようにしていた。調査当時のカイロの基準では、必ず五回礼拝する女性は、珍しいとまではいかないが、信仰熱心な部類に入っていた。シャイマは、勤務中に校内で礼拝することこそなかったが、一日のスケジュールの中で、常に礼拝の時間を気にしていた。ムスリムの礼拝は、実践において大きな個人差がある。実際どの程度厳密に礼拝義務を果たしているかは、個人差だけでなく、状況により左右される部分もあり、年齢やライフステージによって変化もする。このころのシャイマは、何をするにも礼拝の時間を頻繁に気にしていた点で、同年代の大卒女性たちの中でもかなり信仰心に篤い方だと言えた。

シャイマはまた、マッカへの巡礼（ただしハッジと呼ばれる大巡礼ではなくオムラと呼ばれる小巡礼だった）も済ませていた。シャイマが中学校に入学するころから、彼女の母親は数年に一度友人たちと巡礼に出かけるようになり、シャイマが一五歳の時にはその巡礼（オムラ）に参加した。彼女はクルアーンに詳しく、会話の内容がイスラーム教に関するものになれば、シャイマが会話をリードした。また、会話に端々に出てくるイスラーム教への言及からも、イスラーム教の知識に豊富な人物だと思われていた。

同時にシャイマは、当時A校でただ一人スカーフによって頭髪を覆っていない二〇代女性教員でもあった。聖地巡礼には積極的だったらしい母親が、シャイマが宗教的意識のもと、スカーフなどの布で頭髪を隠す行為をすることには難色を見せたという。シャイマの母は、自他共に認める敬虔なイスラーム教徒であったが、娘のスカーフ着用には積極的ではなかった。母親はシャイマが美しい黒髪を持っていることと、未婚であることを理由にムハッガバ（スカーフの着用を含め、常にイスラームを心掛けた服装をしている女性）になるのは時期尚早だと反対したという。彼女は、ムハッガバになることが結婚相手探しに不利に働くことを心配していたという。特に、娘の美しさが隠されてしまうことを懸念していたらしい。

シャイマが大学に入った二〇〇〇年代の初頭は、大学生や、さらには高校生や中学生などにも一気に女性のスカーフの着用が広がった時期だった。[85] シャイマが大学に入学したころはすでに、スカーフで頭髪を隠さない女子学生は少数派になっていたという。それでもシャイマは、周りと同じようにスカーフを被る道は選ばなかった。スカーフを纏うことや慎み深い服装をすることは、神と自分との間の出来事であり、周囲の人間がとやかく言うことではない。そしてそれは、心の底からの確信を得

84　エジプトでは宗教という科目でイスラーム教とコプト教の二つの授業を開講することになっていて、児童・生徒は自らの信仰する宗教の授業を受けることになっている。

85　エジプトでスカーフを手に取る女性たちの論理にイスラーム教言説から迫った後藤（2014）、またエジプトにおけるイスラーム復興を、女性の視点から明らかにした嶺崎（2015）も、この傾向を指摘している。

ることができた時のみに意味が生まれる、というのがシャイマの考えだった。そのため、どんなに自分がスカーフを被っていない少数派になろうとも、それを恥ずかしいと感じたことは一度も無かったらしかった。

とはいえシャイマは、A校での自分の服装が、イスラーム教的には「あるべき姿ではない」、とも口にしていた。シャイマ曰く、彼女がいつも着ているような、体の線を強調し、腕を半分見せる半袖Tシャツや、人の目をひく色使いをした服、それに頭髪を隠さない姿は、本来のイスラーム教徒女性のあるべき装いからは外れている。ただ、自分は「正しい装い」ができるようになるまでには自分にはまだ時間が必要である。そして、いずれその時が来れば、正しい行いができるようになりたいと話していた。[▽86]

不道徳な女性の行いとしてのメーク

信仰熱心なシャイマが、礼拝の次に重要な朝のルーティーンとしてメークを語る。このことが、私には少し奇妙に思われた。なぜなら、化粧行為は、エジプトにおいて女性の恥と結びつけて語られることも多く、不道徳性の指標とされることもあるからである。メーク好き、というシャイマの価値観が、シャイマの信仰熱心さと齟齬をきたすような気がしたのだった。

エジプトでは、女性にとって評判は非常に重要だといわれてきた［Krieger 1984: 73］。そんな中、二〇〇三—二〇〇四年にかけて私が行っていた女性ツアーガイドの調査では、二〇代半ばから四〇代の男性旅行業関係者が口を揃えて、女性による「飲酒、喫煙、濃いメーク（化粧）」について、不道徳さの証しだと糾弾した［Toriyama 2004］。飲酒はイスラーム教で禁止される悪行、「ハラーム」とみなされている。また、公の場での喫煙は男性的行為、すなわち女性にとっては自らの分をわきまえない問題行動として女性の不道徳性と結びつけられていた。濃いメークも同様に、男性を誘う淫らな性質、すなわち道徳心に欠けた堕落した女性の象徴と言われていたのである。[87] ただしメークについては、濃い薄いの問題ではなく、メークをして外出することそのものを悪く言う男性もいた。

メークと女性の不道徳さを結びつける言説は、ツアーガイドの女性に対してだけでなく、一般の女性にも向けられていた。化粧が濃いと言われることは、ふしだらな女性だと言われることとほぼ同義であった。先行研究では、そうした評判が一度たてられれば、女性にとって結婚から日々の社会生活まで、あらゆる場面で不利になることが指摘されてきた［cf. Inhorn 1996; Rugh 1984; Wikan 1996］。エジプトの社会生活において、悪い評判を避けることは、女性にとって最重要事項なのである。

尊敬されるべき「良い女性」はメークをせず、「悪い女性」はメークをする。こうした一般的な認識に照らした時に、信仰心に篤いこととメーク好きとは、女性の評判において、二つの矛盾する行為

……………

86 こうした語り口は、女性が自らを信仰者という主体に位置づけた省察的語りによく登場する［cf. 後藤 2014; MacLeod 1991; Mahmood 2005］。スカーフ着用をめぐる女性の主体性が明示された語り口といえるだろう。

87 特にツアーガイドは外泊を伴う仕事であることから、彼女たちが売春のような「いかがわしい」仕事に就いているという疑念と相まって、実際の化粧法にかかわらず、不道徳な行為と等しいものとして濃い化粧という言い回しが広がったようだった［Toriyama 2004］。

のように思えた。現代カイロにおいて信仰心に篤いことは、貞淑で宗教規範に従順で保守的であるというイメージを想起させる。そのことと、メーク好きに付随する不道徳性とは、女性に関する評価において対極に位置するものに見えた。

ところがシャイマは、この点を質問しても「自分は〈クバール〉だから問題ない」、とにべもない返答をした。女子生徒の時と同様、〈クバール〉である彼女がメークをすることには問題がないと言うのだった。〈クバール〉な女性のメークは不道徳な行いではないし、性的タブーにも抵触しない、さらには、宗教規範に反するものでもない、というのがシャイマの見解だった。

シャイマにとっての性的タブー

付け加えておけば、シャイマは性的規範を無視していたわけではなかった。それは、思わぬ形で明らかになった。きっかけは、「ナチュラール」というメークの最大の魅力は「自然な美しさ」にあるという発言をめぐる、彼女の反応だった。

「自然な美しさ」を強調するシャイマに対し、私は反射的に、彼女が話していることだわりが、日本の化粧品広告で謳われるような、自然な「肌の質感」を重視するものだと思い込んだ。もう少し詳しく聞きたいと思った私は、会話を展開させようと、「自然な美しさ」とほぼ同じ意味の話として「肌の質感（*7asasiyat el bashra*）」について質問した。ところが、その言葉を聞いたとたんにシャイマは、突然声のトーンをあげて大笑いし、質問に答えてくれなくなってしまった。そして笑いを引きずりながら茶目っ気のある表情で、秘密を共有するかのように「そんなことははっきり口にするものではないわ」と言って、くすくす笑った。

明らかに事態を理解していない私を前に、シャイマは言葉を継いで、エジプトにおいて、「肌の質感」を語ることは「アイーブ」なのだと説明した。アイーブとは一般的には恥と訳されるが、社会的規範に照らして大きく逸脱するとみなされる行為に向けられる禁止を意味している。ヒントをもらってなお、話のつながりが理解できない私は、再度その理由を尋ねたが、シャイマはもう笑うばかりで何も説明してくれなかった。

結局私は、帰宅後、夫の母（六〇代、サンマーン村出身）にこの話をして、シャイマの説明が自分には全く理解ができなかったことを伝え説明を請うた。すると義母は、それは肌という言葉が問題なのだと、彼女の解釈を教えてくれた。義母によれば、カイロ方言で肌を指す「バシュラ（*bashra*）」という言葉には、なんともいえない恥ずかしさがつきまとう。肌には、器官の性格上触感を刺激する機能があるが、触れることで刺激を得る、という一連の工程が、性的行為を想起させるという。その、なんとなく恥ずかしいという語感は、「肌の質感（*7asasiyat el bashra*）」という表現ではさらに強調される。なぜなら、質感、感触という意味を持つ「ハサセイヤ（*7asasiya*）」という言葉には、反応という意味合いがあるからである。肌に何かが触れること、肌に触れたことで起こる刺激、反応、センセーション、という表現は、性的な情景と強く結びつけられるというのである。

言われてみれば、ファンデーションを重視する「ナチュラール」なメーク製品であっても、化粧品会社のウェブサイトでも、「肌の質感」を重視するイメージや表現を見つけることはできなかった。[▽88] 夫の母の説明に照らしてみれば、その背景には、「肌」について話すことがはばかられる独特な性のタブーや、それを背景としたスキンケア意識の浸透を阻害する規範があったと考えられる。

メークと性的タブー

とはいえシャイマは、メークそのものが性的タブーに抵触するものではないと考えていた。特に、それが〈クバール〉な女性の場合であれば、なおさらだった。

しかし、同時期に行っていた四〇代以上の専業主婦への聞き取りからは、メークに当たり前のように性的な意味付けがされていることも確認できていた。彼女たちがその一例に挙げたのが、寝化粧の大切さである。ある女性は、「外国の女性は外に行くのに化粧をする。エジプトの女性は家にいるのに化粧をする」と発言した。「家での化粧」とは、夫を寝床で喜ばすための寝化粧のことである。つまり、彼女たちにとってメークとは夫婦の性交渉の道具としても捉えられていた。同様に、この世代の女性たちは、嫁入り道具に口紅を持たされた、[▽89]という経験を共有していた。現在でも新婦は、嫁入り道具として豪勢な複層化粧パレットを揃えるが、それには単なる趣味の品だけでなく、セクシー・ランジェリーなどと同様、夫婦生活のための道具、という位置づけがされている。化粧パレットは、結婚式直前に行われる新居のお披露目(「家具の日」と呼ばれる)でも、最も盛り上がるアイテムの一つである。

新居のお披露目は、新婦の家族にとっては、嫁ぎ先の経済力や人柄を知る日であり、新婦を迎え入れるコミュニティ（父方居住が前提となっているが、現在では必ずしもその限りではない）においては、新婦の家族・親族を審査する、互いを値踏みし合う日となっている。家の中まで招き入れられるのは通常女性客に限られるが、招き入れられた先で女性たちは遠慮なく引き出しを開け、多種多様の調度品の品定めをする。こうしたお披露目では、どの家に招かれても、大抵セクシー・ランジェリーと化粧パレットが寝室のベッドの上にこれ見よがしに広げてある。招かれた女性たちは、それらを手に取っておしゃべりに花を咲かせるのである。新婦が豪華な化粧パレットを用意していたり、他のものに比べて化粧品が極端に多かったりする時には、「好き者」というジョークが交わされることもある。それほど、メークや化粧品は、性と密接な関係のもとに捉えられている。

……………

88 オリフレームは、スキンケア用品で有名になった会社だったが、スキンケアの必要性を説く際にも、清潔にする（*khalli nafsi nadifa*＝自らを清潔に保つ）ことによる美しさが強調され、日本であればまず語られていたであろう「肌の質感」についての言及はなかった。調査を行った二〇〇〇年代半ばには、スキンケアの必要性はカイロではまだ一般的に広く浸透しておらず、化粧品会社がこぞって普及を図っていた。

89 口紅を持たされたのは、単純に化粧品が彼女たちにとって高価なものだったからだと考えられる。カイロの美容室を対象に行った聞き取りでは、九〇年代半ばまでは、カイロでも高級住宅地でもない限りは、日常的に自宅でメークを楽しむ女性は少なかったという情報を得ることができた。彼らの話では、当時は、富裕層以外に十分な化粧品を揃えることができる女性は少なく、多くのキャリアウーマンは出勤前に毎朝、メークをしてもらうために美容室を訪れたという。

〈クバール〉に見る性的タブー

〈クバール〉な女性のメークは性的タブーに抵触しない、というシャイマの見解は、私に認識の転換を促すものだった。私は、メークと性的なタブーが直接的に結びつけられる認識こそが「エジプトのメーク観」だと考えていたのである。女性ツアーガイドのメークが非難されていたのも、それが性的なふしだらさと結びつけられていたためだったし、中年女性の聞き取りでも、この点は裏付けが取れていた。とにかく、私にとってエジプトでのメークは性的なもので、女性の評判という文脈においては、否定的評価がされているものと思い込んでいたのだった。

中東地域のジェンダーを語る上では、性的要素には過剰ともいえる重要性が見出されてきた［鳥山 2015; 2019］。もちろんその裏にはオリエンタリズム的まなざしもあるが、現地で実際にそのように考えられているのも事実である。例えば、中東地域で、最初に女性に聞かれる質問として、「ビント（娘 *bint*）かセット（女 *set*）か」、というものがある。▽90 娘／女、という類型には、未婚／既婚だけでなく、性的な経験の無／有を指す意味合いも含まれている［cf. Dwyer 1978; Wikan 1984］。

ビントとセットでは異なる性規範が適応され、それ故扱われ方も大きく異なっている［Roque 2020］。既婚で性経験を持っているセットには、性の存在を前提とした、かなり際どい性的な言動でも、同性間で行われる限り許される。他方、未婚で性経験のないビントには、性はその存在を示唆することすらタブーとなり、たとえ同性間であっても、性的な言動は厳しい制裁の対象となる。初対面での最初の質問が性的経験の有無だ、ということは、私にとっては、この社会が性に寄せる強い執着の証左に見えていた。

ここでいう性的な言動には、実際に性交渉を持つことや性について露骨に発話することに限られず、体毛の処理や下着の選択といった一部の身体加工も含まれる。カイロ（を含むエジプトのほとんどの地域）では、結婚式の前夜に行われる、「ヘンナの夜（*youm el 7enna*）」[91]と呼ばれる催しがある。新婦はそこで、ハラーワと呼ばれる自家製ワックスで、頭髪と眉毛、まつ毛を除く全ての体毛を除去される。近年、「ヘンナの夜」の形骸化が進み、新婦が結婚式当日に美容室で除毛施術を受けるケースも増えている。それでも、体毛処理は性交渉と強く結びつけられ［Krieger 1984: 77］、現在でも保守的な家庭では、未婚の娘が眉毛を整えることを禁止する保護者も珍しくない。

こうした、性的規範が重視される社会環境に鑑みると、メークと性規範に関係がないと言い切るシャイマの姿勢は、私には衝撃的なものだった。しかしメークと性規範を積極的に切り分ける姿勢は、同時期に行っていた化粧品販売に携わる女性たちにも共通するものだった。化粧品産業で働く人々や、都市に暮らすシャイマの年ごろの女性たちにとって、メークを性的タブーとみなすことは、すでに時代遅れでナンセンスなものとされていた。彼女たちに言わせれば、メークを性的な問題として語る

……………

90　モロッコにおいて同様の類型の存在を報告したものに、デイジー・ドワイヤー（Daisy H. Dwyer）による、*Images and Self-images: Male and Female in Morocco*（『イメージとセルフイメージ――モロッコの男性と女性』）［1978］がある。

91　ヘンナの夜には、新婦の家に新婦の友人や親族女性が集まるパーティーが催され、出席者がもてなしを受けている間に新婦が全身の除毛施術を受ける。全身の除毛を行うことにより新婦は「きれいになる（*khalli wa7da nadifa*）」ことができ、結婚の最終ステップである性交渉に臨む体になると考えられている。エジプトのヘンナの夜については、竹村和朗（2019）の第六章に詳しい記述がある。

人々は、教育のない下層階級の人間か、過剰にイスラームを意識する人々だった。メークと性的タブーとを関連づけることの方が、彼女たちにとってはもはやおかしな話なのだった［鳥山 2015］。

シャイマのような見解は確かに新しいものではあったけれど、それを性規範の変化の兆しと見ることにも慎重な態度が必要だろう。二〇〇三―二〇〇四年に行った調査において、二〇代から四〇代の男性たちのほとんどが、濃い化粧をふしだらな女性の代名詞とみなし、女性のメークを反道徳的なものだと考えていたことは、すでに述べた通りである。彼らの中にはシャイマと同世代の男性たちもいたが、こうした見解に世代差を確認することはできなかった。

こうした見解の相違については、シャイマによる認識の誤りや、現実の否認というより、現象を捉える文脈の違いに派生するものである可能性を指摘しておきたい。シャイマがメークを語る文脈は、例えば化粧産業に従事する人々と共有されていて、それは若い男性たちが仲間内で楽しむ会話とも、中年の専業主婦たちがメークを語る文脈とも違った場所で成立したものだった。〈クバール〉かそうでないか、という基準は、例えばセットかビントか、といった区分とは全く違う次元に存在したものとみなすべきだと思われる。シャイマがオリフレームの化粧品を買い、ファッションTVを楽しんでいたことからも、彼女がグローバルな消費主義的空間に身を置こうと努力していたことは明らかであった。彼女にとってそうした空間こそ、豊かで、先進的で、「モダン」なライフスタイルを享受する、〈クバール〉である自分が身を置くべき場所だと考えられていた。シャイマが〈クバール〉という表現で自分を語った時に、聞き手であった私の方が、そこで〈クバール〉という特殊な文脈が求められていると察知すべきだったのかもしれない。

興味深いのは、シャイマの〈クバール〉な文脈では、イスラーム教もまた、メークや女性の外見に直接的な関係はないとされていたことだった。例えばシャイマは、スカーフの着用が「結婚相手探しに有利」[92]といった、信仰とは直接関係のない理由から行われることにとりわけ否定的だった。彼女は、ムハッガバになることが、結婚相手探しに実際に有利になることは知っているし、実際に異性にモテると考えてスカーフをする友人もいると話しつつ、「そういうのはちょっと嫌」だと語っていた。そして当時新聞で取り上げられていた、スカーフで頭髪を隠しながら派手なメークと体の線を露出させるセクシーな服装をする女性を揶揄した「ムハッガバデジタール」と呼ばれる女性たちのことを、ユダヤ教徒の陰謀に惑わされた犠牲者だと説明した。彼女たちは、アメリカのドラマや映画を通じて、セクシーさをひけらかさないといけないと思いこまされている。「ムハッガバデジタール」は、スカーフを纏いつつ、セクシーでもあろうとする、誤ったイスラーム教の実践者だというのだった。

イスラーム教を信仰する上で、彼女にとって重要だったのは、外見ではなく、名実共にムスリムであることだった。シャイマは「正しい」ムスリム女性の姿としてA校の四〇代女性教員であるカリー

92　現在ではスカーフを被ることと結婚市場での価値についてはは複雑な関係が生まれている。かつてはスカーフを被ることで美しさを損なわせ結婚市場での女性の価値の低下があると言われたが［Hoodfar 1997］、スカーフを被ることで貞節やイスラームへの深い理解を強調し、結婚市場で有利になるとする意見も生まれている［Werner 1997］。二〇〇八年に行った追加調査時には、「女性は結婚を有利にするためにムハッガバになる。そういう戦略的な女性とは結婚したくないからムハッガバは選ばない」と話す男子大学院生もいた。

マ先生を挙げ、その理由について、「カリーマ先生は礼拝を欠かさない」ことを指摘した。またカリーマ先生は、常に清潔ながらノーメークで、当時イスラーム服として流行り始めていた、体の線を一切みせないガラベイヤ（長衣）を身に着ける女性だった。シャイマは、顕示的な態度ではなく個人の動機や意図、心持ちといった内的状態がイスラーム教の教えに照らして、その人物の信仰を判断すべきだと話していた。[▽93]

6　〈クバール〉が開く可能性

シャイマは自分のことを〈クバール〉と表現したが、彼女が語る〈クバール〉は、彼女自身の特性を示すだけでなく、前節で提示したように、彼女が生きる特定の文脈を指示する表現だと考えられるだろう。その文脈は、国家に成功を約束されたものが手にすることができる、「モダン」で、欧米的で、寛容で、豊かなものだった。〈クバール〉というステータスは、シャイマが大学進学を通じて手にしたものだった。残念ながら、シャイマは国家開発言説が約束していた社会的成功をまだ手に入れられてはいなかったが、彼女はこの文脈においてはすでに〈クバール〉だった。

〈クバール〉という属性が興味深いのは、シャイマのキャリアとメークの話を聞く限り、それが、エジプト社会からシャイマに期待されるジェンダー役割や性的タブーの文脈とは、また別の文脈を提供していたことにある。〈クバール〉にふさわしい、グローバルで「モダン」な文脈においては、女性だからといって、性的評判を気にすること自体がすでにナンセンスであった。女性らしく妻・母役割を全うすることや、性的スティグマを恐れ、従順で貞淑な女性として身づくろいをすること。そうしたことを重要だと考える人がいることも、自分にそうした価値観の押し付けが行われることも、そしてそれらが社会の主流派であることも十分承知の上で、シャイマはあえてそれらを関係のないことにして無効化できる、〈クバール〉な文脈を手に入れていたと考えられるだろう。

こうしたシャイマの姿勢から明らかになるのは、どういったジェンダー規範が求められ、どういったタブーがあるのか、という基準は複数あり、人々は複数の選択肢の中から、かなり恣意的に基準を選び取っている、という点である。ただしここには、「自らが意識的に行う自己表現においては」、という但し書きがつく。現実にはシャイマも、自分の望まない文脈で、自分が望まない価値観を無理やり押し付けられることがほとんどであろう。またいくら〈クバール〉だと言い張ったところで、「学校教員にしか」なることができないでいる現実を変えることはできなかった。それでもシャイマは、自分を〈クバール〉と位置づけることで、彼女自身の人生をより豊かにすることには成功していたように見える。それが、〈クバール〉を名乗り、自分よりずっと豊かで恵まれた人々と同じ土俵に身を置いて、自分が惨めな気分になるような副作用を招くことがあったとしても、少なくとも彼女が日々生活を共にする人々に対しては、優位性を感じる重要な拠り所になっていた。

また、シャイマが語る〈クバール〉を考察することで、これまでの民族誌記述の課題も浮かびあがっ

93　El Sayed (2017) も同様に、私立大学に通う大学生が、その内的効果や精神性において宗教を大事にしていたと議論している。

てくる。これまでのエジプトの女性を対象にした民族誌の多くでは、女性役割の議論が中心的位置を占めてきた。例えば女性にとっての一人前になることについては、これまで多くの民族誌が、結婚がその契機とされることを指摘してきた［cf. Roque 2020: 49］。しかしどんな女性も、ジェンダー・アイデンティティ以外の複数の顔（文脈と言い換えられるかもしれない）を持っている。家庭での母としての顔もあれば、嫁としての顔、職業にまつわる顔、健康状態や人間関係にまつわる顔もあるだろう。それぞれの顔に、あるべき姿、重視すべき基準、優先順位のつけ方があり、人々は複数の顔のもとに複数の規範の組み合わせを状況や自分が持つ資源に合わせて選択し変更し、ずらし、改変しながら生きている［坂本 2005］。そう考えた時、これまでの家庭における女性の民族誌は、あくまでも調査対象者たちの家庭における、そこで求められる娘や母、妻といった女性役割の顔しか追ってこなかったことに、より自覚的になる必要があるだろう［Nelson 2007］。例えば、エジプトのジェンダーを語る上で、これまで性的規範や性的解釈には多大な関心が向けられてきたが、それがどういう状況で、どのような文脈でされてきたのか、という点にも関心を向ける必要があるだろう。シャイマの考察から明らかになったように、人は複数の顔を持ち、複数の文脈を生きているのなら、ある特定のジェンダー規範の存在が、直ちに人々の行動を縛ることにはなりえない。その規範に従うことを望まないなら、その規範が無効化される文脈を選択することが可能になるかもしれないのである。

シャイマは、自分を語るにあたり〈クバール〉という国家開発言説に裏付けされた自己を選んだが、それもまた、外国から来た私に対して彼女が選択した顔であり、文脈である。違う状況で、違う人間が聞き取りをすれば、シャイマは自分のことを〈クバール〉として語らなかったかもしれない。

とはいえ、中東の女性を語るにあたり特定の文脈だけを強調し固定化してきたのが調査者だった可能性を踏まえるならば、とりわけ「女性の抑圧」が国際問題化される中東のような場所で女性を記述する調査者の責任は重い。抑圧を無効化し、女性の自由を縛る文脈を強化してきたのは、現地の人以上に調査者だったかもしれないのである。

第4章 〈クバール〉でも、クバールでないシャイマ

シャイマは、彼女なりの方法で〈クバール〉であったけれども、それとエジプト社会全般で評価されるクバールには大きな違いがあった。彼女は富裕層の出身でもなく、ビジネスでの成功者でもなく、強烈な個性で周囲を圧倒していたわけでもなかった。[94] 彼女は「成功が約束されている」という意味では〈クバール〉ではあったが、社会的常識に照らして「成功」したクバールではまだなかった。

私と話している間、シャイマは何度も、自分は「〈クバール〉だ」、「変わっている」と口にした。しかし彼女のことを、従順で、謙虚で、真面目ないい子、としてだけ捉えていた当時の私は、こうしたシャイマの自己表現を聞き流していた。時には私が無視できないほど、彼女が自分は「特別だ」と言い張ることがあったが、私はそんな時、どう接したらいいかわからず困惑した。シャイマが自分のことを、そう評すれば評するほど無理をしているようにも見えたし、その評価が周りと全く共有されていないことに虚しさも覚えた。

94　エジプトではこうした女性をムアッレマ（女主人）と呼ぶ［ヴィカン 1986］。

正直なところ、こうした主張は私の中でノイズとして消去され、記憶にはほとんど残っていなかった。彼女が頻繁に自分の〈クバール〉さや特殊性を主張していたことに気づいたのは、民族誌を書き始めてからのことである。どうしてそこまでシャイマの発言を無視できたのかは自分でもわからない。もしシャイマの主張を正面から受け止めていたら、彼女との関係は変わっていたのだろうか。私は彼女を理解する絶好のチャンスを逃してしまったのだろうか。こうした答えの出ない問いに向き合いつつ、第I部では、シャイマが主張した彼女の「特別さ」としての〈クバール〉を通じて、シャイマがどういった人物で、どういった人物になろうとしていたのか、そこで何を基準にしていたのかを追跡してきた。本章ではそのしめくくりとして、シャイマの〈クバール〉とエジプト社会のクバールとを、A校を舞台に比較し、シャイマが生きていた社会空間についてより明らかにしていきたい。

1　仲間同士の助け合い

繰り返しになるが、A校での教員としての彼女の日々の頑張りには涙ぐましいものがあった。ルールを尊重し、やるべきことをきちんとこなすシャイマの態度は、エジプトの若い女性たちには珍しいものだった。A校で働く若い女性教員は、遅刻や早退をすることも多く、彼女たちに頼んだ仕事が終わらないことも珍しくはなかった。しかしシャイマは、仕事をお願いすればこちらが確認せずともきちんと終わらせ、他にやるべきことがないかと一声かける気遣いまでできた。私にとって彼女は、格段に信頼のおける同僚だった。シャイマの真面目さや不器用さには、日々いじらしさを感じ、彼女の頑張りを応援したいという気持ちにさせられた。

しかしシャイマは、A校で特に高く評価されているわけではなかった。そもそもシャイマは大勢の中であまり目立つタイプの人物ではなかった。彼女は低学年の児童・生徒やその保護者からの評判は良かったが、それだけだった。運営側や同僚たちが、シャイマに寄せられる児童からの良い評判を気にしている様子もなかった。こうした状況を見るにつけ、彼女の頑張りが、正当に評価されていないようにも思え、私は行き場のない苛立ちを覚えていた。

私にとって、シャイマに足りないものがあるとすれば、それは自分を主張する強さだった。彼女は真面目で誠実ではあったが、時に従順すぎるように思っていた。そう思い始めると、ルールの順守や、いつでも明るい態度や、やるべきことをこなす姿勢すら、彼女が軽んじられる原因になっているように見えた。周囲からの尊重と尊敬を勝ち取るためには、もっと自己主張をし、時には相手にぶつかってでも自分の意見を主張する必要があるように思えた。

シャイマには、自己主張が足りない。シャイマは自分の意見をもっと表明すべきだ。こうした、私が彼女に抱いていた歯がゆさは、思わぬところで再考を迫られた。ある日突然、私自身が、彼女に激しく叱責されたのである。その時の彼女は、普段の温厚なイメージからは予測できない激しい自己主張を見せた。叱責された理由は、保護者からの苦情をめぐり、私が彼女の味方をしていない、と思われたことだった。

この出来事の直接の引き金は、私の夫（ミスターL）による校長の訪問だった。当時夫は、G1にいる次女の、アラビア語の授業進行速度が早すぎると焦っていた。その根底には、学校では英語、家庭ではアラビア語カイロ方言と英語で暮らす環境で、私たちの娘がアラビア語の授業の進捗についていけなくなっているのではないか、という親としての不安があった。彼はA校で、アラビア語を母語としない子どもに向けのアラビア語授業が実施されることを望んでいた。

その日、夫が面談のために校長室を訪れると、相談内容がアラビア語授業に関するものだったため、校長はそこに担当教員であるシャイマを呼び出した。夫曰く、話し合いは終始和やかに行われ、彼は授業進行の早さへの懸念を語り、シャイマは彼女の授業内容を説明し、最後に三人で全員が納得できる解決策を話し合ったという。別れ際には三人で順に握手を交わし、笑顔で部屋を出たらしい。

ところが、その面談直後、シャイマは校長室を出たその足で、私が授業をしていたG1の教室に、激しい怒りを見せつつ入ってきた。教室のドアを勝手に開け、授業に乗り込んできたかと思うと、私に詰め寄り、彼女はものすごい形相で怒鳴り始めた。彼女と私の距離は二〇センチもなかった。シャイマは見たことがないほど興奮し、今にも泣き出しそうな顔で次のように大声を張り上げた。

なんでなの、ジョー（筆者のA校での呼び名）。私たち知らない中じゃあないでしょ。あなたは私の授業だって見ていた。あなたは私たちの一員じゃないの。仲間でしょう。なんでよ、ジョー。あなたは私のことを理解しなくてはならないわ。私のことをわかってよ。神に誓って、あなたは私を理解しなくてはならない。

シャイマの主張とは、シャイマと私とは仲間なのだから、仲間として相手を理解する義務がある。しかし私の行動はその義務をないがしろにしたひどいものだということだった。シャイマが怒鳴り続ける間も、私は何度も自分の立場を説明しようとした。最初は不自由ながらもアラビア語カイロ方言で、それでもシャイマが怒鳴りやまないとなると英語で負けじと声を荒らげてみた。

私はその日、夫が校長との面談に来ることは知っていた。夫が初めて面談に来たいと言った時、実は私自身、面倒くさいことが起こる気がして、やめてほしいと思ってはいた。しかし夫と話し合う中で、私が面倒くさく感じることと、子どものために必要な行動とは分けて考える必要があると思うようになった。結論から言えば、夫が娘の授業の相談に来ることは、学校における教員間の人間関係とは分けて捉えるべきだと腹を決めた。実際にはもやもやする感情があったことも確かだが、保護者としての立場と、教員としての感情とは切り分けて考える方が、余計な面倒も呼び込まずに済むかもしれないとも考えた。

しかしシャイマは、私にも親として、妻としての思いがあるという、こちらの言い分に耳を貸してはくれなかった。シャイマはまず理不尽な要求を突きつける私の夫をなじり、夫にその行動を許した私を非難した。特に夫が家庭教師の疑いを彼女にかけたことに大きな怒りを感じていたようだった。

ミスターＬはね、私が子どもたちにわざとできない宿題を出して、家庭教師をさせようとしているって言ったのよ。あの時のリハーム校長の顔ったらなかったわ。私はそんなことしたことない。それはあなたもわかっているはず。わかっていなければならない。あなたは私を理解しなければならないの。そう、理解しなければならないの。

シャイマはそう言って、大声で私が「理解していなければいけなかった」と繰り返した。至近距離で教員二人が大声で怒鳴り合う姿を前に、児童の中には怯えとショックが広がった。子どもたちは息をひそめ、動きを止め、中には目に涙を浮かべ始める児童も現れた。教室にはシャイマの怒鳴り声が響いていた。

あまりに唐突な出来事に、私も当初はショックでシャイマのペースに引きずられてしまった。しかしシャイマが私の言い分に耳を貸す気がないことが明らかになり、シャイマの相手をするよりまず、教員として児童の動揺を抑えなければならないと判断した。私は怒鳴り続けるシャイマに無言でにじり寄り、一歩ずつ彼女を後退させた上、最後は力ずくで彼女をドアの外に押し出した。ドアに鍵をかけるのは行き過ぎる気がして、閉めたドアの鍵はかけなかったが、シャイマが再度ドアを開けて入ってくることはなかった。

シャイマがそこまで腹を立てたのは、彼女の言い分に従えば、彼女の授業に対する夫の苦情を、私が家庭内で収めなかったためだった。学校教員でもある私は、学校ではまずシャイマを始めとする、他の教員たちの利益を優先し、夫よりも友人たちを守る行動をとるべきだったのである。私の夫に彼女が非難されるリスクを放置し、彼が学校に来ることを止めなかったことは、彼女に対する私の裏切り行為だというのだった。シャイマは「自分の側に（マアナ）」という表現を用い、私が彼女の味方でなければいけなかったと主張した。そして友人として、自分が大事にする人間を守る行動を取らなくてはならなかったと繰り返した。

この口論の翌朝、私はシャイマに顔を合わせることに気まずさを感じていた。しかし朝一番、顔を合わせた瞬間に謝罪をすると、シャイマはまるで何事もなかったかのように、「いいの。あれはミスターLが言ったことだから。何も怖がらないで」と笑顔でウインクをした。結果としてシャイマと私とが、この出来事によって気まずくなるようなことはなかった。幸運なことに、あれだけ激しく怒鳴られたのだから、もうシャイマは口も聞いてくれないかもしれない、という私の心配は杞憂に終わった。むしろこの口論をきっかけに、シャイマが私に対して自分自身の話をする機会は増えた。

2 主張の足りないシャイマ

この出来事をめぐって、私は彼女に対して申し訳ない気持ちになっていた。彼女が私の裏切りをそこまで問題にしたのは、彼女が私を信用してくれていた裏返しであると考えた。それなのに、私は彼女の信頼に応えることができなかった。これからは、もっと彼女の期待する良い友人でいることができるよう頑張ろう。そう心に決め、私はこれまで以上に、彼女の求める味方になっていきたいと考えた。

その機会は思ったより早くやってきた。一二月上旬のある日、シャイマに悩みを打ち明けられた。その時シャイマは、一年生の保護者から、ひっきりなしにかかってくる電話の対応に悩んでいた。

シャイマは当時カイロアメリカン大学の夜間コースで英語の授業を受講するなど、放課後を自分のスキルアップの時間に充てていた。しかしこの母親は、そうした時間にも彼女に電話をかけ続け、シャイマが電話に出ないと、後でなじってくるというのだった。シャイマの話しぶりから、彼女がこの問題に真剣に悩んでいたことは明らかだった。▽95

この母親のように、A校には些細なことで教員に電話をかける保護者が一定数いて、多くの教員が同じような問題に悩まされていた。保護者からすれば、教員の個人的な連絡先を入手しておくことは、親としての安心を確保する手段だった。教員に直接連絡をとれることは、保護者間ではステータスにもなっており、それが良い親の証しにすらなっていたほどだった。保護者の中には、いつでも連絡がとれる教員は親や子どもを大事にする熱心な先生、番号を渡さない教員は子どもたちに関心のない冷たい先生、と判断する人々もいた。こうした評価を熟知していたからこそ、教員にとっては、保護者に番号を渡さないでいることは難しかった。しかし一度電話番号を渡してしまえば、その後保護者の対応に教員の労力が奪われるのは明らかだった。たいした用事がなくても、教員に電話で確認をとりたがる母親は多かった。

A校では問題の存在を知った上で、連絡は全て直接学校にしてもらうよう保護者に要請していた。教員の中には、そもそも保護者に一切プライベートの連絡先を教えない者もいれば、方針に反してでも親の嘆願に根負けし、連絡先を渡している者もいた。教員にしてみれば、連絡先交換を拒否することで保護者の反感を買うような事態は絶対に避けたいものだった。とはいえ、保護者の要求をいなしながら、良好な関係を保ち続けることには、それなりの対人スキルが必要だった。なかでも、まだ教員としての自信がない若い教員にとっては、保護者を怒らせてしまうことに対する恐怖は、より深刻なものだった。番号を渡さないことを個人的な問題だと曲解した保護者が、特定の教員について保護者間で悪い噂を広めるといった事件も実際に起こっていた。教員にとって、子どもをかわいがらない、授業にやる気がない、保護者の要望を無視している等、当人には身に覚えのない誹謗中傷を広げられることは悪夢でしかない。当時のA校では、覚悟を持って連絡先を一切教えない教員はむしろ少数派で、若い未婚女性教員たちの多くは、保護者に請われるままにプライベートな連絡先を教えていた。

この時シャイマを悩ませた母親の場合、ついに夜中の一時を過ぎてまで、宿題の内容や翌日の持ち物といったどうでもいいことで彼女に電話をかけてくるようになっていた。そこまで事態が発展して初めて、シャイマはこの問題について周囲に話し始めたようだった。シャイマはその前日、ついにその母親に対して、頻繁な連絡や、夜中の連絡はやめてほしいと伝えたらしい。しかしその母親は、「あなただけが頼りだ」と言って自分の行動を正当化し、反省したようなそぶりは見せなかったという。

95 調査当時、エジプトの携帯電話の大半が、カードを店頭で購入してチャージをするプリペイド式だった。カードはスーパーや文具店、電気店、キオスク、もしくは携帯カード専門店などで購入でき、五LE、一〇LE、二五LE、五〇LE、一〇〇LEから選ぶことができた。二〇〇七年には金額による特典がなかったが、その後特典を付けるサービスが一般化した。ただし、当時から一月に一〇〇LE以上チャージすれば契約している電話番号の権利を三か月間保障されることになっていた（それ以外の場合は、課金記録がなければ番号自体を剥奪される可能性があった）。この制度は調査中の二〇〇七年に改正され、チャージする金額や頻度にかかわらず番号を保有できることになった。それでも携帯電話の使用料は物価に比べてかなり高額に設定されている。

この話を聞いてすぐ、私はこれを校長に相談すべきだと主張した。問題のある保護者とは、その後何かをきっかけにさらなるトラブルに発展するかもしれず、早めに校長に相談し、適切に手を打ってもらっておくことが、後々面倒を回避するためにも必要だと考えたのだった。しかしシャイマは、校長には絶対に知られたくない、と言ってその提案を退けた。シャイマ曰く、校長は教員のそうした厄介事が大嫌いで、苛立ちはシャイマに返ってくるのだという。それでも私は、シャイマの反論を聞いてなお、「絶対に大丈夫だから」と、シャイマの懸念を押し切り、私から校長に話してみるからと、シャイマを説得した。

結論から言えば、シャイマが予想していた通り、校長はこの問題を真剣に取り合ってはくれなかった。私はシャイマの名前を出さず、一般論としてこの問題を相談したのだが、校長は、瞬時にそれがシャイマの問題であることを言い当てた。校長によれば、こうした問題に上手く対処できないのがシャイマの弱さであるといい、シャイマのことを「シャクセイヤ(個性)のない女性」だと口にした。校長曰く、シャイマには、初めから電話番号を渡さない強さもなければ、電話番号を変更する行動力もなく、方便を使って相手を説得する能力もない。「父親に叱られるから」と話して電話を遠慮してもらえば、それで問題は解決するはずだ、というのだった。校長が提案したのは、未婚の女性の行動は父親や男兄弟によって監視されるべき、という現地の社会規範を逆手にとることだった。父親や兄弟の怒りを使えば、問題の要因をその母親にではなく、彼女の父親や兄弟、ひいては家父長制という社会システムに帰すことができた。確かにこの提案は、母親と対峙するのではなく、むしろ共感者になってもらうことで目的を達成する、賢いやり方だった。しかもこの方法であれば、シャイマは自分を家父長制規範を重視する「いい娘」として提示でき、彼女の道徳的優位性までアピールできた可能性もあった。校長は「シャイマはそれすら思いつくことができなかった」、とこの出来事がまるで全てシャイマのせいであるかのような感想を口にし、そこで面談は切り上げられた。

その後シャイマに事の顛末を伝えると、私がわざわざもめ事を大きくしたと彼女に苛立ちをぶつけられた。私は彼女の味方であると訴え続けてはみたが、その言葉はシャイマには届かなかった。またしても私は、彼女の期待を裏切ってしまったのだった。

シャイマには予測通りと言われてしまったが、私には、この時の校長の対応は全くの予想外だった。校長がどうして真面目で努力家のシャイマにきつく当たるのか、私には理解できなかった。校長は困った時にはいつでも私に力を貸してくれ、悩みがあればよく話を聞いてくれていた。大事な時に力になってくれる校長がなぜ今回だけ問題を切り捨てたのか、そして、なぜ校長がシャイマに「シャクセイヤ（個性）がない」と言ったのか。こうしたことが私には理解できなかった。付け加えて言えば、シャイマが私に腹を立てたことにも納得がいかなかった。私は校長の前でもできる限り彼女の不利にならないように話を運んでいたし、終始彼女の味方をしていた。それらをシャイマがもっと評価してくれてもいいのではないかと思ったのだった。

シャイマの怒りが、私との関係ではなく、校長との関係に派生するものである可能性に気が付いたのは、しばらくたってからのことである。

3 上司に対する両義的態度

そもそも、二〇代女性教師たちは、校長や教務主任、理事長秘書といった自分たちの上司を普段から過剰すぎるやり方でおそれていた。彼女たちは上司に対して軒並み強い猜疑心を抱き、可能な限り距離をとり、必要以上に関わり合いを持たないようにしていた。

彼女たちの猜疑心を示すよい例がある。一一月の半ば、ある三〇代の女性理科教員が突然解雇され、私たちにはその事実が二週間ほど伏せられたことがあった。私たち教員には、この時の解雇理由は最後まで明らかにされなかった。

二〇代女性教員たちの間では、この女性教員解雇の原因と経緯についての無責任な憶測が交わされた。真実については知る由もないが、当時若手教員の間では、彼女の勤務態度が悪すぎたため、という説がまことしやかに唱えられていた。より具体的には、彼女が自分の化学の学士学位を日々校長に自慢していたこと、教務主任に言いつけられた補助業務に再三文句を言っていたこと。こうした行動によって上層部の不興を買い、看過できない反抗的態度とみなされて、懲罰対象になったのではないかと考えられていた。

A校の補助業務とは、本来その任務を担当する教員が欠席や保護者の相手などで不在の場合に、代わりに授業を担当したり、自習監督を務めたりすることをいう。補助業務担当人員がいたわけではなく、その都度教務主任が空き時間中の教員から担当者を決定した。その性質上、補助業務には突発的に生まれるものが多く、担当を言いつけられるのは大抵近くにいた若い教員たちだった。三〇代以上の女性教員は、専任教員であっても自分の担当時間外には校内にいないことも多く、自然と現場待機が義務付けられていた若手に仕事が集中する傾向はあった。必ずしも全員に平等に補助業務が言いつけられるわけではないこともあり、頻繁に割り当てられる教員と、全く頼まれない教員の間では強い不公平感も生まれていた。教員の中には補助業務を嫌がる空気があったが、若い教員たちは文句を言いながらも指示に従い補助業務をこなしていた。

彼女たちの憶測を、私は当時笑って聞き流していた。確かに補助業務は重要な仕事ではあったが、それに関する態度によって、教員が解雇されるとは考えづらかった。実際、解雇された教員についても、文句を言いながら、言いつけられた業務にあたる姿をみたことがあった。いくら上層部が理不尽なことをするとはいえ、職務の拒否ならともかく、愚痴をこぼしたせいで解雇されるとは思えなかった。当時A校は慢性的な教員不足に悩まされていたこともあり、そんな理由で教員を一人新たに手配する手間をかけることはあまりにも不合理に思われた。それでも二〇代女性教員たちは、自分たちの忠誠に疑念を抱かれれば職を失う、と本気で信じていたようだった。解雇された理科教員のように、反抗的である、従順でない、と評価されることは、何がなんでも避けなければならないことにされていた。

二〇代女性教員たちは自分たちだけになると、校長や教務主任のことを、「事情を知らないのに、自分の存在感や威厳を示すためだけに、不必要に自分たちの仕事に介入してくる厄介者」として悪口を言い、出来る限り顔を合わせることを避けていた。それは、校長の日々のルーティーンに精通し、校内で偶然出会うリスクをとことん排除する、という徹底ぶりだった。

エジプトはしばしば、権威主義的傾向が強い国として議論されてきた。とりわけ学校においては、権威主義が上からの押し付けと現場の無気力を産む要因となっているとして広く社会問題化されてきた［Naguib 2006］。そこで当初私は、彼女たちが徹底して管理されることが嫌で、上司を避けているのだと考えていた。しかし彼女たちの様子を観察するうちに、彼女たちが距離をとる理由には、校長らとの関わり合いを持つことで、自分の評価が下がる口実を与えたくない、という不安があるように思えてきた。実際のところ、二〇代女性教員たちは、校長や上層部の人々と距離をとるだけでなく、彼らによる自分たちの評価には過剰に一喜一憂し、自分たちの評価をめぐり、互いに嫉妬する様子すら見せていた。彼女たちは、自分がどのように評価されているのかわからない状況に疑心暗鬼をつのらせ、極度な心配に取り憑かれているように見えた。上司と個人的な関係構築を期待できず、関わり方もわからない。そんな状態で、ただただ疑念にさいなまれているようだった。

こうした不信感を背景に、二〇代若手女性教員たちは、ミスを犯してもそれを上司に報告せず、できるだけ上司との関わりを避けるようにしていた。同じ学校で働けば、他の教員やスタッフと連携してこなさなければいけない問題が発生することもある。対応の難しい保護者とのやりとりがこじれた場合には、校長と連携して事態に対処する必要もあった。それでも彼女たちは、絶対に避けられない状況になるまでは、上司に相談をすることを頑なに拒み、「目を付けられる」ことを恐れていた。そしてシャイマもまた、上司に対する疑心暗鬼の末に、彼らとの接触をできるだけ避けていた一人だった。

4 使い捨ての待遇

そんな彼女たちの反応を観察してなお、彼女たちの上層部に対する反応は根拠のないものだと私は考えていた。私自身は校長や教務主任と、上司と部下として普通に話をしていたし、彼らは教育上必要であれば、大抵快く手助けしてくれた。

しかし、二〇代女性教員に対する彼らの態度を見る機会も増え、明らかに私と接する時のものとは違うことに気が付いた。彼らは、若い教員と話す際にはできるだけ不愛想に話を手短に済ませ、相手がまだ話をしていても最後まで聞かなかった。彼らは若い教員をあからさまに軽んじていた。

私と接する時と態度が違うのは、若い教員の方も同じだった。いつもの快活で茶目っ気のある雰囲気は消え失せ、若手教員は居心地が悪そうにシュンとした態度をとっていた。上司を前にした彼女たちは、さながら蛇の前のカエルのようだった。そして、上司に少し褒められれば大げさに喜び、他の教員が批判されれば、飛びつくばかりに同意した。上司の発言に逆らうことは一切なく、それが何であれ、上司を褒め、彼らが望むようにすると約束をしたのだった。そして上司がいなくなると、こぞって彼らの悪口を言うのだった。

私は、シャイマが過去に私を叱責したのは私が彼女の信頼を裏切ってしまったからだと思っていた。しかしここに来て私の認識は大きく変化した。シャイマは、校長に疑いをかけられたことで私に腹を立て、校長にわかってもらえなかったことで私をなじったのだ。私にはそうだとしか思えなくなっていった。

彼女たちが上層部の人間に対してどうしてそうした態度をとるのかを想像することは難しいことではなかった。実際、彼女たちに同情するのは容易かった。A校の上層部が、彼女たちの日々の頑張りを正当に評価しているとは言い難かった。二〇代女性教員たちは毎日、自分たちには馴染みの薄いアメリカ式教育の実施を求められ、富裕層の保護者に数限りない要望を突きつけられていた。そうしたものの中には、納得できるものもあれば、「自分たちがヨーロッパにいる間学校も休みにしてほしい」、といった理解しがたいものもあった。A校は、年間百万円近い授業料を徴収していながら、教員たちには、公立と同じレベルしか給与を支払っていなかった。上司は彼女たちの貢献に感謝するどころか、即日解雇のカードをちらつかせて彼女たちを怯えさせていた。

こうした事柄を、彼女たちよりも私の方が見ることができたのは、私の能力のためではなく、私が外国人であるからだった。カイロアメリカン大学の修士課程を修了した日本人の私は、A校にとってはA校のグローバルさをアピールするのにうってつけの、ある意味失い難い財産だった。校長を始め、彼らが私の話を聞いてくれたのには、私が彼らにとって都合の良い属性を持った人間だったからだった。彼らが私を人として丁重に扱ってくれたからこそ、自分への対応と比べることで、逆説的に私には上層部が若手教員に対して酷い態度をとっていることを見ることができた。しかし、常時酷い扱いをされていたシャイマたちに、それと同じことを求めることは難しかっただろう。彼女たちは、A校において最も価値のない存在として日常的に扱われ、それを当たり前のものとして受け入れることを強制されていた。彼女たちは、そうすることでしか、A校という空間に身を置くことが許されていないかのように思いこまされていたのである。

5 何も持たないシャイマ

リハーム校長が口にした、「シャイマには〈シャクセイヤ〉がない」といった表現は印象的だった。シャクセイヤとは日本語では「個性」となるが、奥野によれば、それは内在的な個性に対比できる外在的な個性であるという［奥野 2012］。つまり、ここで言う〈シャクセイヤ〉とは、シャイマが何を考え、何を大事にする人物か、ということではなく、例えば財産であったり、社会的役割だったり、家族・親族であったり、社会的影響力を発揮するような事柄を指す。リハーム校長は、シャイマと保護者との問題においてこの表現を用いたが、確かにシャイマには、他人に対する力を発揮できるような手持ちのカードはなく、自分の弱い属性を転換できるだけの機転を利かせる力もなかった。校長に言わせれば、シャイマはまさに、（使える）何の〈シャクセイヤ〉も持っていなかった。

A校は、シャイマだけでなく、こうした何も持たない高学歴の若者を搾取することでのみ成り立つビジネスモデルとして運営されていた。教員にしかなれない、教員になりたいわけではない若者を、動かす力は恐怖だった。現実的に考えれば、教員となった若者たちは、〈クバール〉な若者たちだった。また二〇代女性教員のほとんどは、シャイマのように教員としての給与で生計をたてていく必要はなかった。そうした若者を働かせるために、A校ではほとんどマインドコントロールのようなことが日常茶飯事に行われていた。若手教員たちは、日々上層部からの不満と、失望と、嫌悪感にさらされていた。何をやっても褒められることはなく、ただただダメ出しがされる。上下関係は絶対的で、若手教員たちは、教員を続けていきたいのならば、上の言うことに従うしかなかった。そして若手教員は、上層部からの肯定的評価に飢えていた。これまで学業で成功を収めてきた若者たちは、褒められ慣れてきた若者でもあるのだろう。これだけ否定的な態度をとられてなお／だからこそ、若手教員は上層部に価値を認めてもらい、評価の言葉をかけられたがっていた。この飢えは、時に同僚間にも猜疑心を生んでいた。

そんな過酷な環境で、シャイマのような真面目で不器用な女性は、さらに評価に恵まれていなかった。上層部がシャイマの努力に高い評価を与えていないことは、二〇代女性教員にも周知の事実だった。他方、社会科教員のナディアとドイツ語教員のモナは、上層部に「面倒をかけない」教員として、一定の評価を得ていたようだった。この二人は休憩時間中に保護者や生徒を小ばかにしたような発言を繰り返すなど、私から見ればとても勤務態度が良い教員とは言えなかった。ナディアやモナに比べれば、上手く立ち回れなくとも、児童・生徒や保護者に好意的に接し、自己鍛錬の努力を怠らないシャイマの方が、私にはずっと好ましい教員に映っていた。しかし二〇代女性教員グループの中でも、シャイマのように生真面目に職務をこなすことよりも、バレない程度に仕事の手を抜きつつ上手く立ち回る方が、賢い振る舞いだと思われていたようだった。

経済力もなく、権力もなく、評価もなく、同士もいない。A校でのシャイマは、彼女が主張する限りにおいては〈クバール〉（大卒者）ではあったかもしれないが、あらゆる意味で、エジプト社会におけるクバール（成功者・権力者）とは程遠い存在だったのである。

第Ⅱ部　サラの生き方

消費至上主義的社会における家庭と仕事の両立

第Ⅱ部で取り上げるのは、学期の途中からA校で働くことになったサラである。シャイマと違って、サラは大学卒業後にすぐ結婚し、A校で働き始める以前に就業経験を全く持っていなかった。それが理由かどうかは定かではないが、サラはいつまでもA校に馴染むことができず悩んでいた。シャイマが比較的典型的な優秀な働く女性だったとすれば、サラには働くとはなんたる事かを知らずに学校で教員として働き出したようなところがあった。

サラは明るく、細かなことにくよくよしない大らかな女性だった。第Ⅰ部で取り上げたシャイマが優等生タイプだとすれば、サラはエジプトで一般的に想起される「女性」のイメージに近いタイプの人物だった。エジプトでは、コケティッシュで、よく笑い、思いやりがある、エジプトで「血が軽い」と表現されるような女性の人気が高い [Krieger 1986]。必ずしも賢いわけではないが、堅苦しいことにこだわらず、ユーモアのセンスがある。そこに美しさも加わったサラは、エジプトの主流言説における、モテる女性であった。私自身、こうした彼女の底ぬけの明るさに救われることもあったが、A校で一緒に働く上では、彼女の大らかさには苛立たせられることの方が多かった。

他の二〇代女性教員たちとは違い、サラはすでに結婚し、娘を二人持っていた。さらにサラは、他の教員たちより裕福な家庭に育っていた。社会階層は、エジプトの社会考察において注目されることの多いテーマである。実際、日々エジプトで生活する中で、社会階層が問題になる場面は多い。しかし、エジプトの日常生活において、社会階層が他の差異に比べても常に重視されるのか、どのような場面では問題にならないのかといった、社会階層を相対化した視点で捉えた研究はほとんど行われていない。第I部でシャイマを考察したのと同様、ここでも、階層や婚姻ステータスについての関心も念頭におきつつ、そうした概念ありきではなく、サラが語るサラの視点で捉えた彼女の人生に迫っていきたい。

第5章 子育て優先の就労

二人目に取り上げるサラは、結婚し、娘が二人いながら、年よりずっと幼く見えるような天真爛漫さを残した女性学校教員だった。彼女は私が新人として働き出した九月からさらに一月半ほど後の一〇月末にA校に教員として着任した。大柄なエジプト美人のサラは、学校教員というよりは、エジプトの裕福な家庭の専業主婦に見えた。彼女は、誰とでも明るく楽しそうに会話を交わすことができ、A校にすぐに馴染んでいったようにも見えた。しかし、最初の目新しさが過ぎたころから、彼女はA校に居場所が見出せず悩み続けていたようだった。第Ⅱ部では、このサラの悩みにも気を配りつつ、サラという人物の理解を目指していくが、本章ではまず彼女の言動から、彼女にとって、家庭を持ちながら学校教員として働くことの意味を考えていきたい。

1　第二の人生の模索

マイペースなマダム

サラと初めて会ったのは、二〇〇七年一〇月二九日、ハロウィン・パーティ[▽96]を翌日に控えた水曜日のことだった。三時間目の英語の授業中、リハーム校長に呼び出され校長室に入ると、そこにサラが立っていた。体格がよく（身長一六五センチメートル程度、体重も八〇キログラムはあったように見えた）、身なりもよく、何より色白で目の大きな顔立ちのはっきりした美人という印象を受け、私は反射的に彼女のことを授業見学に来た保護者だと考えた。しかし予想に反し、リハーム校長は彼女のことを、理事長の推薦で入った新しい英語の教員として紹介した。彼女はB校の卒業生だという。リハーム校長は、私にG1のクラスを見学させるよう要請し、そこから私たちは二日共に時間を過ごすことになった。

サラの小物使いやファッションセンスは、A校の他の二〇代女性教員たちに比べて明らかに洗練されていた。無意識のうちに、彼女を金銭に余裕のあるA校の保護者だと思いこんだぐらい、サラはA校の他の教員とは違って見えた。サラはその日、ジーンズ地のマキシスカートにざっくり編んだラフな編み目の真っ赤なセーター、大きなチェーンでできた金色のネックレスを身に着け、エルメス風のスカーフ（白のサテン地に赤、紺、ゴールドで馬具があしらわれていた）で頭髪を覆っていた。そして時折、マキシスカートの下からアディダスの白い女性用スニーカーをちらちらと覗かせていた。それはその年の、エジプトの流行りのスタイルではあったが、セーターの赤の鮮やかさと全体の品のある仕上がりにおいて、他の教員たちとの格の違いは明らかだった。色白の肌と印象的な大きくぱっちりした瞳は、典型的なエジプト美人の特徴そのままといった感じだった。[97] 彼女は自分が美人であることを自覚しているかのように、少し媚を売り甘えるような、ゆったりとした話し方をした。彼女の甘い話し方は、A校の他の若い女性教員たちのはきはきとした喋り方とは対照的で、その話し方一つとっても、とても教員として「働く」ためにやってきた人物には見えなかった。

彼女は終始満面の笑顔を浮かべていたが、彼女が見せる表情や物腰に、なんとなく演技のような大げさな印象を受け、私は彼女に居心地の悪さを感じ始めていた。その当惑は、握手を求め私が差し出した右手が無視され、半ば無理やり頬にキスをされた時に決定的なものになった。体がこわばるのと同時に私は、彼女に対して、強い警戒心が沸き上がるのを感じていた。

確かにキスは、エジプト人女性同士の最も一般的な挨拶だった。互いの上半身を密着させ、両手で相手の肩や腕に軽く手を添え（もしくは手では握手をしながら）、左右交互に二回から三回頬をあわせるのが、エジプトで女性同士が行う挨拶としてのキスのやり方である。[98] しかし挨拶でとるべき行動は、

……………………

96　学校は金曜日と土曜日が休みだったため、三〇日木曜日にパーティを行うことにしていた。

97　エジプトで典型的な美人顔タイプの一つが、目の大きな童顔である。エジプト人女優として現在に至るまで国民的女優と称されるスアド・ホスニ（一九四三―二〇〇一年）はその典型である。

98　エジプトでの挨拶の様子については赤堀（1998）にも記述がある。そこには日本人が驚く男性同士の挨拶の様子として「音

関係性（相手から期待される、相手に期待する親密度）に大きく左右される。A校を含め、これまで私が勤務してきたエジプトの職場では、女性同士であっても特に親しい関係でない限り、職場の同僚に体を密着させるキスをすることはなかった。そこでは必ず、若干の距離（体が触れ合うか触れ合わないか）が意識的に保たれていた。▽99 ましてや初対面ともなれば、ほとんどの場合は握手のみ、もし頬を当てるとしても、頬を寄せ合う程度が一般的だった。そのため、肩をつかまれ彼女の方に引き寄せられた上、彼女の口紅が私の頬に跡を残すほど直接的にキスをされたことに、私は反射的に不快感を覚えていた。彼女が、私が差し伸べた手を、明らかに無視したことにも困惑を覚えていた。すでに彼女の甘いしゃべり方に苛立ちを覚え始めていたことに重なり、私は校長室を出るころには彼女のことを疎ましく思うようになっていた。

理事長直々の推薦によって教員になった、というリハーム校長が語った経緯に対しても、私は警戒心を掻き立てられていた。理事長の推薦という表現には、私たち教員に有無を言わさず彼女を受け入れることを要求する力があり、すでに私の中には、厄介者を引き受けさせられたのではないかという疑念が生まれていた。コネ入社は、エジプトでも広く見られる慣行である。理事長が能力より関係性を重視して人を雇ったのであれば、できるだけ関わりは持ちたくないと考えた。▽100

相手への尊敬を欠いた態度

校長室を出て、彼女を疎ましく感じていた気持ちはより確固たるものになった。英語を担当するといいながら、彼女の英語力には明らかに問題があった。校長室で行われた英語でのやりとりを、彼女は全く理解していなかったのである。そして校長室を出るとすぐ、たどたどしい英語で、的外れな質問を私に投げかけ始めた。例えば彼女からの私への第一声は、「**ねえ愛しい人**、あなたはとてもいいミス（女性教員）なの？　**ここには**どのぐらい**いるの**？　**何年ぐらい前から？**（*ya 7abebti, 7abibi, are you a very good miss? How long* ***inti konti hena? bawali come sana?***）」というものだった。

この質問は、英語とアラビア語カイロ方言の混成文で行われ（太字部分がアラビア語カイロ方言）、そのことに彼女自身が気づいている様子はなかった。しかも、彼女は自分の英語力の問題を悪びれる様子もなく、私のことを、彼女と同じく最近入った新米教員として同類扱いした。校長からの要請だから仕方なく、と彼女の世話を引き受けざるを得なかった自分の立場と、私のプライドを正面から傷つける彼女の態度に、私はかなり苛立った。しかし彼女はそんなことにはお構いなしに、互いの英語力向上のためという理由で、英語だけで会話をしたいと提案した。要望自体は、彼女の向上心に基づく

……………………

高くたがいの頬または首筋にキスしたときだろう」［赤堀 1998: 50］と書かれているが、キスという行為が具体的にどのような動作を表すものなのかは書かれていない。

99　同僚であっても、例えばその人の家に招待されたときなどは、密着度の高い挨拶をする。同じ個人でも、会う場所やシチュエーションごとに親密度が変わり、それに合わせて体の密着度も変化する。

100　他の若手フルタイム教員が一月三〇〇LEもらっていた中、彼女は研修期間中が四五〇LE、研修後は七〇〇LEという月給設定で採用されていた。彼女は当時この条件を他の教員たちから隠していたが、いろいろな点で異例ずくめの人事だった。A校の教員は通常リハーム校長が面接をして採用しており、理事長からリハーム校長のもとへ送られてきた教員はいなかった。エジプト社会におけるコネ文化については、ラマディ［Ramady (ed.) 2016］に詳しい。

真っ当なものであるために無碍にもできなかったが、私は彼女が、私を同類として扱い続ける態度に腹が立った。しかも彼女の望みのままに英語で話せば、彼女は何一つ理解することができなかったのである。

校長室からG1の教室に移動をしたが、サラはそこでもすぐに不審な動きを見せていた。彼女は授業中の教室内をしばらくウロウロした挙げ句、部屋の隅に屈んで、授業を受けている女子生徒に話しかけ始めた。驚きつつもしばらく放っておいてはみたが、女子生徒とのおしゃべりに次第に遠慮がなくなってきたので、私はとうとう授業中の私語は慎むよう彼女に注意しなければならなかった。注意を受けたサラは、一旦生徒に話しかけることを止めたが、授業に参加するでもなく、その後は壁にかけてあるハロウィン用の手作りネックレスや、生徒の美術作品などをしきりにいじり、落ち着きのない様子で、授業修了時まで教室内をうろついた。授業後の業務でも彼女の無能さはさらに明らかになった。児童の連絡帳記入の作業[▽101]を手伝ってもらうと、たった数行の英語の文章でも満足に書けないことが判明した。

私にとってサラとの出会は、今思い返しても苛立ちを覚えるようなものだった。出会った瞬間に意気投合できないことは仕方がないとしても、彼女に尊敬を欠いた態度をとられたと感じた私は、彼女をただ煩わしく思ったのだった。

初めての社会経験

私が初対面で彼女に抱いた否定的な印象は、その後仕事を共にする中で、次第に改善されていった。

初対面から彼女に苛立ちを覚えたとはいえ、エジプトの女性とやりとりをする中では、サラに限らず、こうした経験は決して珍しいものではなかった。私にとって、特にサラについて興味深かったのが、彼女がA校の同僚に対して、自分の経験の浅さを隠さないばかりか、何もできない自分を開け広げに語っていたことだった。

これまで私は、エジプトの職場（旅行会社やホテル、土産物店など）で、経験や能力がないことをはっきりと伝えてくれない女性スタッフたちに何度も痛い目に遭わされてきた。そうした女性スタッフたちは、大体において自分ができないことをひた隠し、できないことが明るみに出る度、逆ギレをした。こちらが前もって「○○ができるか」と聞けば、自分の力量とは関係なく、ほぼ確実にできる、という答えが返ってきた。こうした傾向は女性スタッフに限られたものではなかったが、特に女性スタッフの場合にトラブルにまで発展することが多かった。そうした経験を経て、私には、とりあえずエジプトの職場における、同僚の高い自己評価を疑ってしまう癖がついていた。一方サラは、自分の個人的な事柄（就労経験がないこと、自分の両親が亡くなっていること）や社会経験のなさを隠さず話し、周囲に手助けを求めていた。これまでエジプト女性のプライドの高さには痛い思いをしてきただけに、自分の弱さをさらけ出すことができるサラの人柄に、次第に好感を抱くようになっていった。

サラはそもそも教員として新米であっただけでなく、これまで仕事に就いた経験を全く持っていな

101　A校の生徒には、「アジェンダ」と呼ばれる連絡帳が学校から配られていた。そこには、宿題や持ち物、学校からの連絡が記入されるほか、学校からの配布物なども挟まれる。保護者と学校との連絡はこの連絡帳を通じて行われていた。

かった。大学卒業後にすぐに結婚をした彼女は、結婚後の五年間専業主婦として暮らし、限られた人間とだけ接触する生活を送っていた。サラによれば、仕事に就いたことこそなかったけれど、長年教員になりたいと考えてはいたらしい。教員になることは、長らく忘れていた、子どものころの夢でもあったという。そして娘二人も幼稚園に通うようになり、ダイエットに成功したことをきっかけに、教員になる可能性を試しに理事長との面談にやってきた、と話していた。私はこうしたことを知るなかで、彼女のなんとなく場違いな振る舞いも、彼女のこれまでの限られた人生経験に由来するものとして、合点がいったような気がしていた。

2　教員を志した理由

子どもの成長を契機とした決断

サラには当時、四歳と三歳になる二人の娘がいた。教員になることを思い立った一つの理由は、サラが言うには、娘たちのためを考えて行動する必要を感じたからだった。その年、彼女の長女はＫＧに通い始めていた。もし母親である自分が教員になれば、学校や勉強の事情に詳しくなり、宿題などを直接助けてあげることができるようになる、そうすれば、結果として娘たちの教育にいい効果を期待できる。こう考えた時、教員になるという決断がとても良いものだと思えたらしい。またこの年から、次女が幼稚園（「ベイビークラス」と呼ばれる、ＫＧの準備過程）▽102に通い始めたことで、彼女は自分の時間が持てるようになった。彼女にとって外に働きに出る条件がちょうど整ったのだった。

カイロでは、自分の子どものために教員になりたいと語る女性は多い。その背景には、ますます激化する点数至上主義的学歴競争がある。エジプトの私立学校における教科内容は、低学年のうちから難易度が高く、量も多い。特にこうした傾向はランゲージスクール制度を採用している学校において顕著である。[103]アメリカンカリキュラムを実施するA校と、ランゲージスクールを標ぼうするB校は、同じ運営組織に経営されていた。B校の学費は、A校の三分の一から四分の一程度で、富裕層や上層中産階級は子どもをA校に、続く社会階層の家庭がB校に子どもを通わせていた。そのB校のKG(プレスクールクラス)では、一年生の最初の一月の間に、英語とアラビア語のアルファベットを習得することが求められ、入学して一か月がたつころには、毎授業行われるアルファベットテストで満点を取るよう児童に課していた。[104]そこに到達できなければ落第(留年、退学)も視野に入れ、親が学校に呼び出されて指導を受けることになっていた。

もちろん学校の授業だけで短期間のうちにそこまでの習熟度を達成させることはできず、B校のよ

……………

102　人気のある私立校は、KGでも過酷な入試が行われていた。その際、その学校が経営する「ベイビークラス」に通わせていると有利になると言われていた。

103　ランゲージスクールでは、外国語教育だけでなく、算数や理科などいわゆる理解の授業も外国語で行われていた。

104　二〇〇四年に私が長女をB校のKG2に通わせた経験による。当初私はテストの存在を重視していなかったが、長女が満点をとれなかったために、担任から家でしっかり勉強を見るよう連絡帳を通じて再三要求された上、最後には両親で学校に呼び出された。

うな学校に子どもを通わせる親には、いきおい家庭でのフォローアップが期待されることになる。アルファベット習熟のみならず、B校ではKGの生徒に対してすら、通常毎日三―四時間分の宿題が出されていた。保護者はそれに反発するどころか、こうした詰め込みスパルタ式の教育を歓迎していたようだった。▽105

サラの長女のように四歳の子どもの場合、平日であれば、時には夜中の一時まで宿題をしなければならないことも珍しくなかった。多くの親は、自分だけではその勉強を見ることができないため、そのニーズを見込んだ学校教員（多くの場合は担任）による家庭教師業が横行していた。私が知る限りでも、KGや小学校に通う子どものいる中流家庭では、そうした家庭教師を週一日から五日ほど頼むことが一般的だった。こうした家庭教師では、児童一人がマンツーマンで指導される場合もあれば、四、五人の子どもたちで集まって、同時に勉強を見てもらうこともある。集団で授業を受ける場合は、一人当たりの支払金額は安くなる。▽106 しかし、一人の子どもが何教科分もの家庭教師の授業を受ける必要があるため、どの家庭においてもその出費はばかにならなかった。

こうした事情を考慮すれば、サラの発言は、子育てに必要な知識の習得だけでなく、現実的な経済効果を見込んでのものだったことがわかる。自分が教員になることによって、家庭教師の代わりに自分が勉強を見てあげるようになれば、子どもの教育と家計への貢献という二つの利益を同時に得ることは確かに可能なのだった。近年アジア諸国では、子どもが就学する際にキャリアウーマンであった女性が子どもの勉強を監督するために専業主婦になるという「教員者としての母」役割が浸透しつつある［木脇 2007］。サラの場合、子どもの勉強を見るという動機は同じでも、自分自身が教員になってしまおう、というわけである。

実際私は、それ以前にも何人か、サラと同じように子どもの教育のために教員になりたいと口にするエジプト人女性に会ったことがあった。その中には、ツアーガイドをしていた女性もいれば、大学事務をしていた女性、また以前のサラのように就労未経験者も含まれていた。しかしそれを実際に実行に移した知り合いはいなかった。私にとっては、サラがこのアイデアを実行に移した知りうる限り唯一の女性だった。ただし、今後その数は増えていくことが予想されるだろう。というのも、A校では実際に、児童の保護者に向けて、教員のリクルートをかけていたのだった。とはいえ、飛びぬけて高い英語力があるようにも見えず、教員という仕事自体もよく知らないまま教員になろうとしたサラの決断を、私はとても支援することはできなかった。私にはそれは、あまりにも無謀な試みに思えた。

……………

105 こうしたスパルタ式教育が歓迎された背景には、第1章第4節で議論した「学歴病」があった。

106 二〇〇七年当時確認できた最も安い家庭教師料は、週に二回、二時間ずつ担任が担当するケースで、週額一人一〇LEだった（ランゲージスクールに通う小学校三年生の英語の事例）。その家が学校から徒歩五分という事情も考慮されたものと思われる。小学校高学年以上では、安くても一時間あたり一〇LE程度（一回毎）が相場と言われていた。コーランの暗唱を学ぶ上では、アズハル大学でイスラーム神学を学んだ人物（シェイフ *syeikh*）が適していると考えられていた。我が家では、週に四日、二時間ずつで月額二八〇LE払っていたが、相場に比べてかなりお得だと言われていた。相場は一応存在したものの、基本的に全ては交渉次第だった。

ダイエットのリバウンドを契機とした決断

子どものために教員を目指す、という比較的納得できる理由の他に、サラが教員になったきっかけにはもう一つ、ダイエットの成功とそこからのリバウンドがあった。これは、私にはとても斬新なものに見えた。サラが言うには、ダイエットに成功したことで、自分が社会に役立つ人間になることをもう一度考え始めたのだという。この着想を、彼女の経験に照らして整理すれば次のようになる。

サラがA校にやってきたのは、一度ダイエットで落とした一〇キロが徐々に元に戻り始めたころだった。そのころ彼女は、自分がまた太った状態に戻ってしまっては、社会に出て「何か」を成し遂げることはもう不可能なのではないかという焦燥感を覚えるようになった。彼女はかつて、太ってしまったことで自分のことが嫌になり、生活に幸せを感じることができず、家に引き籠もっていた経験があった。その当時は、何日も子どもと夫以外誰とも会わずに過ごす生活を送っていた。それは自分が望んでいた日々とは遠くかけ離れ、次第に自分が自分でないような感覚を覚えるようになった。▽107 彼女は自分の人生がもう終わってしまったかのように感じていた。しかし、一念発起して挑んだダイエットで、なんとか体型だけは昔の自分を取り戻すことができた。そのこと自体には、強い満足感を覚えたものの、体形維持に新たな不安を覚えた彼女は、再度太りだした。この状況において彼女は、前回同様不幸な考えに憑りつかれないためにも、思い切った行動を起こす必要があると考えたのだった。

そもそも彼女が太ったのは、サラに言わせれば、結婚、妊娠、出産の必然的結果だった。サラ曰く、結婚し、家にいても、そもそもやることといえば掃除や食事の準備ぐらいで他に何か大事なことがあるわけでもない。そのため、唯一の楽しみであった食事に執着するようになった。すると身体が太りだす。さらに、太ったことで落ち込みを感じるようになり、自分の境遇そのものが不幸に感じられてくる。そのつらさから逃げるために食べる、という負のサイクルによって、どんどん体重が増えていったという。ちなみに彼女の好物は茄子とピーマンのマハシ[108]だといい、以前はよく自分で料理をして食べていたが、痩せたことを契機に好物は封印していると語っていた。

この話を聞いて、私は再度驚いた。それ以前の一〇年間のエジプト生活で、サラのように自分が抱える問題、とりわけ体にまつわる問題や精神的な問題を、よく知りもしない相手にあけすけに語る女性には会ったことがなかった。私はそれまで、エジプトの若い女性たちは家族以外にそうした問題を語ることはないものと思い込んでいた。加えて、物事に挑戦する動機を自分自身の心の動きと結びつけて語ることや、内面の葛藤を表現すること自体、エジプトの人々はそもそもあまり行わないものと考えていた。エジプトに暮らしていて頻繁に遭遇するのは、女性たちによる過剰な自画自賛であった。内心には心安らかでないものを抱えていたとしてもそれを表現せず、人前では憎たらしいぐらい自信

……………………

107　「自分が自分でなくなったような感覚」は、エジプトにおいても女性が鬱状態になる主要な原因の一つとされている［Mostafa 2008］。

108　エジプトの代表的な郷土料理の一つ。ピーマンやナスなどをくりぬいたものや、キャベツやブドウの葉に、トマト、玉ねぎ、ハーブで味付けをしたごはんを入れて煮込んだもの。エジプト料理の中でも、手がかかるごちそうとして親しまれている。

満々で振る舞うことが、エジプトの女性たち、というものだと思っていたのである。▽109

自らの体型のコンプレックスが、ただただ深刻な告白として語られる。そのことで私は、彼女に興味を抱くようになった。当初は、彼女がその話を私に打ち明けてくれたことに、驚きつつも、少しの喜びも感じていた。彼女がそれだけ私に対して心を許してくれた、つまり特別に私を信頼してくれてのことだと思ったのである。しかしそれは私の思い込みに過ぎないようだった。むしろ、私の何倍も、おもしろおかしく相槌をいれるエジプト人を前に、彼女は、私に話してくれた時よりも活き活きと、全く同じ話を、別の教員に語り始めたのだった。

はじめこそ、彼女の人懐こい様子にすっかり打ち解けていたように見えた他の教員たちも、一週間もするうちに彼女の自分語りや、極端に馴れ馴れしい様子に、次第に辟易してきたようだった。最初は物珍しさもあり、彼女と長く時間を過ごしていたシャイマをはじめとする二〇代の女性教員たちは、だんだんと彼女に距離を置くようになっていった。二〇代の女性教員たちは、サラのことを「ちょっと変な人（*3agiba shwaiya*）」と言って憚らず、休憩時間も同じ場所にいることを避けるようになっていった。

3 学校教員としてのサラ――やっぱり育児優先？

私が彼女に感じた当惑や不安は、一旦は彼女の開放的な性格によって払拭されつつあった。しかしその後私は、しばらくサラの言動に振り回されることになった。そこには様々なすれ違いがあったが、私にとって一番堪えがたかったのは、私から見てサラが「教員として」振る舞ってくれないことだった。私からすれば、教員であることは仕事であり、仕事中には教員としての役割に一義的にコミットすることが当然だと考えていた。彼女も一人の教員ならば、「A校で児童・生徒によりよい教育を提供する」という目的を何より大事にすべきだと考えていたのである。しかしサラとはその点において最後まで決着することができなかった。私はサラと同僚教員として良好な関係を築いていたし、彼女が教員としてやっていく手助けをしたいと心から思ってはいたが、私にとって彼女の態度は時に堪えがたいものに見えた。

教職に対する熱意、意欲、向上心

サラはA校に着任するにあたり、彼女の希望で研修を受けることになっていた。これはA校では特例措置に当たり、サラ以前は、経験の有無にかかわらず、いきなり現場に配属されることが当たり前のように行われていた。[110] サラの場合は、どうやら最初から理事長にこの点を要求し、A校に配属さ

……………

109　ヴィカンも、エジプトの貧困層の女性たちのこうした振る舞いについて、わざわざ「おおっぴらな自賛」という項目を設けて記述している［ヴィカン 1986: 203-5］。

110　リハーム校長は、二〇〇七年にあえて若い教員を多く雇用し、新しい体制構築を目指していた。しかしこの目論見は上手くいかず、翌年度は未婚の女性教員全員を解雇し、その後未婚女性教員の採用を控えるようになった。二〇〇九年一二月にA校のリハーム校長を訪ねた際には、ちょうど女性教員の書類審査をしていたが、リハーム校長が候補者について最初に知りたがったのは、候補者が結婚しているかどうかだった。

れる前に約束を取り付けていたようだった。当初の予定では二週間一日ずつG1からG12までを見学することになっていた。初日はG1での私との研修、翌日はG2、と毎日一学年ずつ上の学年で研修を受ける予定だった。しかし結局、本人の意向を反映し研修期間は三週間に延長された上、研修期間中は最後まで私のもとにいることになった。

研修期間中、サラは終始高いやる気を見せていた。研修を自ら望んだ話や、補助作業(連絡帳の記入や、行事進行の補助、教室の飾りつけ、教材の製作など、授業の実施以外に教員が担わなくてはいけない作業)に対する積極性は、教員として一から学びたいという気持ちの表れに見えた。初対面での悪印象は、私の中で次第に薄れていった。しかし、それは長くは続かなかった。

育児優先の選択

そもそも、教員という仕事は始めから、彼女にとって子育てと両立可能なものと想定されていたようだった。私としても、彼女が一人の労働者として、就労時間や職種を状況に合わせて選択し、調整することに異存はなかった。彼女にも家族がいて、仕事の他にも大事にするものがある。母親業や育児を最優先事項とし、それと両立できる形で就業を望むこともまた、彼女の当然の権利であった。しかし、一旦引き受けた仕事を、後になって母親業を言い訳に反故にする姿勢は、私には納得できなかった。

サラの「ドタキャン」は、研修の二週目にすでに始まっていた。サラとの相談の上、彼女の初めての模擬授業は、二〇〇七年一一月五日に行うことに決めていた。その前日、放課後に詳細な打ち合わせを持ちたいというサラの希望を受け、帰宅前には二人で、単元ごとの時間配分の確認や、彼女の分担や担当箇所の検討、そしてリハーサルまで実施した。体の動かし方や立ち位置、児童に質問をするタイミングにいたるまで、その日は細かな修正を行った。本番となる翌日の授業開始時刻の朝八時（一時間目の授業が始まる時間）には教室に来ることを確認し、そこでその日は解散した。

しかし当日、一時間目が始まる時間になってもサラは教室に現れなかった。二〇分、三〇分が過ぎ、私の中にあった彼女の到着を心待ちにする気持ちは失せ、落ち着かない気持ちと、今度は「何かあったのでは」という心配が募り始めた。心ここにあらずではあったが、彼女の担当箇所も私が代わりにやり終えなければならなかった。サラが教室に現れたのは九時過ぎのことだった。▽111 授業はもう数分を残すだけの状態だったが、サラのたっての希望で、残りの数分を使い、すでに私が一回終えていた単元を今度はサラにやってもらうことにした。とはいえ当然、ほとんど進まないうちに授業は終了時間を迎えることになった。

教室から職員室への道すがら、彼女は授業の出来栄えについて私に尋ねてきた。そして、今日は時間的制約がありできなかったが、もし十分な時間があれば自分はもっとできた、と言葉を重ねた。すでに遅刻の件で彼女に腹を立てていた私は、彼女が口を開いた際、てっきり謝罪を口にするものだと思っていた。しかし彼女は、遅刻がまるでなかったかのように振る舞い、自分のパフォーマンスについて言い訳まで口にした。私はもう怒りを通り越し、彼女にあきらめと軽蔑を感じ始めていた。とは

111　KGとGIの一時限の授業は六五分だった。

いえ、彼女にも事情があったのだろう。そう思い直して遅刻の理由を訊ねてみた。するとサラは、さも当たり前のことといった様子で、自分の勤務時間は九時二〇分開始なのだからしょうがなかったと返答した。この態度に、ついに私は激怒した。

もしもそのことを前もって知っていたなら、なぜ教えてくれなかったのか。私だって、無理をおして彼女に担当を任せたいわけではなかった。一言伝えてくれてさえいれば、児童に負担を強いることも、サラを待ってイライラすることも、心配することも、的外れな怒りを抱えずにも済んでいたはずだった。

そのことを問うと、サラは、待っていましたと言わんばかりに遅刻の理由を語りだした。

> ちょっと聞いてちょうだい。今日は特に遅くなったの。大変だったのよ。ヨスラ（長女）のスクールバスが来なかったの。七時半まで待って来なくて、ずっと待っていたの。心配で。ずっと。わかるでしょ。ずっと待っていたのに来なくて、結局最後はタクシーで私がヨスラを学校まで送って行ったの。あんなに信用できないのに、なんでお金を払わなければならないのかしら。問題だわ。本当に問題よ。結局、とっても急いで、タクシーに乗ってここまで来たのよ。それにいくらかかるか知っている？

▽112 これを聞き私は、今後はできるだけ冷静に、遅くなるとわかった時点で、携帯電話で連絡をほしい、と彼女に告げた。するとサラは次のように言葉を継ぎ、両腕で私を抱きしめた。

マーレーシュ。[113] あなたの気持ちはわかるわ、愛しい人。でも神に誓って、私にはどうしようもなかったの。腹を立てないでダーリン。怒らないで。私はあなたのことが好きよ。あなたが怒ると私が悲しくなるわ。ドア先生（教務主任）に〔私の勤務時間について〕聞いてもらえば、絶対に、絶対に、あなたにも〔私がなぜ遅刻したのか〕わかると思うの。でも腹を立てないで、私のために。

私はすでにすっかり頭に血が上っていたが、あまりにも堂々としたサラの返答と、好意を押し付けてくる彼女の態度を前に、押し寄せる徒労感に飲み込まれた。私はこれ以上彼女と話をすることは無駄だと感じ、会話はそこで打ち切った。

その後わかった情報から整理するに、どうやら彼女の勤務時間は最初から、二時間目の授業開始時（通常のスケジュールでは九時一五分）から、午後一時まで（実質、二時間目と三時間目のみの勤務）と決められていたようだった。しかも週五日ではなく、三日、四日勤務という変則的な形になっていた。このスケジュールは、サラの子どもたちの生活時間に合わせた時間設定で、長女が通うスクールバスの時

…………………

112　A校では、A校や教員と緊急で連絡を取りたいときのために携帯電話が用意され、教務主任のドア先生が管理していた。

113　マーレーシュとは、悪く思う、しょうがないを意味する表現である。しかし発話者が非を認めていないアラビア語表現としても広く知られている。個人の責任を軽視する表現として、ボクラ（明日）、インシャーアッラー（神の御心のままに）と合わせて「アラブ世界のＩＢＭ」と言われることもある。こうした表現は一般向けの書籍で登場することが多い。その一例に、加藤（1999）やアブドーラ（2010）がある。

間と、長女がバスで学校から帰宅する時間に間に合うように設定されていた。彼女の契約形態がそうした条件になっている以上、こちらでできることはない。そう判断し、この日以降彼女には一時間目（G1の英語の授業は一時間目が多かった）の授業を任せることはあきらめた。

最重要事項としての母役割

サラは最初から、教員になった目的の一つに母親業を挙げていた。サラが自分の第一義を母親とみなしている以上、それ以外のこととの優先順位が下がることはしょうがないことのようにも見えた。現代カイロでは一般的に出産後の女性は敬称として自分の長子の名前で呼ばれるほど、母親であることには非常に大きな重要性が与えられている。[114] 自分自身の名前よりも、誰それの母、あるいはその子どもの名前で呼ばれる方が、その女性にとっては厚く敬意を払われることだと思われている［Inhorn 1996］。つまり女性たちにとって、妊娠出産や子育てこそが人生における最重要事項として社会的に期待されていたのである。[115]

エジプトは、そもそも世界的にみても非常に高い婚姻率で知られている［Omran and Roudi 1993］。そして結婚をした女性には、子どもを産むことが期待されている。九〇年代にエジプト各地で調査を行ったエル＝ダウラらによれば、一二四名の調査対象者全員が、子どもを持つことこそ女性の価値を示すことだと回答したという［El Dawla et al. 1998: 95］。エジプトで、母となることこそが女性の役割だとみなされていることを指摘する研究は多い[116]［cf. Inhorn 2003; Krieger 1984］。サラの勤務時間の調整や、自分の子どもを優先した振る舞いも、こうした社会規範に照らせばさほど珍しいものではないものと考えられるだろう。

とはいえ、仕事においては、こうした女性の就業態度が問題にならないわけがなかった。私が同時期（二〇〇八年二月四日）にインタビューを行った、カイロのある有名美容室の男性店主は、女性スタッフが子どもを理由に無責任な就業態度をとることを「逃げる（*btimshi*）」と表現し、女性の雇用に否定的な理由に挙げた。その美容室の顧客はほぼ全員が女性で、提供するサービスには女性でなければできない仕事（脱毛やドレスの着付けなど）が含まれていた。それでもこの店主は、「女性は信用ならないからできるだけ雇いたくない」、「特にヘガーブの女性（*mu7aggaba*）は雇用しないようにしている」と女性の従業員を雇いたくない、という心情を語ったのだった。彼は、特にスカーフで頭髪を覆ったへ

……………

114　一般的に女性は、特別に親しい間柄（実母、実父、兄弟姉妹、幼馴染など）を除き、子どもが生まれた後は、名前ではなく、「ウンム〇〇」（〇〇の母親）という敬称で呼ばれている。〇〇に入るのは、男子がいる場合には長男の名前、男子がいない場合には長女の名前である。ただ、長男が生まれるまでに時間がかかり、すでに長女の名前で定着している場合には、長女の名前で呼び続けられることもある［Krieger 1986］。また親しくない人間が、子どもを持つ女性の名前を口にすることは、その女性を貶める行為と捉えられることもある。男性同士のケンカでは、相手を貶める目的で相手の母親の実名を呼ぶことがある。

115　私が過去に調査を行った女性ツアーガイドにおいてこの傾向は顕著であった。女性ツアーガイドたちは、「よりよい母親になるため」という目的を中心に、女性役割の読み替えを積極的に行っていた。言い換えれば、女性役割の他の部分を変更してでも投資をすべきと考えられていたのが、子育てだった［Toriyama 2004］。

116　時にはその重要性は、婚姻関係の継続を上回ることもある。子どもを産めないことは、正当な離婚事由と広く考えられている。先行研究でも、こうした事例は多く報告されている［cf. Inhorn 1996; Joseph (ed.) 1999］。

ガーブ姿の女性に「逃げる」傾向が強いことを指摘し、仕事で不都合が起きた際に女性役割の強調で言い逃れることが、自分のビジネスにとっては致命傷になり得ることであり、それを避けるのが正しいビジネス判断なのだと説明した。

店主が「逃げる」女性を扱いづらい従業員として認知し、ビジネスリスクと捉えていたことは、逆説的に、社会における女性役割や母親役割の特殊性や重要性を示す発言ともとれるだろう。たとえ従業員に対してであっても、店主は、勤務態度が悪い女性に職業倫理を強要することができないというのである。その背景には、女性役割や母役割の方が、職業役割よりも重要だという社会的優先順位がある［Barsoum 2004; Mensch et al. 2003］。だからこそ、彼のように人を雇う立場の人間は、女性に対する就業倫理的不信を理由に、女性を雇うことを躊躇し、雇用するとしても、経営にダメージをもたらさない程度の責任しか任せることができないのだった。とりわけ、性規範（異性間の身体接触）に抵触することと以上に、女性従業員の就業態度の悪さを重く捉えていた点が注目に値する。この店主の言い分に従えば、性規範を遵守する目的で女性を雇うよりも、リスク回避のために女性を雇わないほうが、ビジネスとしては理屈に合うのである。

美容室の店主の話を持ち出すまでもなく、女性（特に母親）従業員による、サラと同じような言動は、当時のカイロでは珍しいものではなく、周囲も半ばあきらめの態度を持って接していたようだった。

しかし少なくともA校では、こうした態度で働き続けることは不可能だった。A校には、あえて非常勤という雇用形態をとり、家事や育児との両立を図る既婚の女性ベテラン教員たちもいた。そんな彼女たちでも、サラのように公私混同ととれるような行動をとることは許されていなかった。美容室とは違い、A校の教員たちは、担当になったからにはその責務を単独で果たす必要があった。もしも母役割を持ち出して自らの行動を正当化したとしても、生徒や保護者たちには当然通用しない。ある教員がきちんと仕事をしていないと思われれば、それはそのまま、保護者や生徒に彼女が無能な教員だという評判を立てられることを意味し、学校にはその結果に責任を持つ運営態度が求められていた。

結局サラも、実際に教員として勤務し、必要にかられ仕事をこなす中で、勤務時間や就業態度を自分の望んだようにコントロールすることはできなくなっていった。二時間目と三時間目のみの週四日勤務、という彼女の当初の勤務条件は、学校側からなし崩し的に無かったことにされ、サラもそれに異議を唱えるようなことはしなかった。

4　愛情重視か公私混同か

私がサラと共に働く上で直面した課題は、就業態度だけではなかった。彼女が児童と関係を築く際の問題のあるアプローチには、就業態度以上に悩まされた。

「公平」な児童の扱い

G1で研修を始めてすぐ、彼女は、特定の児童を特別扱い（依怙贔屓）するようになった。こうした態度は、その後児童の中で問題の火種になった。ここで一つ、児童が絡んだ問題に発展した例を挙げてみたい。

研修が二週目に入るころには、サラがヌールという女子生徒を特別扱いしていることは、誰の目から見ても明らかになっていた。授業中でも時間ができればヌールの横に椅子を置き、よく親しげに話しこんでいた。ヌールはG1からアメリカンシステムで学び始めた児童で、両親が英語話者でないこともあって、英語での自己表現に苦労しているようだった。▽117 それでも、彼女の英語力向上のためにと、私はあえてヌールにも他の生徒たちと同様に、簡単な単語を選びながら、英語だけの会話をするよう心掛けていた。同じような環境の児童は他にもいて、みなそれでもなんとなく英語だけで生活できるようになっていた。ところがサラはヌールに対し、アラビア語カイロ方言を使っていた。ヌールもそれを喜び、サラとはカイロ方言で会話することが当たり前になっていった。ヌールはサラに懐き、どこにいてもサラを探すようになった。サラの方でも、ヌールを特別にかわいがっていることを隠す様子もなく、悪びれることなく特別扱いを続けていた。

結局、研修が終わるまでの期間ずっと、サラはヌールを贔屓し続けた。サラは、できる限りヌールの横に座り、ヌールにアラビア語で説明した。また帰宅時には、児童が一人でやるべき帰宅準備を、ヌールの分だけ手伝った。研修最後の日、サラがさよならの挨拶をした時には、直後にヌールを含んだ数名の児童が次々にお礼を言いにやってきた。ヌールがそこで泣き出すと、サラは涙を流すヌールを膝に抱き上げ、キスをした。他の生徒もそれぞれサラのもとにやってきたが、サラは抱えたヌールを離さなかった。そしてその日の放課後、「自分のために涙を流してくれた」と言って、教員たちにヌールのかわいさをしきりに強調した。

こうしたヌールとの関係は、小さな問題をいくつか引き起こしていた。ある月曜日の二時間目、急遽保護者対応で校長室に呼ばれた私の穴を、ちょうど手が空いていたサラが埋めてくれたことがあった。このころサラは、すでに研修を終え、別の業務に配属されていたが、その時間だけ応援に入ってくれることになった。私は当初Ｇ１に慣れたサラが来てくれることを知って安心した。しかし面談を終えてＧ１の教室に戻ってくると、児童同士の修羅場が繰り広げられていた。教室では、涙を流しぐちゃぐちゃになったナディアと、二人の児童が言い争いをしている最中だった。とりあえず彼らを引き離し、一人ずつ話を聞いてみると、問題はサラの言動を発端にしたもののようだった。子どもたちの話からは、次のような展開が明らかになった。

給食を食べ、児童が教室に戻ってくると、サラが子どもたち全員にアメを配っていた。ナディアも他の子と一緒になって、サラからアメがもらえるのを待ったが、彼女だけアメをもらうことができなかった。悲しい気持ちでいたところ、周りにいた別の児童が、ナディアは先生に好かれていないからアメがもらえないのだ、とからかった。ナディアは腹を立て、「そんなはずはない。サラ先生は私にもアメをくれる」と言って、サラに「アメをください」と懇願した。しかしサラはアメをあげなかった。それを見て、周りにいた子どもたちは喜び、やっぱりナディアは嫌われている、という趣旨の発言をした。ナディアは泣き出し、その発言をした児童とのけんかが始まった。

117　Ｇ１の生徒には、アメリカで生まれ育った生徒や、カタールやバーレーンなど湾岸諸国に住んでいた生徒、またエジプト国内でも英語を第一言語とする教育機関に通っていた子どもたちが多かった。

子どもたちへの聞き取りに続き、サラにもこの件について尋ねると、真実は全く別だと言って、次のような説明をした。

アメは児童全員にあげるためのものではなく、泣いていたヌールをなだめるために取り出したものだった。他の児童がアメをもらいにきたのは、想定外の事態だったという。それでも彼女は、自らの善意に従って彼らにもアメを渡すことにした。もちろんナディアに意地悪をしたというのは誤解である。彼女にアメをあげなかったのは、もうアメがなかったからである。

サラは続けて、「状況を曲解し、自分がアメをもらえないと騒ぐナディアは、わがままだ」と言い、それに対して「かわいそうなヌール（poor Noor）」は、と事の発端になったというヌールの話を詳しく語りだした。

サラ曰く、「かわいそうなヌール」は休憩時間にお小遣いで買ったアメを、アマルという別のクラスメートに、遊びに夢中になっていた間に持ち去られてしまった。アマルはよく人のものに手を出し、この日も自分のおやつを食べ終わった後に、ヌールのアメに手を出した。ヌールはアマルに返してくれと頼んだが、アマルは「あれは自分で買った、自分のアメだ」と言って譲らない。さらに、アメを返せと言われ腹を立て、ヌールの目の前で（サラによればヌールの）アメを食べた。ショックを受けたヌールは、悲しみに暮れ涙を流し、それを慰めようと、自分が持っていたアメを渡したのだという。サラの話に従えば、それは児童に対する優しさからの行動であり、彼女には落ち度はなかったのだった。

私にとって、こうしたサラの説明は、的を射ているようには思えなかった。私が問題にしたのは、ヌールではなくナディアをめぐる出来事だったし、サラがなぜ子どもたちにアメを配ることになったのか、という経緯以上に、彼女が招いた事態をどう収束させるのかを話し合うべきだと思っていた。サラと私のすれ違いは明白だった。サラは自分が悪いことをしたとは全く思っていなかった。話し合ったところで決着点が見出せるとも思えず、その時は、児童にはできるだけ公平に接するよう、要請だけして、その場を収めようと思っていた。

ところがサラは、私が「生徒に公平に接してほしい」と頼むその発言を聞いて、意外にも大きく相槌を打ち「自分も同じ考えだ」と述べた上で、次のように発言した。

本当にその通りだわ。ヌールは嘘を言わない子よ。神に誓って。そんな子がひどい思いをさせられるのはとてもかわいそう。公平じゃないわ。ジョー(私の通称)、その子に優しくすることがいけないことだとでも言うの。彼女は泣いていたのよ。かわいそうに。私は優しい子には優しくしてしまうの。アマルは違うわ。彼女はいつもそういうこと(他の子のものに手を出す)をする。いつも問題を起こす。でももっと問題なのはナディアね。どうしてヌールが泣いているのを見ない(考慮に入れない)のかしら。私がヌールにアメをあげることとナディアとは関係がないわ。関係がないことに入ってくるのは問題。彼女はわがままだわ。ヌールとは全然違う。

サラは、私の意見に賛成だと言いながら、彼女が贔屓にしているヌールがいかに特別扱いに適した子どもであるのか、また、ナディアがいかにそうでないかを説明した。私としては、一人ひとりの違いや相性にとらわれず、どの子にも同じ態度で接してほしいと述べたつもりだったため、彼女の発言に困惑した。その時は、ただあっけにとられ、憤りを覚えるままにノートに発言をメモしたが、こうして振り返ってみると新たな発見もある。サラの言葉を字義通りにとるなら、ここでは、児童に「公平に接する」ことの彼女なりの解釈が語られたといえるだろう。彼女は、私が考える公平性とは違う、彼女なりの公平性を語っていた。彼女が語った公平性は、それぞれの生徒に則した個別対応、という意味での公平性だった。

私とサラとで、公平性について異なる認識を持っていたと考えると、さらに合点がいくことがある。サラにアメをもらえずに泣いていたナディアは、エジプト人の両親のもとにアメリカで生まれた、アメリカ生まれのアメリカ育ちの女子児童だった。サラの言う公平性がエジプトでは珍しいものではなかったとしても、ナディアには理解できなかった可能性が高い。特定の生徒に依怙贔屓すら超えた強い愛着を見せる教員の態度は、ナディアには公正なものとは映らなかっただろう。その結果、サラはナディアと信頼関係を築くことができず、サラがナディアを扱いづらい子だと捉えていた、と考えるのは邪推だろうか。

結局、サラとナディアはこの後もそりが合わず、ナディアはその度サラの態度について「バカな先生（*stupid Miss*）」と不満をもらし、サラはサラでナディアを「わがままな子」だと評価し続けた。

理想的な関係性を築く手段

「公平」をめぐる異なる解釈からは、彼女が児童と築きたがっていた関係性の一端を見ることができる。彼女にとっては、それぞれの個性に配慮し、自分と特別な愛着で結ばれた、他に代え難い親しい個人的関係を築くことこそが理想の公平性だった。それは、言い換えれば、疑似的な親子関係のようでもあった。彼女にとって「公平」性とは、どの児童にも同じような対応をすることではなく、彼女への親しみの度合いに応じた対応をすることだった。重要とされたのは、彼女に対する親しみと、愛着の強さのようだった。

こうした推論は、その後私の中で確信に変わっていった。その契機となったのは、研修を終えたサラが私にもちかけた相談だった。彼女は、A校の教員を務めるにあたってどうしても相談しておきたいことがあると切り出し、わざわざ二人きりになれる環境を整えた上で、私に意見を求めてきた。彼女は、ご褒美として授業で児童にアメを配るアイデアを思い付いたと言い、それについて私がどう思うか知りたがっていた。

サラの考えによれば、アメをあげれば子どもたちは課題に対するやる気を出し、楽しみながら学習に取り組むはずだった。そこで、やる気を出させるアイテムとしてアメを使いたい、というのだった。彼女の気持ちはわからないでもなかったが、私としては、勉強を別のご褒美でやらせることには抵抗があった。むしろ私たち教員がやるべきは、勉強そのものが楽しいと思えるよう、こまめに褒めたり、気づきをうながすコミュニケーションをとったりすることだと思っていた。しかしその考えをサラに話すと、彼女はこちらが想像していた以上に落胆を露わにし、そのまま言葉少なに立ち去った。▽118 サ

118 シールは、以前経費申請をしたときに唯一却下された品目だった。リハーム校長によれば、もので釣る指導をしたがる教員は多いらしい。ただリハーム校長自身はそうしたやり方に反対で、ご褒美には一切経費を使わせないという姿勢を貫いた。

ラがガッカリしたことは明らかだった。とはいえ、その日はそのまま何事もなく、私も帰途についた。

ところがその翌日、空き時間に職員室に入ると、開口一番、アメリカ出身のＫＧ担任のファティマが、サラと私に何かトラブルがあったのかと尋ねてきた。ファティマによれば、私がサラのことを妬んでいるとサラが他の教員に話していたという。どうやらサラは、アメを配るアイデアを否定されたことを、私の嫉妬に基づく妬みと捉え、他の教員にそのことを話して回っていたようだった。

その後わかったところによると、彼女は、私が彼女のアイデアに否定的な評価をしたことでは諦めきれず、その後も他の教員に意見を求めて回ったらしい。その結果、他の教員たちからの賛同が得られたことで、自分のアイデアの正しさを確信した。そして、私が反対したのは、私がサラのことを妬んでいるからだ、という結論に達したらしかった。

その場に不在の人物を標的とした中傷は、大した意味を持たないことも多い。[119] 実際この時も、サラが面と向かって私に文句を言うことはなく、何事もなかったかのように振る舞っていた。むしろ私は、サラの中で、私がサラの人気が出ることを妬んだことになっていることに興味をそそられた。

サラの発言では、私はサラの「人気を妬んで」いたことになっていた。つまり、サラはアメを使って、児童たちのやる気を喚起させることよりも、生徒の人気を獲得しようとした、と考えられる。また、「私がそれを妬んだ」との発言からは、みながサラと同じように、人気者になりたいと考えていた、という認識を汲み取ることができる。さらに「私がサラを妬む」という発想は、教員の人気が、共有されうるものではなく、誰か一人に独占されるものであって、児童にはたった一人のお気に入りがいる、という前提があることが示唆されていた。こうした要素から推論すれば、サラがアメを使ってなろうとしていた教員とは、児童たちの、誰にも代えがたい「たった一人のお気に入り」だった、と言えるだろう。

児童に特別な愛着を求める傾向は、程度の差こそあれ、他の二〇代女性教員たちにも共通して見ることができた。彼女たちは自分たちのお気に入りの児童をつくり、特別な感情のもとにその児童の話をすることに抵抗を感じてはいなかった。児童にも確かにそれぞれお気に入りの教員がいて、特別な愛着を競っていた。サラの場合は、その表現が極端に顕著で、またお気に入りでない児童に対してあまりにも無関心だった。ナディアのようにエジプトの児童－教員関係に馴染みがない子どもは、そのことで傷つくこともあった。しかしサラは、そのことにすら関心がなかった。彼女にとっては、自分のお気に入りの子どもが大事であり、そうでない児童が、自分に否定的な感情を抱いたとしても、それは児童自身の問題なのだった。

119　エジプト人同士であれば、批判の当事者（私）にわざわざ批判内容を伝えるようなことはなかっただろうと思われる。サラにとっては、そこで行った私への批判は、賛同してくれた目の前の教員に対する自分の喜びと感謝を伝える意図以上のものではなかっただろう。ただ、アメリカ出身（二〇〇七年八月にエジプトにやってきた）のファティマにとっては、自分が聞いたことを当事者である私に伝えることがフェアな行動だと思えたのだろう。彼女は、サラと私との関係に何か起こったはずだと心配し、私に伝えてくれたようだった。

5 職業意識の欠如

中東研究ではこれまで、十分すぎるほど社会における母親役割の重要性が議論されてきた。母となることは、女性にとって、人生で最も重要な役割であるかのように語られてきた［cf. Inhorn 1996; Wikan 1996］。サラもまた、自分が母親であることを強調し、教員になった理由の一つに、子どものためを挙げたほどだった。彼女にとってA校で教員として働くことは、母親業との「両立」が目指されるものではなく、良き母親になるための一つのステップと捉えられていたのだった。

しかしエジプトにおいて、女性役割と良き労働者であることは、衝突するのが当然のようにも考えられている［cf. Assad and Arntz 2005; Hassanien 2010; Hoodfar 1991］。女性にとって働くことは、母であることや、家庭での役割ほどには重要ではない。こうした意識が広く共有されていたために、女性は仕事より家事や育児を優先するのが当たり前とされ、その結果、ビジネスリスクを避けるという観点から、女性の雇用を可能な限り避ける風潮すら生まれてきた。女性にとって、仕事に対する責任感が欠けていることは、半ば当たり前のように思われていたのだった。

サラと働くようになり、私もこうした徒労感を味わうことになった。教員としての彼女に抱いた不安は、様々な場面で的中した。（教えるはずの）英語ができない、時間を守らない、特定の子どもだけに関心を向ける。こうした行動は、私には、教員としてのプロ意識、すなわち個人的な事情はどうあれ、与えられた職業役割を遂行しようとする態度に欠けるものに見えた。彼女が母親であることは仕方がないとしても、A校で教員として働いている時間においては、私は彼女にまず何よりも「教員」

であってほしかった。

私が彼女に抱いた不信感や違和感は、彼女が自分の母役割を仕事に優先させたために生まれたものではなかった。私はむしろ、彼女がA校の児童に対しても母親であろうとすることに違和感を覚えていた。特別な愛着で結ばれた関係を築くこと。児童の関心を、エサで釣って操ろうとすること。自分と特別な関係にない児童に一切関心を向けないこと。こうした行動は、教員－生徒関係というよりは、疑似的な母親－息子・娘関係を築こうとするからこそ生じる問題に見えた。私にとってはそのどれもが、「教員」の職務以上に個人的な承認欲求を満たそうとする問題行動に見えていた。しかし彼女のこうした行動は、A校では特段問題になっていなかったことも確かである。彼女に対する苦情は児童やその保護者から常時寄せられてはいたが、それは彼女の性格ややり方のまずさに起因するもので、彼女が目指す方向性にあったわけではないと考えられていたようだった。アメを使うという彼女の方法が必ずしも否定されるものではなかったことは先述の通りである。またA校では、サラと同じような動機で教員になろうと考える潜在的な需要を見込み、保護者に対しての教員リクルートすらかけていた。母親たちが教員予備軍とされていたのである。

エジプトにもキャリアを真剣に考えるキャリアウーマンや責任ある仕事をしっかりとこなす女性たちは大勢いる。しかし学校教員という仕事に限ってみれば、教員であることにまつわるプロ意識と、家庭での女性役割、とりわけ母役割に基づき個人的欲求を満たそうとする意識との混同は、珍しいものではなかった。学校教員はエジプトにおいて女性に向いた職業だと、長年政府にも、社会にも、研究者にもみなされてきたが、その理由とされてきた女性役割との一致は、職業意識を持たずに働けること、と言い換えることができるだろう。パブリックイメージとしての学校教員という仕事は、ケアワークとして「女性らしさ」を求めるが、女性の方でも「仕事をする」、「職業を持つ」という社会意識がないままに、疑似親子という家庭内の関係性の延長線上に働くことが可能な仕事であった。

実際には、A校でも上層部とのやりとりや、保護者の対応、児童・生徒のもめごとの仲裁など、実際には疑似親子関係で乗り切れない職務は数えきれないほどあった。しかしそれらは教員として実際に働くことになって初めて直面する現実であり、社会的議論には反映されていなかった。教員を、あたかも「学校の母」のように描くパブリックイメージがあまりにも強く存在するために、サラのような就労態度でも、即問題になるようなことはなかったのだろう。

サラがA校で教員になった理由には、娘の勉強を自分で見るため、というものと、第二の人生をつかむには今が最後だと思ったから、という二つが語られた。娘の勉強を見る、という母役割の強調は、第I部で議論したシャイマとは全く異なっていた。サラが非常に女性的な、女性役割を前面に押し出した自己を生きていたことは、第5章で検討した通りである。シャイマが、国家開発言説を正面から吸収し、成功した市民として性別を大きく意識せずに生きようとしていたとするならば、サラは社会的に期待されるジェンダー役割に則って、男性に望まれる女性であることを重視した生き方をしてきたように見えた。

もう一つ、サラがシャイマと大きく違っている点があった。自分自身を向上させようと必死だったシャイマに対して、サラは過去の自分に照らして、現在の自分を常に嘆いていた。自分を語る時、サラはいつも不幸な自分を前面に押し出した。彼女にとって、現在彼女がいる場所は、彼女がいるべき場所ではなかった。A校で働き始めたことは、彼女がその不幸な状態を変えるために踏み出した、最初の一歩と位置づけられていた。

一体彼女は何にそんなに不幸を感じていたのだろうか。また彼女が変えようとしていた人生とはどのようなものだったのだろうか。そこで彼女が求めていたものとはなんだったのだろうか。本章では、彼女の自分語りを中心に取り上げ、サラが人生に見出していた意味と、彼女が人生に求めていたもの、さらに、それらを成立させていた社会言説について明らかにしていきたい。

中東で女性として生きることは、抑圧との共生のように長らく捉えられてきた。女性であることで課されるジェンダー規範は、女性を管理の対象とみなし、女性の自由を奪う［Benninger-Budel 2001; Mehdid 1993; Minces 1982］。こうしたグローバル言説が存在する一方で、中東女性研究は、女性たちがいかに自らジェンダー規範に沿った生き方を選び取っていくのか解明しようと試みてきた（序章第1節二五頁以降を参照のこと）。本章では、ジェンダー規範対主体性というこの古くて新しい問いを念頭におきつつ、サラの自己意識と、彼女が自分の生活に対して行っていた評価に注目する。

1　人生のハイライトからの転落

サラは、一九七九年、ナイル川の中州、緑あふれるローダ島のマニアル地区という歴史ある高級住宅地で生まれ、一人っ子として育てられた。彼女の少女時代は、何不自由ないものだったという。父親は貿易業を営み、父親よりずっと年の若い母親は専業主婦だった。父親の事業は安定し、富裕層とまではいかなくても、かなり裕福な暮らしを送っていた。多くのエジプト人が湾岸諸国やリビアへ出稼ぎに行った八〇年代も［Farrag 1998; Feiler 2003］、彼女の父親は、出稼ぎにいく必要もなく、国内での商売で十分豊かな生活を築くことができていた。父親の親族はみな商売人で、伯父は塗装具の大規模な輸入販売を行っていた。

〈ヘルワ〉だった私

サラの人生は、いつも男性からの視線に彩られていたという。彼女は常に男性からの称賛を浴びて育ち、いつも〈ヘルワ〉（美しい）な女性として男性から求められてきたらしい。〈ヘルワ〉とは、アラビア語で甘い、を意味する言葉であるが、カイロ方言では、甘いだけでなく、かわいい、美しい、おいしい、といった全ての好ましさや肯定的要素を表す、「良い」に代えられる表現である。

そして彼女が一四歳の時に、人生の転機となる出会いがあった。その夏バカンスで訪れたアレキサンドリアで、ある外国人男性に出会い、彼に強く求められるようになった。調査当時、それはすでに一〇年以上前の出来事になっていたが、彼女はその出会いを人生のハイライトとして語っていた。

その男性は当時二一歳、エジプトに避暑にやってきていたバーレーン人だった。▽120 ビーチで彼女のことを見かけ気に入ったといって、彼の方から話しかけてきたという。彼は、当時の彼女の〈ヘルワ〉な容姿の虜となった。その後彼はすぐに、サラと彼女の両親と親しく話をするようになり、昼食を一

120　エジプトにはアラブ湾岸諸国から訪れる観光客も多い。特に夏になると、カイロやアレキサンドリアといった大都市には、中長期滞在を楽しむアラブ人観光客の姿が目に付くようになる。詳細についてはウィン［Wynn 2007］を参照のこと。

緒にとったり、夜の外出に一緒に出かけたりするようになった。[121] その間サラの側にはずっと両親が付き添っていて、サラが彼と二人きりになるような時間はほとんどなかった。それでも、彼はサラが家族で滞在していたフラットに毎日電話をかけ、一緒に外出しない時には電話で話をした。出会ってからの一週間、彼はほとんどの時間をサラの家族と行動を共にし、時には彼が家族の全員分の食事を招待してくれたこともあったという。

一緒に過ごす中で、彼はサラに真剣に好意を持つようになり、一家がバカンスを終えてカイロに戻ると、その後を追うように、カイロのサラの自宅にまでやってきた。彼はサラに対する好意を、彼女と家族に告げた。彼はその時、今すぐにでも結婚して、[122] サラに一緒にバーレーンに戻ることを望んだという。一方サラは、彼に対して好意を抱きつつあったものの、当時はまだ幼く、両親と離れてバーレーンに行かなければならないという恐怖と心配が、彼との結婚によって得ることができただろう幸せに先んじていた。結局、結婚にそこまで具体的なイメージが持てなかったことや、両親と離れてバーレーンで暮らすことへの不安から、彼の申し出はその場で断った。彼は、サラがバーレーンにやってきてからも学校に行かせることを約束するなど、[123] 新たな条件を提示し、かなり粘っていたらしい。しかし最後はあきらめ、国に帰ってしまった。二人は、その後もしばらく文通や電話でのやりとりを続けていた。電話は、彼がサラの自宅にかけるか、彼女がかける時にはコレクトコールで取れるようにしてくれた。しかしその関係も、サラから連絡を取るのをやめたことで途絶えてしまったという。

その後数年たち、サラは今の夫と結婚することになるのだが、バーレーン人男性との出会いには続きがあった。三年ほど前、そのバーレーン人男性が、一度サラを探しに実家があったマニアルにやってきた。その時、すでに彼女の家族は誰もそこには住んでおらず、彼がサラと直接会うことは叶わなかった。彼と話をした近所の住民が、後になって「やっぱり気になるから」、という理由でサラに連絡をくれたらしい。その知らせを聞いたサラは、再会こそ叶わなかったが、彼が自分との結婚を真剣に考え探しに来てくれたのだと感じ、今さらながらに、彼と結婚をするべきだったと後悔を覚えたという。

サラは、結婚や出産ではなく、この出会いを「人生のハイライト」と位置づけていた。この話に限らず、サラが自分の人生について語る時にはしばしば男性の存在や、〈ヘルワ〉な彼女に向けられてきた男性からの視線が強調された。サラにとって、〈ヘルワ〉であることと、男性に望まれることが、彼女の人生を語る上で重要なことは明らかだった。バーレーン男性との出会いを人生の最重要事項と位置づけるサラは、男性から望まれる〈ヘルワ〉な自分である、ことを自己成型の中心においているように見えた。

121 婚外性交渉が厳しく禁止されているエジプトのようなアラブ諸国では、未婚の男女だけで外出することは難しい。近年では多少変化も見られるが、相手のことをよく知るために家族ぐるみのつき合いを持つことは珍しくない。

122 エジプトでの法的な結婚年齢は男女共に一八歳である。しかしこれは、この年齢に達していない結婚であれば、異議申し立てがあった場合は無効にできるという年齢であり、それ以下の年齢での結婚を禁止するものではない［Human Rights Watch 2014］。

123 花嫁が幼い場合、結婚契約書に就学を保障する文言を入れることは珍しくない。

このバーレーン人男性との出会いは、ラブロマンスとしてはできすぎと言っていいほど完璧だった。現代カイロでは依然として、ラブロマンスと結婚はほぼ同義語である。女性が結婚相手に望む条件では、常に経済力と自分や家族を大事にする姿勢が重視されてきた［cf. Hoodfar 1997; Rugh 1984; Singerman 1997］。お金持ちの外国人男性（アラブ湾岸諸国の人々は、自動的にお金持ちということになっている）で、彼女や彼女の両親を大事にしていた好青年（彼女の教育の心配をしてくれた）となれば、これ以上ないほど理想的な設定であった。因みに、アラブ湾岸諸国の男性が、エジプトの女性と短期的な婚姻関係のもとに行う売買春は、[▽124]長らくエジプトの社会問題となってきた［El Feki 2013; Wynn 2007］。しかしこの物語は、サラには、そうした類のものとは全く関連づけられていなかった。

不幸のはじまり

それでは、サラは実際どのような結婚をしていたのだろうか。おとぎ話のような外国人男性とのラブストーリーがあったのならば、実際に結婚をした相手とは、さらに夢のようなラブロマンスがあったのではないか。そんな私の期待に反して、サラはその後の人生を、「残念な展開」、あるいは没落のストーリーとして話したのだった。

自由で恵まれた暮らしが一変したきっかけは、彼女が大学在学中に、母親が突然病気で亡くなったことだった。サラの母親は、近所でも評判の美しい女性で、サラはその美しい母親が大好きだった。サラは今でも、母親の美しい顔をいつでも見ることができるようにと言って、大きく延ばした若かりしの母親の写真を居間の一番目立つところに飾っていた。サラにとって母親は、いつだって彼女の憧れの存在であり続け、最近では次女の外見が母親に似てきたことを、とても喜んでいた。サラにとって、大好きな母親が亡くなってしまったことは、それまでのどんな経験よりもつらかった。彼女の悲しみは、まだ母の死からそれほど時間がたたないうちに、父親が後妻をもらったことでいや増した。サラは、新しい母親がいる家には自分の居場所がないと感じ、伯父の家に身を寄せるようになった。[125] 丁度そのころ、父親は身体の具合が悪くなり、営んでいた事業が傾きだした。サラもまた、以前のような贅沢な暮らしはできなくなった。

ショックとなる出来事が重なり、どこかに逃げ出したいと思っていた時に、タイミングよく結婚を申し込んできたのが、今の夫だった。それ以前に何件か結婚の申し込みを受けたことはあったものの、当時はバーレーン人との思い出を大切にしていたこともあり、結婚を真剣に考えることはしてこなかった。しかしその時は、とにかく父のもとを去りたい一心で、あまり深く考えずに結婚を決めたという。彼女にとっては、相手が誰であれ、それで家を出られるのであれば、渡りに船だった。[126]

124　エジプトの観光業について研究したウィンは、アラブ湾岸諸国から来た旅行者が、エジプトに買春目的にやってくるという噂を「社会的事実（social fact）」として考察した［Wynn 2007］。ウィンによれば、その背景にはアラブ湾岸諸国のオイルマネーに対するエジプト社会の畏れがあったという。

125　女性が夫を亡くした場合は、寡婦として再婚をしないことも多いが、男性が妻に先立たれた時には、家族が再婚を勧めることが一般的と考えられている。男性は、高齢で妻を亡くした場合でも、すぐに再婚することが多い。男性が目立って高齢な場合には、男性が死亡した際に妻としての遺産配分をなしとする条件で結婚が取り決められることもある。

126　現在の夫は、もとはサラの親しい友人の兄の親友だった。サラが友人を訪ねてきた姿を見かけて一目ぼれし、サラの友人のサラは、結婚が決まったことをきっかけに、イスラーム教の信仰に基づきスカーフで髪を隠すこと（ムハッガバになること）を決めた。特に深い理由はなく、「それが正しいことだと思った」と考え、決断したという。父親はこの決断に反対したが、[127] 結婚が決まったこともあり、もうそれ以上はうるさく言わなかったという。その理由が、結婚が決まり容姿を大事にする必要がなくなったと考えたためか、結婚によって彼女の監督権が夫に移ると考えたのか、[128] 詳しいところはわからない。ただ当時のサラには、父親の意見がどうあれ、それ真剣に受け止めるつもりもなかったという。彼女が憧れていた母親は、生涯スカーフを被ることはなかったが、サラはそれについて、「時代が違うから」[129] とだけ説明した。当時婚約していた夫は、スカーフをする彼女の決断を、良い行いとして素直に喜んでくれたという。

裏切られた結婚生活

実際に結婚してみると、結婚は、彼女にとって悲しみを癒やしてくれるものではなかった。とりわけ彼女がショックを受けたのが、結婚生活の取り決めが、事前に話し合われた内容といくつもの点において違っていたことだった。サラが結婚に後悔を感じるようになったのは、主にこの約束の不履行によるものだった。

エジプトでは慣例として、結婚前に生活の細部にわたるまで条件を議論し、一つひとつ合意を見出しつつ、結婚の取り決めが行われる [Hoodfar 1997; Roque 2020]。サラが最も大きな問題だと感じていたのが、住居の大きさと立地に関するものだった。結婚前に彼女は、新居はギザの中心地に近い立地にある大通りに面した一二〇平米以上の広さの物件だと聞いていた。しかし結婚を直前に控え見せられた物件は、フェイサル・アシュリーンと呼ばれる、大通りから離れた住宅密集地に位置する集合住宅だった。そこは、一番近い大通りであるフェイサル通りまで徒歩で一五分かかる、中心地から外れた場所だった。また一二〇平米と聞いていた住宅は、実際には八〇平米程度だった。彼女にとっての唯一の救いは、その物件が新築で、エレベーター▽130が問題なく稼働していたことだった。住居の広さや立地は、

……………

兄を介して、紹介を求められたという。しかし話をもらった時は、サラのほうには彼に対する面識がまるでなく、彼の方が「何度も道で見かけたことがあった」というのを聞き、始めはすごく気持ち悪いという印象を持ったという。しかし、家族で事業をやっているという条件が、父親も事業をしていた彼女にとっては理想的なものに思えたことや、サラの友人から彼が信頼できる家の人間であると聞き、結婚を前向きに考えてみることにした。最後には父親の強い勧めもあってその結婚に踏み切る決断をし、大学を卒業した二一歳の時に結婚をした。

127 エジプトの裕福な家庭では、二〇〇〇年代初頭までは妻や娘がスカーフをすることに反対する父や夫も多かった。彼らは自らの「モダン・《近代的》」なイメージと、スカーフの着用は思想的に一致しないと考えていた。テレビを舞台にしたスカーフ着用をめぐる議論については、後藤（2016）を参照のこと。

128 エジプトでは、婚姻によって女性の一義的扶養者が父から夫へ移ると考えられている［Kholoussy 2010］。

129 エジプトの「スカーフ論争」については、一九二〇年代に「脱ベール化」が起こりベールが廃れる。一九七〇年代に下層中産階級の大学生を中心に「再ベール化」が起きたが、高学歴女性に影響を与えた後に廃れる。一九九〇年代後半から「再再ベール化」が起きた、とする理解が一般的である。サラの母親は富裕層出身のため、「再ベール化」の影響はほとんど受けていないと考えられ、広い層に影響をもたらした「再再ベール化」との違いに言及した発言と考えられる。

130 サラを安堵させたというエレベーターには、自動クルアーン暗唱器が取り付けられ、エレベーターが人の重みを検知すると

結婚の際に支払われる金額と同様、婚姻のための交渉においては非常に重要な項目である［Roque 2020］。住居についての約束の不履行は、婚約解消にまで発展してもおかしくないほどの重大な案件だった。

サラにとって次に耐え難かったのが、彼女専用の自家用車が用意されなかったことだった。大学時代から、サラは自分専用の自動車を与えられていた。結婚を機に、少し使用感の出ていた自分の車を父親に返し、夫に新しい車を買ってもらうことになっていた。それは、結婚の条件の一つでもあった。ところが二〇〇八年になってもその約束は履行されておらず、「今は事業で出費がかさむ」、「今は物価の上がり方が厳しい」といって夫が約束を取り合ってくれないことに失望していた。

サラは、こうした状況に強い不満を持ってはいたが、それと同時に、家族という後ろ盾を失った今、現在の状態を受け入れる以外にないとのあきらめも持っていた。彼女が婚出した後、父親は体調の悪化と業績不振から、長年経営をしてきた事業をたたみ、彼女が生まれ育った家も売り、一回り小さな集合住宅に移り住んだ。実家が売られたことで、サラは完全に帰る場所を失ったと感じ、悲しみに暮れたというが、その父親も二〇〇五年に亡くなった。彼女は完全に一人になったと感じていた。

父親は亡くなる以前から、娘の結婚において相手の家族に意見できるほどの力は、もう持っていなかった。また彼女の方でも、結婚直後に長女を妊娠し、結婚の条件について争う気持ちは萎えたという。子どものことを思えば、結婚を継続する以外にやりようがない。そう考えたときに、今の生活全てを受容する以外に道はないと腹を決めた。いずれにしろ、夫（とその親族）と対峙する時に、彼女を支援してくれる家族がいない以上、状況の改善を求めてさらなる話し合いを持つ意義を見出すことはできなかった。

エジプトで女性が生きていく上で、親族という後ろ盾は現在においても非常に重要である［Hoodfar 1997; ヴィカン 1986］。特に、それが結婚という家族に関わることであればなおさらである。女性は、結婚した後も夫や夫の家だけに属することはなく、実家や親族の存在は、女性にとって援助の源であり続ける。エジプト都市部で実践される家父長制の在り方を細かく検討したインホーン［Inhorn 1996］は、家父長制で女性に期待される役割をワーゲブ（*wagib* 義務）▽131 とマルーフ（*maruf* 恩恵）の二つに分けて説明した。インホーンによれば、嫁は婚家に対して労働力を提供することは当然とみなされ、彼女が夫の家族のために行う奉仕はワーゲブ、つまり義務としての労働とみなされる。一方、同じ女性であっても、外の男性と結婚して出ていく娘の場合、実家に提供される労働力はマルーフとみなされ、心からの愛情を示す行為と了解される。女性は一義的には夫に扶養されるべき存在だが、それと同時に、いつでも実家の父や兄弟に援助を頼むことが許されている。男性の財布は、妻や子どものみならず、男性の実の母親や姉妹に対しても開かれているべきなのである［Inhorn 1996: 92］。このように、既婚女性にとっても実家や親族は大きな資源であり続ける。特に夫婦間の交渉事ともなれば、家族同士の話し合いになることも多い。そのため、兄弟を持たず、両親を亡くしたサラは、夫（婚家）との交渉では、自分の利益を共に代表する後ろ盾を欠く弱い立場にある。実家がないことは、結婚生活での交渉力を

自動的にクルアーンが流れる仕組みになっていた。二〇〇〇年代初頭に急速にカイロに普及したイスラーム・グッズの一つである［Abdel Rahman 2005］。

131 本書の表記に従えば、*wāgeb* と *ma3ruf* となるが、ここでは Inhorn（1996）の記述にしたがって表記する。

奪われる、重大な損失なのである。

出産後の孤独

約束の不履行をきっかけに生まれた不安は、子どもを産んでさらに強くなった。夫は、結婚をしてみると、あまり家に帰らない人だった。結婚しても、サラが夫と顔を合わせる時間は限られていていた。兄弟で興した事業が忙しすぎると言って、夫は、妻や子どもと過ごす時間をほとんど持たなかった。長女が生まれると、サラは赤ん坊と二人だけの時間を過ごすようになった。体型が変化するのと比例するように、彼女の不幸の度合いも、さらなる肥大をみせた。赤ん坊と二人で過ごす不安な日々は、彼女を太らせた。そして太っていく自分の体は、彼女をさらに不幸にした。彼女は、初対面の時から自分の体験のコンプレックスを頻繁に話題にしていたが、その根底には、自分の不幸せな人生と、体型の問題が絡まり合った悪循環があった。

彼女にとって、寂しさに塗りつぶされた結婚生活と体重の増加は、望んだものを得られない自分の人生を象徴するものになっていた。そもそも結婚は、彼女にとって父親とのこじれた関係から自由になるための手段だったが、今の彼女にとっては、一人ぼっちの生活をもたらした諸悪の根源になっていた。大学時代のようには金銭的余裕も自由な移動手段もなく、彼女は一人、家で育児と家事だけの生活を続け、体だけが大きくなっていった。

一度、A校で結婚生活について話を聞いている際、サラが突然涙を流して泣き出してしまったことがあった。その時彼女は泣きながら次のように口にした。

結婚したら生活が変わっちゃった。ライフスタイルが全部変わった。今までみたいに出歩いたりとかできなくて。ずっと家にいるだけ。幸せじゃあなかった。言われていたのとは違って、結婚の時の約束も果たされなかったし。だから。そうしたら妊娠して。家に居て。太って、もっと幸せじゃあなくなった。全然〔涙を流す〕。二年前お父さんも死んで。私一人ぼっちになったんだよ。〔泣いてしまって〕ごめんね、ごめんね〔涙を流す〕。お母さんもお父さんもいない。独りなんだよ。

〈ヘルワ〉の終わり

サラが実際に、寂しさから太っていたのかはわからない。ただ彼女にとって、太ったことは不幸な結婚生活と直接的に結びつけられていた。エジプトでは、帝王切開を受けた女性は太りやすくなると言われることが多い。帝王切開に限らず、妊娠・出産は体形変化の最大の要因でもある。しかしサラの場合は、太った原因に出産は考えられていなかった。サラも出産時には、「痛みに耐えられないだろうから」という理由で、予定日より前に帝王切開で子どもを産んだらしいのだが、▽132 そのことと自分が太ったこととは関連づけられていなかった。彼女の体形の変化は、あくまでも不幸せな結婚生活と、それに先立つ家族を失った悲しみによってもたらされたものとされていた。そして彼女にとって、

132　その時は傷がとにかく痛んで、術後一週間入院をしたという。その傷口はまだ残っているといい、彼女の自宅を訪れた二〇〇八年八月にはその傷をわざわざ見せてくれた。

太ったことは、彼女の悲しみと不幸の動かぬ証拠なのだった。

彼女は自分の人生のクライマックスに、自分の美貌が見初められ、完璧な男性に結婚を求められた一四歳を定めていた。それは、今は亡き両親の愛情と、豊かで恵まれた何不自由ない〈ヘルワ〉な生活を象徴するものだった。他方、結婚後の現在の彼女は、娘が二人いながら、寂しい太った女性として、一四歳だったころの自分の対極にいる、寂しく不幸な存在として位置づけられていた。

太ったことは、美しさで男性の視線を集めることが自己認識の重要な一部を占める彼女にとって、よほどつらかったのだろう。太ったことと、幸せの欠如は、彼女の中では強く結びつけられていた。男性の目を引き続けるべき〈ヘルワ〉な彼女にとって、誰にも相手にされてないように感じる孤独が、耐え難いものであったことは想像に難くない。太ったことは、〈ヘルワ〉な彼女にとって、自分を失うことだった。太ったことは寂しさによるものと考えられていたが、それはまた自分を失う原因でもあり、彼女の不幸の証拠でもあった。

彼女にとって〈ヘルワ〉な女性、という自己認識は、「〈ヘルワ〉だった」という過去を持つだけでは満たされないものだった。〈ヘルワ〉という自己認識を保つためには、現在においても「〈ヘルワ〉であるべき」だという強い思いを持っていた。ダイエットの成功とリバウンドへの恐怖が、就職への強い後押しになったことからもまた、依然として〈ヘルワ〉を生き続けようとする彼女の信念を見ることができた。

ところで、サラが語った不幸や没落の現状は、実際のところどういったものだったのだろうか。両親を亡くし、人々の関心を惹くこともできず、一人ぼっちになってしまったみじめな生活とは、どれほど耐え難いものだったのだろうか。

2　現在の生活

〈ロマンセイヤ〉のある夫婦生活

サラの自分語りに、夫はほとんど登場しなかった。特に望んで結婚した相手ではないことや、果たされない約束ばかりが語られたので、私はてっきり、サラが夫を疎んじていると思っていた。ところが調査も終わり近くになり、改めて彼女に夫について尋ねると、意外な答えが返ってきた。

サラは、ある時夫のことをとてもハンサムだと話し始めた。少し髪の毛が後退し、額が広くなってきたとは言いながら、その姿を「なかなかのものだ」と思っていたのだった。結婚を申し込まれた時、「誰のことかよくわからなかった」という話や、怖そうな人という第一印象があったと聞いていたので、私はサラが、彼の外見を気に入っていないものだと思いこんでいた。しかし彼女は、二〇〇八年の夏、再調査として私が彼女を訪問した際には、紅海のリゾート地アイン・ソクナで撮った大量の夫の写真を見せてきた。彼女は、半身が海に浸かった巨漢で半裸の夫の写真を何枚も見せ、私に彼の外見の良さを語り続けた。[133] 不幸な結婚生活という彼女の語りの筋書きに反し、彼女は夫の外見を自慢に思っていた。

またサラは、夫婦生活の楽しみは〈ロマンセイヤ〉（*romansiyya*）にある、とよく話していた。〈ロマンセイヤ〉[134]とは、ロマンスやラブストーリーと言い換えられるが、性的な意味合いを強く喚起する表現でもある。例えば、〈ロマンセイヤ〉という言葉で一番強く想起されるのは、夫婦の寝室である。サラは〈ロマンセイヤ〉を、結婚においてとても重要なものだと説明した。〈ロマンセイヤ〉は、非常に具体的なイメージを伴う概念だった。〈ロマンセイヤ〉とは何か、という問いにおいてサラは、「ハート、バラ、キャンドル、テディベアのことだ」と即答した。そう考えていたのはサラだけではなかった。二〇代後半の女性たち、誰に聞いても、当時は判で押したように同じ答えが返ってきた。この説明を聞いて私は、どこの新婚夫婦の寝室に行っても、必ずハートを持ったテディベアや、ハート型のクッション、バラの模様のベッドスプレッドがあることに合点がいった。[135]

彼女は、夫と〈ロマンセイヤ〉な時間を積極的に楽しむ労力も惜しんでいなかった。夫のために、家の中でも家用の濃いメークをしていた。そして当時メークをほとんどしていなかった私に対し、「ミスターLは何も言わないの？　ジョー（私のあだ名）がメークをしたらミスターLも喜ぶはず。家に帰ってくるようになるわよ」と、たしなめた。彼女の夫は、仕事が忙しくて食事に戻れない日でも、彼女に合うため夜に一度帰宅し、再度仕事場に向かう日もあるらしい。サラは、自分が太ってしまってからは回数が減ったが、夫とのセックスは夫婦間の当然の楽しみだ、とも話していた。

性的関心や愛着という意味で、サラが夫に不満を抱いているようには見えなかった。またサラが語る限りは、夫もまた十分に彼女に性的関心を抱いていたようだった。そして何より、サラは夫との性的な時間を楽しんでいることを隠さなかった。[136] 私には、彼女の不幸を理解することがますます難しくなっていった。

133 金髪で青い目、白い肌、サラと負けず劣らず体格のいい男性だった。若干頭頂部の髪が薄くなっているように見えたが、海水で濡れていなければあまり気にならないのかもしれない。

134 近年エジプト研究では、〈ロマンセイヤ〉のような、愛、欲望、親密性を対象にした研究が盛んに行われるようになっている。詳しい議論については、［Fortier et al. (eds.) 2018; Kreil et al. (eds.) 2021; Wynn 2018］を参照のこと。

135 結婚に先だって行われる「家具を動かす日」(*shail el farsh*) と呼ばれる新居のお披露目では、部屋だけでなく、引き出しや戸棚の中身まで開けて見せてくれる。寝室にこれまでテディベアやハートのクッションが数多く置かれているのを、それまでは単なる乙女趣味として見ていたが、〈ロマンセイヤ〉の意味を理解して、寝室にそうしたアイテムが溢れていることと性的な意味付けがつながっていることにようやく合点がいった。現代エジプトの結婚式については、竹村和朗 (2019) を参照のこと。

136 セックスについての知識は結婚前にすでに身に着けていたというが、誰かに教えてもらったというより、友人や本から自然に知ることができたのだと言っていた。学校でこそ教わったことはないものの、テレビや映画にもセックスは出てくるし、今の子ならそれぐらい知っているのは普通だということだった。ただし、いずれは自分の子どもにもセックスについて教えなければならないが、自分でそれが上手くできるかどうか自信が持てないとのことだった。当時四歳と三歳の娘たちにはまだその時には、そういう話をしたことはなかったらしく、母親から話さなければならないとしても、少なくとも彼女たちがティーンエージャーになるまで待つつもりだと言っていた。

恋心の足りない結婚生活？

父親の家から出るために、投げやりな態度で結婚し、不幸になった。こう語るサラの人生のストーリーは、私には次第に実態に即したものではないもののように思えてきた。そこで、彼女の不幸の内実は、夫に対しバーレーンの男性に芽生えたような淡い恋心もないうちに、結婚話がどんどん進んでしまったことにあるのではないかと考えた。結婚に恋愛感情がなかった、ということが、彼女の不満の種なのではないかと思ったのである。

しかし彼女に、彼女の結婚が恋愛結婚（*qassat 7ob*）ではなかったことを確認しようとしたところ、サラから明確な答えは返ってこなかった。彼女はしばらく、「*bil 7ob*, by love?... love...（愛に基づく、愛のための…愛…）」と考え込んでいたが、結局イエスともノーともはっきりした答えはなかった。その理由はどうやら、自分の結婚がある意味では恋愛結婚で、ある意味ではそうでないと考えていたからのようだった。彼女が言うには、彼女の結婚は、夫が彼女を見初めた点では「恋愛結婚（*qassat 7ob*）」である。それは第三者によってセッティングされた結婚（*magwaz al-ahali*）ではなかった。しかし結婚の申し込みに先立ち、サラが夫になる人物のことを全く知らなかった点においては「恋愛結婚」ではなかった。彼女はこの状況が、「恋愛結婚」に当てはまるのかどうかわからない、と言うのだった。

またさらに、恋心と夫婦であることに関わる、サラと私の前提の違いも、サラに明確な返答を難しくしていたようだった。私にとって恋心があるということと、夫婦であるということは二つの別のことだった。夫婦であっても恋心がない場合もあるだろうし、恋心を抱いていたとしても、夫婦生活を持てるわけではない。しかしサラにとっては、この二つはほぼ同じことを指していたようだった。

恋心について質問した私に対してサラは、夫婦間で〈ロマンセイヤ〉がないのはありえない、と主張した。そして、「どんな女の人も、〈ロマンセイヤ〉なことは好きでしょ」と言って、プレゼントをもらったり、きれいだと言ってもらったりすること同様、セックスも、女性にとっては夫に愛情を示してもらう楽しい機会だと説明した。▽137 すでに述べたが、私が考える以上に、恋をすることと、セックスをすることと、夫婦であることは重なっているようだった。つまりサラにとって、彼女が夫婦である時点で、夫との〈ロマンセイヤ〉を楽しみ、愛情にもセックスにも不満がないことは、当たり前だというのだった。

満たされない(はずの)生活水準

それでは、彼女の不満は生活水準に根差したものだったのだろうか。愛情こそあるが貧しさに堪えがたい、というのなら、私にも彼女の現在の苦悩もわかるような気がした。豊かな少女時代からの転落、という彼女のストーリーに照らすなら、現在サラは、経済的な困窮を生きているかもしれなかった。

①収入

しかし第一印象として述べた通り、A校の他の二〇代女性教員たちと比較すれば、サラは経済的にだいぶ余裕のある暮らしを送っているように見えた。ただし、彼女の経済状態については最後まで詳

……………

137　同様の見解は、アティヤが載録した女性たちの語りにも見ることができる［Atiya 1982］。

しく知ることはできなかった。彼女のA校での給与が七〇〇LEだったとは聞いていたが、夫の収入については最後までわからなかった。夫の収入が重要なのは、エジプトでは、婚姻などを規定する身分法において、婚姻関係にある女性は、男性に経済的に扶養されることが明記されているためである［後藤 2012］。これはまた、イスラーム教が人々に課す、婚姻の義務の一つとしても認識されている［Khalifa 1973: 39-42］。男性の収入は現代カイロにおいて、その男性、ひいては家族の威信にかかわる問題でもあり［ヴィカン 1986］、兄弟姉妹でも知らないことが多い。またなにがしかの答えを得たとしても、その答えが正確なものである保障はない。他人の収入は情報としての価値が高く話題になるものであるだけに、意図的な操作の対象となることがある。

　彼女の月給七〇〇LEは、他の教員の初任給が三〇〇LEであることに鑑みれば、かなり高額だった。サラは、自分の給与が他の教員より多いことは知ってはいたが、それでも十分とは思っていなかった。働き始めた当初彼女は、給与が「全然足りない。絶対他の先生には言わないでね。〔研修期間のため、今〕もらっている額は四五〇LE。二週間たったら七〇〇LEになるの。他の先生より多くもらっているのはわかってる。でも交通費がかかるし、着るものだって必要だし」と話していた。この言葉を裏付けるかのようにサラは、交通費補助の話が出た時▽138には一二〇LE払ってスクールバス・サービスを利用する代わりに五〇LEの補助金を受け取る選択をした。公共交通機関を使っても、スクールバス利用料として徴収される一二〇LEより出費が増えることは明らかだった。しかしサラは、これを機にダイエットがてら徒歩で通勤すると宣言した。そして「たかが五〇LEでも、ないよりまし」と言って、実際に歩いて一時間以上かけ徒歩での通勤を始めた。

②支出

そこまでこだわって得た収入は、いったい何に使っていたのだろうか。彼女はこの質問に対し、「家計の足し」と即答した。とはいえ、彼女が生活のお金に困っているようには一向に見えなかった。サラは、割高な校内の売店を利用し続けていたし、カタログ販売による化粧品購入も続けていた。会話の中で物価が話題になれば、「何もかもが高くなって困る」とこぼしてはいたが、彼女が最近買ったものとして語る商品の値段は、とてもお金に困っている人が払える金額ではなかった。

例えば、物価の話をした日に彼女がはいていたスカートは一五〇ＬＥ、また子ども服についても、

---

138 Ａ校、Ｂ校ではもともと、教員に対し家の近くを走るスクールバスを無料で利用することを（慣例として）許していた。それが二〇〇八年の新学期（一月）から、教員のスクールバス使用として月に一二〇ＬＥ徴収することになった（生徒は以前から、行先によって、月に一二〇ＬＥから二五〇ＬＥ支払っていた）。ただし、スクールバスを利用しないという選択をしてそれを申請し、交通費補助として今の給与に五〇ＬＥ加算してもらうこともできた。サラはスクールバスを使わないこと選択した。サラと同じ選択をした教員は少数派だった。公共の交通機関を使っても、学校までやってくるのに一日往復五ＬＥ（バスやマイクロバスを利用）―四〇ＬＥ（トゥクトゥクやタクシーを利用）の出費になる。それを考えれば、一二〇ＬＥ支払ってスクールバスを利用することは、経済的にも理に適うことのように見えた。またスクールバスを使えば、不特定多数の人間との接触が強いられることもなく、近所でのよい評判を維持するためにも、家の前に直接迎えに来るスクールバスの利点は大きいと考えられていた。それでもサラは、もともと朝の出勤時間が遅いため（このころには、帰宅時間は他の教員と同じ時間にまで延びていた）バスが利用できるのは帰宅時のみだから、と言いながら、スクールバスの使用をやめた後は徒歩で帰宅するようになった。徒歩でも自宅まで一時間二〇分あれば帰宅できるので、混んでいるフェイサル通りを通るスクールバスに乗っていくよりも時間を短縮することができると言っていた。

「今はどこでも二〇〇LEぐらいかかる。ちゃんとしたものを買おうと思ったら。自分がいいと思うものしか着ないし。子ども服なんかも。少しくらい高くても、変なものでないものを買うならね。そういうスタイルで、これは変えられないみたい」と話していた。実際、彼女の娘たちは、ブランド物の高そうな服を着ていた。

普段彼女が買い物に行くと言っていた場所も、カイロの新しいモール（カイロモール、シティセンター、カイロスターズ）が中心だった。サラにとって、ショッピングは趣味でもあり、毎週のように子連れでモールに行くのだと話していた。

その一方、子どもの学費は高すぎると言って、B校に通わせることもできない、とこぼしていた。B校の学費は、年間約一〇万円とA校よりかなり低く、ミドルクラスを対象にした値段設定になっていた。サラが娘の学校の予定と仕事との調整に苦労している様子もあったので、私は一度、娘たちをB校に通わせることを提案した。B校には、職員に対する割引制度もあり、それはかなりの額だと聞いたこともあった。しかしサラは、「B校は高くて有名。全然無理」とその可能性を否定した。貿易会社に勤務するという夫に頼めないかと聞いてもみたが、夫は「かつての自分の小遣い程度」しか給料をもらっておらず、絶対に無理だ、とにべもなかった。ただし、夫の正確な収入については、彼女自身も把握しているわけではないと話していた。

サラの家では、家計は夫が握り、彼女は毎月渡される金額で食費を賄っていた。また買い物に行く時には、その都度お金を与えてもらっていた。サラのように、一切の家計を夫が握るやり方は、当時のエジプト人家庭の、おそらく最も一般的な方法だった［cf. ヴィカン 1986; Hoodfar 1997］▽[139]。そのため彼女は、夫がいくら収入を得ているのか実際にわからなくても問題に感じていないようだった。サラの場合も、私に世帯収入を教えてくれないことに不思議はなかった。ただ、彼女の場合は、実際に彼女自身が夫の収入を把握していないようにも見えた。そしてその事実が、彼女に夫への猜疑心を抱かせ、結果として不幸な結婚生活というストーリーを補強する事実となっていたようにも見えた[▽140]。

彼女の夫は、結婚時の約束であったサラ専用の自動車購入や、高額な授業料を娘たちの学校に払うことは渋っていたが、少なくともサラが日常的に使うお金に困るような暮らしぶりはさせていなかった。ただし、子どもの学費に関する様子からは、大きな出費に関してはサラには決定権がないであろうことも見て取れた。彼女は経済的な問題から守られている代わりに、情報も、決定権も与えられていないように見えた。彼女には夫の収入も、家族の財産についての知識もなく、そもそも、そこに関心を向けることが歓迎されていないような雰囲気があった。

…………

139　二〇〇三年、二〇〇四年に筆者が女性ツアーガイド（既婚者）を対象に調査を行った時も、二三人中、二一人がこうした方法を採っていた。ただし、ツアーガイドの場合は家計の負担を折半しているケースがほとんどだったので、その際は互いが相手の収入を把握して、その上で適正な分担金額を決めていた。その女性たちは、夫が妻に生活費を渡すというやり方を、エジプトで最も一般的なもの、と説明した。

140　夫の収入の全体像を妻が把握していないことは、これまでの研究でもしばしば報告されてきた。そこでは、夫が収入の管理を妻に任すことはまれで、一日いくら、週にいくらといった取決めのもと生活費が渡されるというアレンジが一般的であるという。フードファーによれば、このアレンジによって、妻は常に夫が余剰収入を自分の目的だけに使用しているのではないかという猜疑心を持つことになり、妻と夫に経済的な状況に関する緊張関係を生み出しているという［Hoodfar 1997］。

③ライフスタイル（食事）

彼女の普段の買い物の様子からも、経済的にひっ迫していないことは明らかだった。サラは、食料品を買う時にすら、商品の値段をほとんど気にしていなかった。そもそも、A校には若い教員が多く、休憩時間に教員間で家事が話題になることは少なかった。それでも時々、既婚の女性教員たちと、食事の支度の苦労話が飛び交うことがあった。

ある日職員室で、ドア先生が私に、献立を考える苦労を話したことがあった。その時、ちょうどサラも会話に参加し、時間に余裕がない時の食事の支度について話が始まった。サラがそこで、忙しい日の献立として提案したのは、冷凍食品だった。冷凍食品は子どもの好きなものも多く、チキンナゲットやハンバーガーであれば、疲れて帰ってきてもすぐに用意ができ、手間がかからない。サラはまた、本物の肉を買うより冷凍食品を買った方が、食費（五―八LE）を抑えることができるというのだった。実際彼女は、エジプトの一般的な家庭料理とされる煮込み料理を作るのは週末だけになったといい、平日は、もっぱらバーガー、チキンパネ（チキンカツ）、ビフテーク（薄い牛カツ）といった冷凍食品を利用しているとのことだった。

一般的には、サラが提案した冷凍食品を使いつづける選択は、節約につながるものとは考えられていなかった。[▽141]確かに毎日牛肉や鶏肉を使って煮込み料理をすることに比べれば、一箱の冷凍食品（大人一人か二人が一回に食べる分量、男性であれば一回分）を購入するほうが出費は抑えられたかもしれない。それでも煮込みは、一度調理すれば、数回の食事で提供することができた。また冷凍食品は、それだけで食事にはならないため、他に生野菜やチーズなども用意する必要がある。そのため、結果的には出費がかさみ、サラの言うような節約効果は見込めなかった。

加えて、ハンバーガーやチキンパネ、ビフテークなどの簡単な肉料理は、カイロの庶民の食卓に毎食上がることのない、ある種のごちそうだった。一般的な感覚からいえば、冷凍食品とはいえ、平日に毎日使用するのはかなり贅沢な選択であった。彼女のように、子どもと母親だけが軽く食べるという場合には、カイロの一般的な家庭であれば、肉の代わりに卵かチーズ、もしくは「エジプトのソールフード」とも言われる豆を煮込んだフール、空豆でできたコロッケのターメイヤ▽142という豆料理が普通であっただろう。冷凍食品とはいえ、そこに肉が並ぶことで、一食のコストは二LE程度から一五LE以上に跳ね上がっていた。

冷凍食品やファストフードがカイロに浸透し始めたのは、比較的最近の出来事だった。冷凍のファストフードが頻繁に食卓に上がることと、彼女がファストフードに慣れ親しんできたことと無関係ではなかった。サラは、冷凍食品だけでなく、普段から子どもと一緒によくファストフード店も利用していた。冷凍食品もファストフードも、カイロに暮らす年配の人々の生活には、ほとんどないも同然だったが、子ども向けのテレビ番組ではこうした食品のCMが頻繁に流れていた。こうした食品は、

……………………

141 近年輸送機関や店舗での冷凍保存機器が整備されたため、カイロでも冷凍肉が新鮮な肉より安価に出回るようになってきた。ただし、ここで言及する冷凍食品はそうしたものではなく、ナゲットなどの半調理済みの食品のことである。

142 フール、ターメイヤはエジプトの朝食の定番だが、朝食以外で食べられることも多い。どちらも調理済みの状態で売られている。

今後エジプトの家庭に、さらに普及していくと考えられるだろう。こうした食生活の変化について、ある不動産開発業者は、エジプトの住居の在り方にまで変化が及んでいると語っていた。煮込み料理をするためには大量の野菜の下ごしらえをする必要があり、かつて（そうした作業をお手伝いさんに任せることのできない）庶民の家庭では、そうした作業は居間で行われていた。また火を使う作業は基本的に煮込む作業が中心になるため、その間人間が台所にいる必要はなかった。そのため当時の台所は、火を使うためだけの場所として小さな面積で作られていた。それが近年の台所は、台所で揚げ物や盛り付けといった作業を行うようになり、より広く、また採光のよい場所につくられる傾向に変化しているとのことだった［鳥山 2012］。

④住居

サラの住居にも、新しいライフスタイルは反映されていた。不動産屋の解説の通り、サラの家のキッチンは、家の端ではなく、玄関横のダイニングにオープンカウンターでつながり、家の中央に設けてあった。キッチンそのものは、日本のシステムキッチンのように、壁一面の作り付けの棚と、ステンレス製の広い調理台からできていた。調理台があるキッチンは、冷凍食品など立って短時間で調理するのに適した作りになっていた。

キッチン以外にも、サラの自宅には彼女の家族（サラと夫）が新しいものが好きなことを窺わせる、様々なアイテムが揃えてあった。例えば、家族が普段過ごす居間には、ＰＣ台に備えられたデスクトップコンピュータがあり、その向かいには、テレビとＤＶＤプレーヤー、そしてその横にはウォーキングマシーンと腹筋運動用の器具が備えてあった。また玄関脇の応接間には大型のＣＤコンポ、バスルームには横型ドラム式の最新式洗濯機がそろっていた。さらにトイレのシャッダフ[143]も、便器とは別の、流行りの調整ノズル付きホース型がつけてあった。ウォーキングマシーンや腹筋運動用の器具は、当時盛んにテレビＣＭが打たれていた商品だった。テレビで宣伝されるダイエット器具を、実際に購入したのはそれが初めてではなかったらしい。これまでにもいくつか買ったことがあり、自分が楽しんで取り組めるものだけを手元に残したらしかった。

彼女の自宅は、カイロの多くの核家族が望む暮らしを体現したものに見えた。揃いの木製応接セットと、家具の柄とマッチしたカーテンが印象的な応接間、バスタブを備え最新式の洗濯機が置かれた近代的な浴室兼トイレ、ベッド、鏡台、衣類ダンス、ベッドサイドテーブルが揃いで整えられた寝室[144]、そしてソファ、テレビ、ＰＣ、ダイエット器具などがつめこまれたリビング、これらはまさに典型的なエジプトの中流家庭の住居であった。

しかし、シャイマはこの家のことを「好きではない」と言っていた。私は、彼女の自宅を訪れ、彼女の言わんとしたことがなんとなくわかったような気がした。彼女の住居は明らかに、彼女より年配

143 おしりを洗うためのシャワー。便器に備え付けてあるものと別付のもの、また便器と独立したビデ式のものなどがあるが、サラの家のものは、小さなシャワー状のものが別付になっているものだった。

144 エジプトでは、特大クローゼットと化粧台、ベッドがセットで売られている。主寝室はその揃いの家具を入れるだけで整えることができる。

で、より庶民的なテイストを持つ女性によって整えられたものに見えた。少なくとも、この家に、彼女らしさは感じられなかった。

サラの年齢や、普段のファッション、また家にある電化製品の充実度と比べると、住居全体のイメージは古めかしかった。彼女の趣味を考えれば、もっとモダンで、洗練された家具や部屋の配置がされていてもおかしくなかった。例えば、かつてのエジプトの住居で応接間にお金をかけることが一般的であったとすれば、最近の若い夫婦は、家族が長い時間を過ごすリビングにお金をかける傾向がある。若い人たちの間では、リビングや応接間に、これまでエジプトで主流だった、マホガニー調やフレンチデコ調の木製の家具ではなく、スチールパイプやクッション材を使った「アメリカン」と呼ばれるカジュアルなデザインの家具を入れることが流行っていた。しかしサラの自宅のリビングは、揃いではあるが一貫性のない家具を入れた、雑多な印象の強い部屋だった。年期を感じる分厚い木材の棚や、かつては応接セットの一部だっただろうソファ、デスクトップPC、ランニングマシーン、テレビなどが共存する空間には、家族しか使わない部屋だから洗練させる必要がない、という一昔前の考え方が反映されているように見えた。

彼女の住居は全体的に、最新式の設備が整えられている一方、家具や内装には一昔前の雰囲気が漂っていた。カイロでは結婚に際して、新婦側がこまかな家財道具や衣類、寝室やリビングの家具一式、さらには浴室やトイレなど家族だけの居住空間に入れる家具を揃えることが多い。新郎は、住居そのものと応接間の家具、電化製品などを負担する。これらは通常、夫婦と双方の家族が、女性親族を中心に相談や分担をしながら手配する。結婚時にすでに母親を亡くし、力になってくれる女性親族が周りにいないと感じていたのなら、シャイマがそれらの支度に自分の意見を反映させられなかった可能性も高い。実際、積極的に動いてくれる親族がいない場合は、金銭的負担は折半し、どちらか都合のよい家族が全てを揃えるという方法がとられることもある。

相対的な不幸

サラが語るように、サラの生活水準は、母を亡くしてからの数年間で激変したのだろう。結婚時の約束が満たされていないことにも、孤独にさいなまれていることにも、疑う理由はなかった。彼女はまた、娘たちを自分と同じB校に通わせることができず、歯がゆい思いもしていた。そのどれもが、現在のサラを苦しめていた。

しかしその苦しみは、私にとっては共感することが難しいものだった。確かに、彼女の現在の生活水準は、彼女が夢見ていたものとは違ったかもしれない。しかしそれでも、彼女の生活は一般的なカイロ市民のものとは比べ物にならないほど恵まれたものだった。その暮らしぶりを「不幸」という言葉で嘆くのは、私には自分勝手なことに思えもした。この数年間、彼女には不幸な出来事が重なって起きていた。しかし同時に、親の経済状態が良かったことも、サラにとっては偶然でしかなかった。そのどちらも、自身がそこでどう生きるのかこそが重要なのではないか。そう考えてしまったが最後、私にはサラが、自分のことしか考えず、全てが自分中心に動いていると考えるような、自分勝手な人間にしか見えなくなってしまった。

目の前で自分の不幸を嘆くサラの痛みは現実だった。生活水準が相対的なものであることを踏まえれば、それが下がることで強いられる苦痛は、現在どんな生活を送っていようと感じるものなのだろう。彼女がつらい、悲しい、疲れた、という時、そのどれもが本当の感情なのだったとは思う。しかし私には、彼女に感情的に寄り添うことは難しかった。

言い訳のようにはなるが、私には家に帰れば、人並みの暮らしを得ようともがくエジプト人の夫がいた。サラの生活は、夫からすれば成功者のものだった。そのこともあって、サラのことを知れば知るほど、私にとって彼女に共感することは難しくなっていた。実はサラには何度か、私の夫の職業や年収を聞かれたこともあった。私はその度に戸惑った。彼女には、個人的な話を数多く語ってもらっていたこともあり、信頼の証しとして、彼女に真実を告げるべきだという気持ちもあった。しかし同時に、彼女がその情報をもとに、彼女より下に私を「格付け」しようとしていたことにも、うっすらと気づかされていた。

3 〈ヘルワ〉な私

本章ではサラという人物を、彼女が自分自身を説明するのに使った〈ヘルワ〉という表現に注目して検討した。サラが語る人生で興味深いのは、男性の視線に晒され、〈ヘルワ〉として美しさを称賛されることが、彼女にとって重要なアイデンティティとなっていた点である。サラにとって、バーレーン人男性に見初められ、結婚を申し込まれたことこそが、人生のクライマックスになっていたのだった。バーレーン人との出来事は、サラが自分の人生観、つまり〈ヘルワ〉な女性には、〈ヘルワ〉な女性にふさわしい人生がある、という考えを確信に変えていた。

〈ヘルワ〉であることは、サラがサラでいることの重要な核ではあったが、彼女の不幸の源泉でもあった。〈ヘルワ〉な彼女には、それにふさわしい素晴らしい生活が用意されていたはずだったのに、彼女にとって今の生活は、「こんなはずではない」現実と認識されていた。

結婚を通じた自己実現は、中東ジェンダー研究にとって古典的なテーマである。男性を公的空間、女性を私的空間である家庭に振り分けるジェンダー枠組みにおいて、女性の成功は、結婚による成功と密接に結びつけられてきた。とりわけ女性にとって結婚は、経済的保障と、社会的位置と、人生に喜びをもたらす、人生最大の転機として議論の中心を占めてきた［Hoodfar 1997; Roque 2020］。

サラが人生で目指していたのも、ある意味では結婚を通じた自己実現だといえるだろう。その彼女の希求は、結婚重視のジェンダー規範を踏襲していた。彼女は幸せが、「素敵な男性」という形でやってくることを待っていた。また私の夫を値踏みして私の格付けしようとしていたように、男性を通じて女性の価値を測る、家父長制的論理に即した行動をとっていた。改めて振り返ってみると、父親の管理下から逃れるために結婚したことも、スカーフで頭髪を隠すことも、いざ働こうと思った時に教員になろうと思ったことも、彼女がこれまでとってきた行動は、どれもジェンダー規範に則した「女性的なもの」だった。こうした価値観を生きてきた彼女の生き様は、女性として家父長制を支えるものであったとすら言えるだろう。

しかしサラの姿は、巷で語られる抑圧的なジェンダー規範の犠牲になる中東女性のものとは程遠かった。彼女は自分を不幸だと考え、痛みや悩みを抱えてはいたけれど、それは女性であることの困難や、物質的な困難というよりは、私には、単なる自己認識の問題であるように見えた。彼女が「果たされなかった幸せ」の規準にしていたバーレーン人とのロマンスは、彼女にとっては成功を約束する夢のチケットにはなっていたけれど、それは幸せになる確証のない夢物語でもあった。そこに照らして今の自分を不幸だと嘆くサラの姿は、彼女自身が自分で作り出したものに思えたのだった。私からすれば、彼女の姿を「抑圧の被害者」や「社会制度の犠牲者」としてまなざそうとすれば、彼女の私利私欲、つまり彼女自身の主体性が邪魔をした。彼女にいくら辛さや悩みを訴えられても、私はそれにすぐに共感することはできなかった。

中東ジェンダー研究では、八〇年代から九〇年代にかけて、この地域の男性優位に見えるジェンダー不均衡を女性たちが主体的に支えるロジックの解明が試みられてきた。それは、女性たちを制度の犠牲者とみなすのではなく、女性たちの主体性の上に彼女たちの行動を理解しようとする取り組みだった[鳥山 2018]。家父長制という制度が女性にも資源のアクセスをもたらすこと[Kandiyoti 1988; 1998]、子どもや兄弟姉妹の利益も含みこんだ自己意識が存在すること[Joseph 1996; 1994; Joseph (ed.) 1999]、そして神への愛のために自らを律する女性たちの行動[Mahmood 2005]。これらはいずれも、女性の主体性を追求した考察の結果生み出されてきた知見であった。

一方サラが主体的に生きていた〈ヘルワ〉としての人生観とは、簡単にいえば、美しく、男性に望まれ求められる自分を生きることであった。こうしたサラの人生観は、従来の中東ジェンダー研究の知見に、部分的に重なるところはあれど、そこからずれるものもある。彼女の中で、「女性として求められること」は、結婚と、〈ロマンセイヤ〉として重なってはいたが、彼女が大きな関心を払っていたのは、結婚そのものではなく、女性として男性に求められることだった。同様の傾向は、近年の若い女性たちのSNS利用において幅広く見ることができる。エジプトの若い女性は、自ら進んでセクシーで、蠱惑的な姿をSNSにアップし、多くの人から「いいね」をもらいたがっている。彼女たちのほとんどは、そこで結婚相手を探しているわけでもなく、ましてや売春目的なわけではない。ただ彼女たちは日々の自分の生活に寂しさや物足りなさを覚え、SNSはその穴を、自尊心を高めることで簡単に埋めるてくれるツールとして利用されているのである。

神への献身でもなく、家族との連帯でもなく、資源へのアクセスでもない彼女の望みは、男性に望まれ求められる、〈ヘルワ〉な自分になることだった。それは、私にはくだらない浅はかな人生観に映ったけれど、このSNS人気の潮流において、一つの主流言説になりつつあるのかもしれない。現にサラは、過去の自分の姿を基準に、求められる自分が彼女の人生から奪われたことを嘆き、悲しみ、苦痛を感じていた。女性に主体性を見出しつつ、社会構造に権力関係を見出すジェンダー論の視点からいえば、問題があるのは、男性のまなざしのもとに自己定位することを女性に求める社会的文脈である、ということになるだろう。そうとでも考えなければ、サラが抱えていた孤独の理由が両親を失うことや、ワンオペの育児にありながら、男性に求められることでそれらを解消しようとする彼女のロジックを理解することは不可能である。

改めて指摘するまでもなく、女性の性の商品化は[145]、フェミニストたちにとっての最大の争点の一つとされてきた。女性を性的にまなざす主体は、男性に限られるものではない。女性もまた、商品化された女性の性を消費する。その文脈で優れた商品であろうと主体的に行動することもまた、消費の一つの在り方である。女性の性の商品化が、資本主義社会の一つの特徴であるならば、グローバル消費社会に取り込まれたカイロでもまた、こうした言説は力強くその存在感を放っていることにも合点がいく。サラが生きる〈ヘルワ〉な世界観は、グローバルな消費主義言説の、カイロ的流用として考察することも可能だろう。

カイロの女性の肥満をめぐる言説について研究したバショウニーは、九〇年代以降、肥満がエジプトの社会問題として発見され、かつて理想的とされた女性の豊満な体形が、健康や美容といった観点から非難の対象とされ、性的な魅力に欠け、不健康で、自分自身を管理できないことを証明するものに変化したと指摘する［Basyouny 1997］。そしてその背景に、女性身体のモノ化、身体の医療化、そして西洋近代的な身体観に価値を見出すヒエラルキーの浸透を看破した。また美容言説を研究したガンナムは、グローバル化により商品や情報の移動が加速したことで、カイロでも新たな「望まれる身体（desired body）」の構築が進んでいると分析した［Ghannam 2004］。現代カイロにおいてすでに、「女性身体は、様々な伝統、規律、そして概念的な見解が、豊かで、変化に富んだ、複雑な方法で交錯するアリーナとなっている」［Basyouny 1997: 123］。そこにはもう、イスラーム教やアラブ的家父長制によって管理される女性身体、という言説だけでは説明できない現実がある。

私にとってサラの〈ヘルワ〉な人生が共感しづらいのは、そこに彼女の欲望が鮮やかに映し出されすぎており、しかもそれが、私がエジプトや中東の女性たちの生き方に想定していたものから離れていたためだったように思う。彼女の欲望は、私が日本や欧米で接してきたものと似すぎていた。私にとってサラの〈ヘルワ〉な人生が突きつける難しさは、家族、宗教といった特定の組織に還元することで、彼女たちのことをわかったつもりになれないことにあった。そして女性たちの欲望に、それがどれだけくだらなく、意味がないものに見えても、そこに価値を見出し真摯に受け止めなければいけないことにあった。特定の言説（例えば宗教や家父長制に関わるもの）は正面から向き合う必要があるが、通俗的で、普通で、当たり前の言説はなかったことにしてもいい、というのは欺瞞以外の何物でもないだろう。特定の言説のみが他より重視されるのならば、そのこと自体を分析する必要がある。

とはいえ、どれだけ現地の価値観を知りたいと思っていても、調査者にとっての好き嫌いもある。彼女たちのことを知りたいと言いつつ、サラの話を長時間聞かされ続けることを知る瞬間に私は、耐え難いものを感じることがあった。確かに単なる自慢話や夢物語として語られることにこそ、調査の醍醐味があるとは思う。しかし当時の私には、そう言われてもなお、彼女の話に向き合い続けることは難しかった。

145 澁谷によれば、問題となったのは、①モノとしての女性の性の矮小化、②商品化される性の非対称性（女性が対象とされる）、③商品化という指標による女性内の分断、④美を判断するのが資本と権力を握る男性であること、の四点である［澁谷 2002: 283-4］。

第7章　異物としてのサラ

A校の学校教員の中でサラは、明らかに一人出身階層が違うように見えた。身に着けているものの値段だけでなく、そのコーディネート、また話し方や人間関係形成の方法も、他の二〇代女性学校教員とは違って見えた。

シャイマをはじめとする他の二〇代女性学校教員は、家族の中で最初に大学に進学した女性だった。彼女たちが、下層から中層の中産階級出身者だとすれば、サラは、上層中産階級、あるいはプチブル、ニューリッチ、といった層の出身者といえるだろう。本章では、こうした社会階層の違いに注目しながら、サラと他の教員間の関係について考察していきたい。

1　上層中産階級出身者としてのサラ

豊かで望まれた少女時代

サラがA校と同系列のB校の卒業生だったことは出会いの記述で示した通りである。彼女が学齢に達した時、彼女の父親は、ハラム界隈で有名な高級私立校だったB校に娘を通わせることにした。当時のB校は、現在のA校のように、一部の限られた富裕層のための学校というイメージで売り出していた[146]。サラはB校について、「当時のB校はとにかくいい学校だったよ。五つ星（笑）。先生が生徒たちにサービスをするっていう点でも五つ星ホテルみたいだった」と説明した。

父親はサラにはとにかく優しかったが、勉強についてだけは口うるさかった。サラが唯一、父親に激しくしかり飛ばされたという記憶も、彼女が勉強をさぼっているところを見つかった時のものだったらしい。一所懸命勉強はしたが、サラは特に勉強ができる子どもではなかった。B校を卒業した後は、当たり前のように、私立のセッタ・オクトーバー大学に進学した。彼女が通ったセッタ・オクトーバー大学は、一九九六年に初のエジプト系私立大学として設立された大学だった。サラが通っていた当時は、学費の高さから、裕福な家庭の子どもしか通うことができない大学として知られていた[147]。その一方で、国立大学に入学が許されなかった勉強のできない若者の大学、という否定的な評価もされていた。

進学した理由についてサラは、「高校を卒業して家にいるなんて嫌だったし、お母さんが私に大学に行ってほしがっていたから」と説明した。B校は教育の質の良さをアピールはしていたが、サラの時代には、生徒たちの多くは国立大学に進学できず、彼らは二流との評価もあった私立のセッタ・オクトーバー大学に進学していた。当時を振り返りサラは、「大学に行って驚いたよ。みな知っている人たちだったからね。ほとんどがB校の卒業生。B校のクラスがそのまま大学に行ったみたいだった。あそこはB校の大学だったんだよ」と印象を語っていた。

セッタ・オクトーバー大学は、今でこそ市内からの交通機関も増えアクセスがよくなっているが、とにかくカイロ市内からは距離がある。サラは毎日自分で車を運転して通学することになった。大学進学時に、父親が彼女のために赤のフィアット（FIAT）を購入し、この車と共に彼女は学生時代を過ごすことになった。大学に入学すると同時に、彼女は好きな場所に自分で運転して遊びにいけるようになる自由を得た。それが楽しくて、それぞれ自分の車を持つ友人たちと遊びまわっていたという。女性だけでなく男性の友人もいたが、当時一緒に遊びまわった友人たちは、今ではみなしっかりとした仕事につき、社会的な成功を収めているらしい。

彼女の父親は、毎月一〇〇〇LEを、ガソリン代という名目で彼女に資金援助をしてくれた。[148] そ

146 二〇〇七、八年当時、ランゲージ・スクールの教育は一般に高く評価されていた。例えば自分の息子（調査当時二六歳）をランゲージ・スクールに入れたというファトヒ先生は、そのおかげで息子は、石油会社のエンジニアの仕事に就くことができ、月給は自分の一〇倍だと話していた。

147 "October 6 University at a glance" October 6 University Official Website (https://o6u.edu.eg/dpagesuni.aspx?FactId=0&id=667) 最終アクセス日二〇二一年八月二〇日。

148 二〇〇〇年当時、ハラムのサンマーン村（*Nazlet el Sanman*）の中心、スフィンクス広場（*midan abuelhol*）のスィースィー通

のお金は、ガソリン代だけでなく、衣類や化粧品の購入、外食費にと使ってすぐになくなってしまったが、必要な時にはお願いをすれば、二〇〇〇LE程度であれば父親が追加で出してくれたという。

裕福な女子大生

サラに語られた大学生活は、九〇年代後半のエジプトにおける、絵に描いたような上層中産階級の生活だった。自分専用の車があるライフスタイルは、私が同時期に通っていた（通っていたのは修士課程で学士課程ではなかった）、カイロアメリカン大学の学部学生とも非常に似通っていた。九〇年代末から二〇〇〇年代にかけて、自動車を所有しているかどうかは、大学生の階級意識形成において重要な意味を持っていた。子ども専用の自動車がなければ、カイロアメリカン大学やセッタ・オクトーバー大学では、子どもに恥ずかしい思いをさせると考える親も多く、自分専用の自動車を所有することは、階級指標となっていた。

セッタ・オクトーバー大学に通い、赤いフィアットを乗り回すサラの学生生活は[149]、公立の学校を卒業し国立大学出身の、他の二〇代女性教員たちとは大きく異なるものだった。彼女がもらっていた一〇〇〇LEというガソリン代は、彼女が大学を卒業した二〇〇〇年の一人当たりGDPの二〇%に当たる（二〇〇〇年の一人当たりGDPは五六〇三・五二LEだった［IMF-World Economic Outlook Databases 2013］）[150]。サラは、夫の収入をかつての自分の小遣い程度、と漏らしていたが、彼女が二、三〇〇〇LEの小遣いをもらっていたのであれば、夫の稼ぎとしてそれが現実だったとしても、社会的にみればそれほど悪いものではないということになる。

地元名士の一族

サラの生活水準についてもう一つ、彼女の親族についても記しておきたい。サラに校外で初めて会うことになった時、サラは待ち合わせ場所に、ある塗装具販売店を指定した。待ち合わせ場所がペンキ屋だったことに違和感は覚えたが、私の家族に確認してみると、そこは誰もが知る有名ペンキ店だとのことだった。確かにそのペンキ屋は、バス停の名前にもなっているような店だった。▽151

行ってみてわかったのだが、そこは、彼女の伯父が経営するペンキ店だった。店の従業員はみな、文字通りサラに傅(かしず)かんばかりに丁重なもてなしをした。それだけでも十分に驚いたのだが、「自宅がネズミ駆除中なので代わりに」と連れていかれた彼女の伯父の家には、再度驚かされた。それは典型

……………

り（*syaria el sisi*）側にあった日雇い労働者のピックアップ場所では、一日八LEから一二LEがいい仕事（普通の仕事）の相場とされていた（筆者の自宅建設の際の支払い価格）。スキルを持たなければ、一日五LE程度のこともあった。また、ターメイヤの調理やカフェの給仕は一日三LEから五LE程度＋チップが相場だった。一〇〇〇LEは、単純計算すれば、彼らの日給の二百倍、二〇〇〇LEは四百倍である。

149 二〇〇〇年代半ばに輸入自動車への減税が行われるまでは、多くの庶民にとって自家用車を持つことは叶え難い夢だった。

150 これを単純に日本に置き換えれば、二〇〇〇年の一人当たりGDPが四〇二万六三一・七八円なので［IMF-World Economic Outlook Databases 2013］、約八〇万円を月々の小遣いとしてもらっていた計算になる。もちろんこうした単純比較には意味がないが、この比較からいかに小遣いの額が破格かがわかるだろう。ただ、サラのような生活をしていた学生にとって、この額は決してとんでもない額ではなかった（http://ecodb.net/country/JP/imf_gdp2.html）最終アクセス日二〇一三年一一月二日。

151 エジプトのバス停留所には一つひとつ名前がついておらず、人々はその停留所の近くにある目印を停留所の名前として用いて識別する。

的な地元名士の家だった。▽152 建物自体は、大通りから未舗装の通りをしばらく入ったところにあるのだが、二階には一二〇平米以上あるというワンフロアぶち抜きの応接間がしつらえてあった。この階には、壁際に一面ソファと応接椅子が並べてあるほかに、ところどころに複数の応接セットが入れられていた。こうした部屋は、親族会議が行われる時に用いられる部屋だといわれ、地元の有力議員の邸宅に見ることができるものだった。彼女の場合は、伯父が地方議員だった。

2 エジプト社会における社会階級

エジプトを始めとするアラブ社会については、社会集団への帰属が「個人」に優先されるとする議論もある。カマールによれば、こうした知見は現地の人々の認識に基づき作り上げられ、人類学だけでなく、歴史学、政治学といった多様な分野で共有されるようになった［Kamal 2004］▽153。カマールは、中東において、同質集団内のダイナミクスや差異の在り方が注目されてこなかったのは、この認識に責任の一端があると指摘する［Kamal 2004: 65］。しかしながら、エジプトの同質集団の内部には多様な差異がある。例えば、社会階級格差は、同一親族内にも、同一職能集団にも存在する。ある親族集団の中に、裕福な家族も、そうでない家族もいることは珍しいことではない。エジプトの学校教員についていえば、シャイマの議論で触れたように、彼らの多くが他の仕事に就くことができなかった下層中産階級出身の大卒者であった。それでも中には、サラのように、比較的高い社会階層出身者もいた。

社会階層構築において、エジプトの場合、国家が重要な役割を果たしてきた。五〇年代初頭に始まった、第二代大統領のナーセル率いる社会主義改革、また七〇年代の第三代大統領サッダートによる門戸開放政策と、二〇世紀半ば以降のエジプトでは、政府主導で社会階層の再構築が進められてきた。その主要な牽引力とされてきたのが、教育である。ナーセル大統領は、国民皆教育制度を牽引し、初等教育から高等教育（大学）に至るまでの授業料を無償化した。さらに中等教育修了証の保有者は、希望をすれば、公的セクターでの仕事を政府から紹介されるという制度が構築された。こうした制度のもと、教育を受けた若者は、国家の近代化の恩恵を受けた「エジプトの中産階級」となっていった。しかし社会階層は、時間の経過と共に硬化する。社会学者のイブラヒームは、エジプトでは六〇年代末にはすでに社会階層の硬化が始まり、社会の上方移動は、中産階級と富裕層だけにゆるされるものになったと指摘する［Ibrahim 1982］。

ただし、ここでイブラヒームが言う中産階級は、本書における上層中産階級のことだけを指すことを書き加えておきたい。その理由は、エジプトにおいて中産階級が、現地の認識に基づき、経済水準ではなく、学歴を指すものだと議論されてきたという背景があるからである。例えば庶民街の女性たちについて研究したマクラウドは、エジプトでは、学歴があることで中産階級とみなされるが、彼ら

152 こうした部屋は、大勢の人間が集まることのある地元の名主などの家にしつらえてあるもので、この部屋の存在から、彼女の家族が近隣一体で力を持っていることが感じられた。

153 詳しい議論については、パタイ（1977）、Rugh（1984）、Tucker（1993）、Wikan（1996）等を参照のこと。

の経済水準が必ずしも貧困層より高いとは限らないと解説する［MacLeod 1996: 29］。▽154とりわけ庶民街においては、子どもに学歴があることや、公務員として政府の仕事に就くことは、中産階級を貧困層と区分する重要な指標とされてきた。同じく貧困層の女性を研究対象としてきたルーも、公務員の給与が安く、たとえ経済的には貧困層と同じだとしても、子どもが公務員であることは、コミュニティ内では中産階級の人間として、貧困層とは異なる扱いがされると記述する［Rugh 1985］。また当然のことながら、下層中産階級の人々は、中層中産階級や上層中産階級の人々から激しい差異化の対象とされてきた。その際の指標は、勤務先が公的セクターか民間企業かであったという［Mohsen 1985］。エジプトでは、民間企業で働くことができれば、公的セクターでの雇用に比べて何倍も高い給与が得られると広く考えられている。公的セクターで働くだけでは、上層中産階級の生活を営むことは難しい、というのが一般的な認識である。シャイマの議論でも触れたように、そうした民間企業で働くためには、ランゲージスクールや外国ディプロマ校を卒業し、外国語能力や、コンピュータスキルに優れていることが必要とされている［Barsoum 2004］。つまり、外国語教育に力を入れた私立の学校を卒業していることが、民間企業に勤めるためには必要で、そうした学校に通うためには、中産階級でも、中層か上層に振り分けられる経済力が必要なのである。

自分たちの給与を好きに使うことができるA校の二〇代女性学校教員たちの多くは、経済的に貧しい家庭の出身者というわけではなさそうだった。しかし、だからといって彼女たちにとって階級が重要でないわけではない。むしろ、中層中産階級であるならさらに一層、貧困層や下層中産階級に対しては、彼らとの違いを強調する必要があり、また自分より上位の階級に属する人間には、違いを悟られないよう、またいつ見下されても傷つかないでいる構えを整えておく必要があるのだった。[155]

3 職場における社会的帰属

しかし、社会階級や社会階層が重要だといったところで、出身階級や階層が違っていることが、A校の教員による普段の会話であからさまに語られたりすることはなかった。もともとカイロでは、未婚のエジプト人女性たちが職場で、自分たちの親族の話や家族の職業の話をしたりすることはそれほど多くない。カイロでも、歴史のある街区においては、その街区の力のある親族に属しているかどうかには重要な意味が与えられている。しかしそこに意味を見出されるのは、コミュニティに属している間の話であり、職場で親族の話をすることはあまりない。特に若い女性の場合は、そうした話はほとんどしない。コミュニティを超えて広く知られる、政治家や経済界の大物になれば話は別なのかもしれないが、そもそも女性の場合には、職場、学校、家族といった複数の場をあまり共有したがらない傾向が存在する。特に都市部で仕事に就くと、職場の友人とは職場だけ、近隣住民とは居住地でだけ、学校の友人とは学校だけ、という形でコミュニティを分けて付き合いは築かれ、それらはほとん

154 同様の議論は、Armbrust (1996) や De Koning (2005) にも見ることができる。
155 「下方スライディング社会」としてのカイロの考察は、*Cairo Pop*［Gilman 2014］に詳しい。

ど重ねられることがない。[156] 職場関係者の葬儀への参列も、男性には奨励される一方、女性には必要ないと思われていた。そうした若い女性たちの間では、家族の懐事情がわかるような話は、仕事仲間の場合は、そうとう親しい仲であっても、まず交わされることはない。そのため、自宅を訪れることでもない限り、同僚の生活水準について知ることはそもそも難しかった。

経済的格差

そうは言っても、A校で勤務を共にし、おしゃべりを交わしていれば、生活水準の差は自然と見えてきた。しかもその違いは、往々にしてその場に緊張感を生み出した。それは例えば、買い物に関わる話に顕著だった。一つ例を挙げてみたい。

二〇〇七年一一月も終わりが近づいてきたころ、いつものように二〇代女性教員が休憩時間を過ごしていた時、シャイマが中国人行商人について話しだした。このころ、教員たちの多くが暮らすハラム地区にも、中国人行商人による訪問販売[157]が頻繁に訪れ始めていて、A校でも中国人行商人のことが話題になっていた。中国人行商人は大抵女性で、大量の商品を背負って、地域の家を一軒一軒訪ねてきた。行商人には、二〇代教員とほとんど年が変わらない若い女性もいて、二〇代女性学校教員の中でも関心が高かった。

その日もシャイマは「ついに自分の家にも来た」という喜びと驚きを込めて、「中国人の女の人来るよね。言葉ができない人。アラビア語も英語もできない。大きい荷物を背負って、プルプルプル(呼び鈴の音。電子音でこうした音を鳴らすものが一般的)っていきなり来るんだよね。言葉がわからなくて、ニャーニャーいってる。『マダム、マダム』ってね」と話し始めた。

そこへ、ちょうど授業を終えたサラが、周囲への挨拶もそこそこに、「うん、多いよね、うちのあたりにもよく来るよ。いろんな物を持って。衣類とか、化粧品とか。化粧品なんかだったら、家に入ってもらって見せてもらうけど」と会話に割り込んだ。そして彼女は、これまで実際に化粧品やパジャマや家着などを購入したことがあると話し始めた。専業主婦だった時は、ずっと自宅に籠もっていたので、商品を家の中に広げて見せてくれる行商が楽しみで、これまでに数回利用したことがあったらしい。

しかし、サラが自分の経験を語り終わったころには、場は白けた空気に包まれていた。シャイマが変な空気をとりつくろうように、過剰な元気さで、「うちもお母さんは、買ったりしていることもあるみたい」と楽し気な声をだしたが、会話を続ける人はいなかった。しばらく沈黙が流れた後、モナとナディアがその場から立ち去った。

サラのこの時の発言は、どうやら「見せびらかし」と捉えられたようだった。問題は、シャイマが

……………

156 例外は親族関係である。姉妹やイトコで同じ職場で働くことは珍しいことではないが、これは、コネを用いて就職しようとした結果生まれる状態である。積極的に家族関係を利用して就職した場合を除いて、異なる関係性が積極的に重ねられる様子は観察できなかった。

157 こうした中国人女性による行商のスタイルや販売物品は、鷹木（2002）が記述したチュニジアの農村部におけるチュニジア人女性による行商のそれと非常に似通っている。

始めた、中国人行商人との未知との遭遇というストーリーを、サラが横からでしゃばり、彼女のショッピングの話にすり替えてしまったことにあった。二〇代女性学校教員は、もともとのサラとの経済力の違いをうすうす感じていたために、それを隠さず得意げに話すサラは、自分の優位をひけらかす女、と理解されたのだった。

「コネクテッドネス」格差

似たような出来事は、それから一月ほどたった一二月半ばにも目撃することができた。この時話題になっていたのは、化粧品だった。二〇代女性教員たちの間では普段からメークが話題になることが多く、化粧法や化粧品の情報、化粧品の購入方法についての情報が交換されていた。この日私はサラと一緒に、女性教員のたまり場になっている作業部屋を訪れた。そこにいた、ナディアとシャイマは、質の良いマスカラをどうしたら買えるのか話し合っていた。

私は当時、カイロでエジプトの化粧品文化について調査をしていることになっていた。学校にいない時間は、カイロ市内の化粧品販売店などをめぐっていたこともあって、そのころ知った化粧品専門店のことを話してみた。▽158 ちょうどその店が、カイロ郊外に新しく建てられた巨大モールにも出店を重ね、一般の人々にも名前が知られ始めて話題になっていた。

ナディアは、私がその店の名前を口にするとすぐ、あきれてしまったという様子を大げさに身ぶりで示し、「ヤー、ハベブティ（ねぇ、愛しい人）、ヤー、ジョー（筆者の名前）、エジプトでは私たちは高級外国ブランドの化粧品を使うことはできないの。私たちの手に入る（買う）最低の化粧品は中国製、最高の化粧品も中国製なのよ」と言って、自分の冗談に声をたてて笑った。私は続けて、「じゃあ、エジプト製はどう？」と質問すると、ナディアはすかさず、「ヤー、ビンティ（ねえ、私の娘）[159]。あなたはまさに外国人ね。エジプト製のものを使うぐらいなら、私は中国製で満足だわ」と、ため息まじりに、あえて大げさな物言いをした。彼女が、自分の言ったことがおかしくてたまらない、というように大笑いをはじめると、その状況としぐさがおかしくて、その場にいたシャイマと私も自然に笑いだした。

しかしその時なぜかサラだけは笑わなかった。そしてみなの笑いが収まると、「じゃあ私の家の近くにできたアウトレットを知っている？」と切り出した。その店にはイヴ・サンローランやジバンシー、シャネルなど海外の高級ブランド化粧品が置いてあり、そのどれもが三〇LE以下で買えるという話だった。サラ曰く、商品は少し汚れていたりもするが、どれも本物で、何より全て自分で商品を手に取ってチェックでき、とてもいい店だという[160]。

158 この時話したFacesという化粧品専門店は、当時エジプトで、海外の高級ブランドの代理店契約を持つMAC（同名の化粧品ブランドとの関係はない）という会社が直営店として経営を始めたばかりの、エジプトにおける化粧品専門店の草分け的存在である。

159 女性の友人や、目下の女性に対する呼びかけ。

160 カイロの化粧品販売では、まだ直接商品を手に取ることができない店舗が多い。オープンアクセスカウンターと呼ばれる、顧客がテスターを実際に手に取り試してみることができるスタイルは、二〇〇〇年代初めに始めてカイロに導入されたということだった［MACのセールスマネージャーのモナ氏へのインタビュー、二〇〇六年八月］。

この発言を聞いたナディアは、あからさまに不機嫌な態度を示し、中古化粧品なんて商品の質が心配だ、と会話に水を差した。するとサラは、ナディアの発言が終わりきらないうちに「直接輸入しているから、心配はない」とナディアの懸念を陽気に一蹴し、[▽161]ナディアとシャイマに、「今度一緒に行かない？　私が案内してあげるから」と提案した。しかし二人ともサラの提案に賛同は示さず、気まずい沈黙の中二人は席を立った。

中国人行商人についての会話同様、サラのこの発言は、単なる自慢とマウンティングと理解されたようだった。会話の前半で、自分たちには高級品に手が届かないことをナディアは過大な自嘲まじりにおもしろおかしく表現していた。それは、自分の限界を笑いを交えて認めるのと同時に、その会話がそこで終わりであることを示す、鮮やかな文脈の転換をもたらした。ナディアの発言によって、会話の中身は、化粧品情報の交換から、自分たちの境遇をなげく、冗談話にかわっていた。

ところが、サラは文脈の転換を踏まえず、自分の気になっていたことをそのまま口にした。その発言は、サラにとっては化粧品の会話の延長だったのかもしれないが、一度終わった会話を蒸し返すその態度は、サラやナディアへの尊敬に欠けるものだと受け止められた。さらに、すでに手が届かないことが公言された高級化粧品の購入に誘うことは、相手を辱める行為とみなされてもおかしくなかった。しかも、そこでサラが提示した「手ごろな価格」は三〇ＬＥだった。この値段は、他の二〇代女性教員らにとって、化粧品の値段としては決して安いものではなかった。

加えてサラの話ぶりからは、彼女が高級化粧品になじみがある様子を見て取ることができた。輸入品であることを理由に安全性を説得しようとしたり、高級ブランド名をさらりと口にしたりする態度は、欧米製品を使った、「コネクテッドネス」、すなわち欧米への近接性という資本のひけらかしに取られたのだろう。とりわけ、自分の置かれた苦境を冗談交じりに公言した後のナディアにとっては、プライドを傷つけられるやりとりだったと想像できる。

非難されるディスプレイ行動

自分の持ち物や購買経験をひけらかすディスプレイ行動は、エジプトの民族誌的研究においても、他者との優劣関係を構築、確認するプロセスとして関心が向けられてきた。エジプトでの日常生活で、あからさまな自慢や見せびらかしは珍しくない。冠婚葬祭や、お見舞い、ご機嫌うかがいと称してやってくる人々が、些細な機会を捉えて、自らの物質的豊かさや能力の高さ、人脈の豊かさなどをほのめかす態度は、卑しむべきこととされる一方普通のことでもある。▽162 私自身も、葬式において、悲しみの表明という形式の中に、親族に対する自らの金銭的貢献を、事細かに報告し合う女性たちを観

……………………

161 エジプトではシャネルは販売されていないはずだと聞いてみたが、サラは自分の目でシャネルが本物だったのを確認したと言った。シャネルがエジプトで正規販売されていないという情報については、二〇〇六年八月にMACのマーケティング担当モナ氏へのインタビューで確認した。

162 あからさまな自慢行為が許されるのは、社会的地位においてはっきりと上位の立場に立ち、下位の者を庇護しているような関係性でのみ許される。それ以外の関係性でおいてこうした行為を行えば、それは醜いものであると捉えられた。また自慢をされた相手は自分の面子を傷つけられたことを深刻に捉えるため、こうした行動は敵対関係を生み出す契機と認識されていた。

察したことがある。

六〇年代末から七〇年代初頭にかけてカイロの貧困層の女性たちを調査した人類学者のヴィカンによれば、そこで重要なのは関係性である。ヴィカンによれば、調査対象とした女性たちの間では、親しい友人関係におけるあからさまな顕示行為は咎められるべきものとされていた。相手の面子を潰す行為は忌むべきものとされ、細心の注意を払って避けられていた。見せびらかしと、相手の査定が横行する生活空間だからこそ、親しい友人とは、そうした競争を行う必要がない関係性を強調する必要があるのだとヴィカンは分析した［ヴィカン 1986: 214］。ヴィカンが説明するこうした友人関係（ヴィカンはそれを「内輪のサークル」と表現した）の説明は、A校の二〇代女性教員たちの行動においても通用するものに見えた。仲間なら、相手の面子を保つ行いをする必要がある。あえて相手を貶める行動は、親しい友人ではない、と自ら宣言する行為と捉えられていたのである。

A校の、二〇代女性学校教員たちの「内輪のサークル」の在り方を示す例を一つ挙げてみたい。彼女たちにとって、互いを尊重し合うことが非常に重要だったことを確認してみよう。この出来事の発端は、フランス語を担当する二人の二〇代未婚女性教員が衝突したことだった。

二人のうち、一人はモロッコ人▽163、もう一人はエジプト人で、どちらも若い新任教員だった。二人は、合同で授業を担当することになっていた。ところがどうやら、授業中にモロッコ人教員がエジプト人教員の文法の誤りを指摘し、それが諍いに発展したようだった。エジプト人教員は、生徒の前で誤りを指摘されたことで、自分のプライドが傷つけられたと感じていた。彼女はそれを、モロッコ人教員による彼女に対する個人攻撃だと非難した。結論から言えば、一週間も経たないうちにモロッコ人教員は、二〇代女性教員のグループから締めだされることになった。それは単に、出身地の違いに派生する結末ではなかった。むしろ当初他の教員たちの中には、モロッコ人教員に同情的な者もいた。

状況を変化させたのは、モロッコ人教員の諍いの中での態度であった。諍いが始まってすぐ、泣きじゃくるエジプト人教員を前にして、まず数人の教員たちがモロッコ人教員に、とりあえず謝ってみてはどうかと提案した。傷ついたエジプト人教員の気持ちをまずはなだめよう、というのが彼女たちの提案だった。しかしモロッコ人教員はそれを聞くと、怒りを露わに、自分は悪くないと半ば叫ぶように繰り返した。語学教員として、間違いを指摘しないわけにはいかない。自分は何も間違ったことはしていない。そうした主張を唱えつつ、興奮が高まったのか、そもそもこの騒ぎを大きくしているのは、部外者である他の教員たちなので、とやかく言わないでほしい、と発言した。どうやらこの態度が、仲裁に入っていた二〇代女性教員たちの気に障ったらしかった。

この直後から、複数名によるモロッコ人教員の無視が始まり、徐々に、モロッコ人教員に誰も話すことが許されないような雰囲気が作られていった。この行動に対し、排除する側の教員からは、「他

163 モロッコはフランスによる植民地経験を経たことから、現在でもフランス語の重要性が高く、フランス語教育が盛んである。エジプトにおいては、一般的にモロッコ人をフランス語ネイティブとみなす風潮があり、このモロッコ人教員もフランス語のネイティブ教員として採用されていた。この女性はフェズ出身で、エジプト人男性と結婚しエジプトに暮らす姉に誘われてエジプトに来たばかりだった。当時フェズで暮らす父親が新しく若い女性を妻にめとったため、自分の家に居場所がなくなってしまったこともこの決断を後押ししたという。姉は彼女のことを、エジプトの方がよい結婚相手を見つけることができるといって強引に移住を勧め、当時は毎週のように彼女とエジプト人男性の見合いをセッティングしていたらしい。

人をないがしろにする、気取った傲慢な女とは付き合えない」と説明された。モロッコ人教員が、周囲の人間の気遣いを無碍に扱ったこと、仲裁に入った人々の尊厳を軽んじた行いをしたことが問題にされたのだった。

二〇代女性教員も無論、常日頃から、仲間の尊厳を第一に動くことだけを重視していたわけではない。しかし「内輪のサークル」にいるのかどうかは、一人ひとりの行動をもとに表明され、判断されるからこそ、何かあった時には、相手への尊敬の表明が期待されていた。こうした暗黙のルールに照らした時、モロッコ人教員の言動は、「内輪のサークル」への帰属を否定するものとして受け取られたと理解できるだろう。

行為の在り方が関係性を規定する、こうしたコミュニケーション手段が共有されていた場において、サラの言動は、他の女性教員たちを、親しい友人の範疇から除外するものだと理解されたのだった。サラは確かに、二〇代女性教員たちとの親しい友人関係を望み、その希望を周囲に表明していたが、同時に、彼女たちにしてみれば、自分たちとの友人関係を拒絶する態度もとっていたのである。

問題を複雑にしていたのが、サラはこうした言動を、無意識に行っていたらしいことだった。それもあり、他の二〇代女性教員たちは、あえてサラに面と向かって対峙しようとはしていなかった。面子が潰されたことに異を唱えれば、面子が潰されたことを可視化することにつながった。そのためサラが居心地の悪い雰囲気を作り出すたびに、二〇代女性教員たちは、まるでその会話自体が存在しなかったかのように振る舞った。無視や無関心といった冷ややかな緊張感で会話を終わらせるのが、彼女たちをいたたまれない思いにさせるやりとりに対する、せめてもの異議申し立てであった。

4　二〇代女性学校教員の反応

スパイに疑われるサラ

サラはまた、二〇代女性教員からリハーム校長のスパイではないかと疑われるようになっていた。サラはよく、リハーム校長から電話で個人的な用事を言いつかることがあった。他の二〇代の教員たちと作業部屋で一緒に過ごしている時にも、校長から携帯電話に連絡が入ることがあり、そのことが訝しく思われていた。一度、言いつけられた用事のためにサラが作業室を出た直後、ドイツ語教員のモナが私に、「サラは（校長の）『エージェント』だから、彼女の前で全部は話せない。何でも話さないほうがいいよ」とアドバイスしてきたこともあった。サラには、リハーム校長や教務主任に媚を売ってとにかく気に入られようとしている、という咎が着せられ、若手教員の言動を校長に報告する役割を担わされているのではないかと疑われていたのだった。

確かにサラは他の若い教員たちに比べてリハーム校長と仲が良く見えた。サラが持っていた独特の距離の近さや物怖じしない性格が、リハーム校長と親密な関係を持つことを助けていたのかもしれないし、他の教員のように、校長たちを恐れていなかったから比較的スムーズに人間関係が築けていたのかもしれない。いずれにしろ、校長も教務主任も、他の二〇代女性学校教員に対する態度に比べると、サラとは普通にコミュニケーションをとっているように見えた。そこからは、他の二〇代女性教員たちに対する時の異常にも見えた厳しさを感じることはできなかった。私にはそれが、同じ社会階級に属し、同じコミュニケーションのルールを共有する人間間の気安さに見えた。

一方、サラが校長に、他の教員以上に高く評価されているといったことはなかった。[164]サラは、学校にやってくる校長と保護者との面談に、担当教員として同席を求められることがなかった。保護者対応は、A校では生徒を対象とした教育活動以上に重視される、いわば最重要業務だった。保護者こそが学校への出資者であり、パトロンであり、何よりも優先すべき存在とする、というのがA校の運営に通底する大原則だった。保護者との面談に同席を求められないことは、生徒はともかく、保護者に会わせるべき人材ではないと彼女が評価された証しであった。実際保護者たちからは、しばしばサラに対するクレームが寄せられていた。校長としても、サラの処遇には頭を悩ませていたようだった。[165]そのこともあり、サラは研修を終えてすぐ、A校ではなく、B校に異動させられた。その後、A校教員の突然の離任に伴い、再度サラはA校に呼び戻されたのだが、それが校長の信頼を勝ち得たからだというようには見えなかった。

校長による実際の評価は別として、「サラがリハーム校長から特別扱いされている」というグループの認識は、彼女たちの不興を買う十分な理由となっていた。彼女たちの見解によれば、リハーム校長や教務主任は、自分たちの苦労をわからず無理な要求ばかりしてくる圧制者であり、自分たちの生活を過ごし難くする存在であった。リハーム校長と特別に親しい関係にあるサラも、「向こう側」の、自分たちの利害を脅かす存在だ、と警戒されたのだった。

こうした警戒は、サラが誰れ彼構わず親しくする態度でも強化されていた。サラは、時々誰も彼女の居所を知らない行方不明状態に入ることがあった。いくつものコミュニティを渡り歩く彼女は、一度姿を消せば、誰にも行方がわからなかった。サラは若い教員たちと四階の作業室にいることもあれば、図書館司書のナディアやコンピュータ教員のナワールと二階の図書館やメディア教室にいることもあった。またベテラン教員や外国人教員たちと職員室でおしゃべりをして過ごすこともあれば、B校の教員と、売店やグラウンドにいることもあった。

サラの社交性は、エジプト全般の価値観としては決して否定されるべきものではなかった。しかし二〇代女性教員たちはそのようには考えていなかった。常に行動を共にし、相手の言動を把握し合っていた彼女たちにとっては、サラの所在が頻繁にわからなくなることは、サラが後ろめたい行動をとっている証拠の一つとされていた。また、グループ内だけが安全な場所のように振る舞っていた二〇代女性教員たちにとって、サラが他の教員たちとも楽しそうにしている姿は、彼女たちの猜疑心を刺激するものになっていた。▽166

…………

164 結局サラはA校に半年間勤務したが、翌二〇〇八―二〇〇九年の契約はもらえなかった。

165 保護者から、サラについての不満を耳にしたこともたびたびあった。G2に通う女子生徒の祖母は、英語担当がサラに代わってすぐ、今の教員では何のために学校に通わせているのかわからないと不満をもらした。また、G2の生徒たちからは直接、「サラ先生ってばか（*abita*）なの？」と質問されたこともあった。その理由を尋ねると、「自分で言ったつまらない冗談にいつまでもアヘアヘ笑っているから」と返答された。

166 こうした二〇代女性教員たちの行動についてよく思っていない年上の教員たちもいた。二年生以上の英語を担当していた

ムハッメラ（無知、気にしなさすぎる）なサラ

二〇代女性教員グループで問題にされていたもう一つの行動が、サラの無頓着な物品使用だった。特に、お茶関連の消耗品とホワイトボード・マーカーの使用方法が問題にされていた。

お茶関連の消耗品には、クリーマーと砂糖、ミントの葉、そしてスプーンがあった。これらは、A校では教員たちが自分たちで持ち込み管理するものとされていた。エジプトの他の職場同様[167]、A校では、教員たちは用務員に頼んで温かい飲み物を作ってもらうことができた[168]。ただし、マグや茶葉[169]、砂糖は、あらかじめ教員から、用務員に手渡されることになっていた。茶葉や砂糖は教員同士でカンパを募って共同購入したり、誰かが善意で持ち込んだりしたものを共用していた。茶葉や砂糖がなくなりそうになると、その都度用務員から誰かが言付かり補充する、という手はずになっていた。このシステムは、誰かが世話人を務めてそのようになっていたわけではなく、暗黙の了解のうちに、みなの協力によって成り立っていた[170]。サラの問題は、この共同購入品ではないもの、つまり自己管理の対象となっていたクリーマー、ミントの葉、スプーンといったものを他人から借り続けていたことだった。

もう一つのホワイトボード・マーカーは、教員の必需品であった。多くの教員は自費購入して持ち歩いていたのだが、サラは頻繁に他人のマーカーを拝借し、その使用態度が悪いと問題にされていた。

①クリーマー

ある日シャイマ、サルワ、イマーン、シェリーンの四人が語ったところによると、彼女たちは、サ

ラがインスタントコーヒーを飲む度に、クリーマー[171]と砂糖を、節操なく使ってしまうことに不満を

シェリハーンは、勤務初日から彼女たちのことを「鳥のように騒ぐしか能がない無能な女の子たち」と呼び、彼女たちと関わり合いにならないようにしていた。

167 エジプトの多くの職場には、お茶を入れる専門の用務員が常駐し、欲しい時にいつでもお茶を飲むことができた。

168 A校では本来ならば二階のトイレになっているはずの場所を占拠する形で用務員室が設けられていた。そこには小さなケロチンランプがあり、用務員はそれを使ってお湯をわかして紅茶やインスタントコーヒーを入れてくれた。エジプトの企業や学校では、掃除、雑用、お茶汲みのためのスタッフが雇われていることが多い。夜間誰もいないオフィスに、防犯目的も兼ねて寝泊りさせる場合もある。会社の場合はこうした仕事に就いていたのはほぼ一〇〇%男性だったが、A校とB校の用務員は全員女性で、ダーダと呼ばれていた。A校やB校では、警備員として男性スタッフも雇っていた。当時A校の用務員の月給は一二〇LEで、ほとんどが近隣地域に住む女性たちだった。彼女たちは朝一番に出勤し、最後に帰宅する。教員も持っていない教室の鍵を管理していたのは用務員のリーダーだった。

169 茶葉は、ティーバックではなく、「シャイコシャリ」と呼ばれる粉末の茶葉が使われていた。紅茶を作る時にはそれを砂糖と共にコップに入れ、熱湯を注ぎ入れる。エジプトではティーバックはこのシャイコシャリより高級品とされている。

170 私は用務員の作るお茶を飲んだことはない。自分のために用務員に作ってもらうのが悪いような気がして、いちいちお願いするのが面倒くさいことが大きな理由だった。また、用務員にとっても仕事としての優先順位が高くないのか、頼んでから持ってこられるまでに時間がかかったり、忘れられたりすることもしばしばだった。

171 正確には、コーヒー用のミルクという商品ではなく「ラバンボドラ」と呼ばれる全脂粉乳だった。日本でいうクリーマーは商品としてそれほど普及しておらず、外国人や金持ちが買う特別な高級品といった扱われ方をしていた。一方の粉末ミルクのほうは、水にとかすだけで必要に応じて飲める牛乳としてテレビCMが打たれるほど広く流通し、価格もそれほど高いものではなかった。二〇代女性教員たちが購入していたのは、その中でも割と品質がよいと言われるネスレ社のもので、当時

持っていた。しかもそのどちらの共同購入にも、サラは参加していないのだという。つまりサラは、共同購入に参加して購入資金を出し合うわけでも、家から持参するでもなく、他の人たちが購入していたもののお相伴に与り続けていた。しかもその態度に、まるで遠慮がないという。

特に二〇代女性教員の癇に障ったのが、サラが何も考えず、紅茶ではなくインスタントコーヒーを飲むことだった。[▽172] なぜなら、紅茶なら、通常の砂糖の量で飲むのであれば、他の教員との共同購入品だけで事足りたからである（その共同購入にもサラは参加していなかった）。しかしインスタントコーヒーを飲むとなれば話が別だった。エジプトでは、インスタントコーヒーは通常ミルクを入れて飲むものとされていた。その際に使用するクリーマーは、教員の共同購入品扱いにはなっておらず、クリーマーは、自分で適宜追加する必要があった。クリーマーは、茶葉や砂糖に比べて値段が高く、また使用する人も限定されていたため、共同購入品にはなっていなかった。二〇代の女性教員たちは、クリーマーや乾燥ミント、また追加で使う砂糖などは、仲間内で購入し、鍵のかかる引き出しに入れて厳重に管理していた。[▽173] そのクリーマーを、サラが遠慮なく使ってしまうことが、彼女たちには許せなかったらしい。この態度を、彼女たちはムハッメラ（気にしなさすぎる態度）と呼んで非難した。

ムハッメラ（*muhmila*）とは、アラビア語の「無視する」という単語から派生する表現で［Hinds and Badawi (eds.) 1986: 912］、無知、育ちが悪い、やるべき振る舞いがわかっていない、といった意味で使用されている。つまり彼女たちは、サラを自分たちのことを無視する、すなわち自分たちに対し、尊敬を欠く態度をとる女性として彼女を非難していたのだった。二〇代女性教員たちは、遠慮なく他人のものを使用する態度だけでなく、人に物を借りることに対する返礼を怠っていること、さらにそれを平気な態度でこなすサラの傍若無人さを問題にしていた。

実はお茶関連の消耗品は、サラの行動が問題になる前から、二〇代女性教員たちにはセンシティブな問題とされていた。そもそも彼女たちがクリーマーや砂糖を自分たちだけで管理するようになったのは、それらの使用状況をめぐってベテラン教員たちに非難されたくないという心理に基づく行動だった。つまり職場の人間関係において、こうした共同購入品の使用は、それだけ普段から気をつかうべきものとされていた。その文脈がサラには全く理解されていなかったことが、彼女たちの不満に拍車をかけたと考えられるだろう。

②ホワイトボード・マーカー

サラの行動ではもう一つ、ホワイドボード・マーカーの扱いも問題になっていた。クリーマーの話

……………

七〇〇グラム入り、四・五LEだった（二〇〇八年二月一〇日時点での値段）。

172 当時インスタントコーヒーはメーカーに限らず「ネスカフェ」と呼ばれ、数滴のお湯でインスタントコーヒーの粉と砂糖を練り合わせて泡立てた後に、残りのお湯と牛乳を入れて飲むのが一般的だった。

173 封をきったクリーマーは、袋を箱に入れた状態のまま、砂糖やミントの葉、攪拌用のスプーン、開封済みのクッキーの袋などと一緒に、教員一人につき一段あてがわれていた鍵付の引き出しに入れてあった。これはエジプトのオフィスでは一般的で、役所などにいけば、職員が引き出しで保管している唯一のものがこうしたお茶関連のものであるところを簡単に見ることができる。備品文化が希薄で、日にちをまたいで仕事をすることもなく、また同じ仕事を何人もの職員でシェアする状態が普通であるため、そうしたもの以外に特に自分専用の引き出しに保管するものがないのだと思われる。

でひとしきり盛り上がった後、フランス語教員のシェリーン[174]は、サラが他人のホワイトボード・マーカーを勝手に使用するのも耐えられないと語りだした。

シェリーン曰く、サラは自分でホワイトボード・マーカーを持参せず、授業になると、他の教室の教員にマーカーを借りにくる。授業中に目の前で勝手に持っていかれるだけでなく、サラは使用後もマーカーを教室におきっぱなしにして、失くしてしまうこともある。そこでシェリーンは、「もう彼女に頼まれても断っているの。昨日は、自分が教室に残してきたマーカーを勝手に使われたから授業中に取り返してきたわ。しょうがないじゃない」と不満を述べた。マーカーは授業を行う上で必要なものだけに、サラの配慮のなさに腹が立つ、というのがシェリーンの言い分だった。これには同席していた女性教員がみな同意した。

ホワイトボード・マーカーは、A校で授業を行う教員にとっては絶対に必要な品であるにもかかわらず、ほとんどの教室に備え付けのマーカーは用意されていなかった。その理由はマーカーの値段にあり、正規品で一本四・五LE、廉価版で二・五LEほどの値段は、学校としては際限なく買い足すことができるものではなかった。しかも一本が二週間程しかもたないため、それを常時個人で用意しておくことは、教員にとっても痛い出費になっていた。[175]マーカーも、普段からみなが頭と財布を悩ませるセンシティブな問題だったのである。教員たちはみな、せっかく買った自分のマーカーを失くさないよう、貴重品と同じようにハンドバッグやアタッシュケースに入れて管理していた。他の教員との貸し借りは、よほどのことがない限り行われていなかった。ところがサラは、当然のように他人に借りるだけでなく、授業中に勝手に教室に入り、断るすきも与えず持ち去った上に、返却しなくても反省一つしないという。この行動が問題になっていたのである。

二〇代女性教員たちがサラのこうした振る舞いを嫌がったのは、金銭的負担のみに由来するものではなく、むしろサラがルール違反をしながらも平然としていたからだった。しかしこの「常識はずれ」な態度は、彼女に対する哀れみのような感情と共に、蔑みの対象となっていた。ムハッメラと同じような状況で使われ得る語彙にバキーラ（*bakila* けちな女性）がある。バキーラという言葉は、エジプト社会における最大級の侮蔑表現の一つである。もしもこの言葉が直接対面で口にされれば、その関係は二度と修復されない可能性もあった。バキーラに比べれば、ムハッメラという語彙には、ダメな性格ではあるがしょうがないという哀れみや蔑みを含んだニュアンスもあった。[176] 否定的表現ではある

……………………

174 シェリーンは、二〇〇七年に大学を卒業したばかりの最年少であり、また南部の都市アシュートから、学校が始まる数か月前にカイロに移住してきたばかりだった。彼女の父親がカイロで出稼ぎ労働に従事し、シェリーンが来るまでは、シェリーンの姉が父親と共にカイロに暮らし、父親の身の回りの世話をしていたらしい。しかし夏に姉が結婚をしたため、代わって大学を卒業したシェリーンがカイロに行くことになったという。ドイツ語教員のモナは、南部のミニア出身の父親を持ち、生まれも育ちもカイロでありながらミニアっ子を公言し、同じミニアっ子（彼女にとっては、「アシュートもミニアも同じ」らしかった）として妹のようにかわいがっていた。

175 マーカーは、校長や理事長秘書に頼めば購入をしてもらうことができただけでなく、自分で買った場合にも後から立て替え払い請求を行うことができた。しかしそのシステムを利用していたのは筆者だけで、それ以外の教員はみな文句をいいながら自費でマーカーを購入していた。どうやら「経費」というものの概念を理解していないようだったので、一一月分以降は、筆者が他の学校教員のマーカー代をとりまとめ、一括で予算請求を行うようになった。

176 ムハッメラと類似の表現に、タナク（*tanāk* 女性形はテネーカ *tenāka*）というものもある。

ものの、どうすることもできないダメな人として、不本意ながらも受け入れざるを得ないもの、と理解されていたともいえた。サラは、この一面においては、ルールを守らず他人に依存する「ダメな人」、として見下されつつ、彼女たちとの付き合いが保たれている状態にあった。

違いが生み出す両義性

こうした自分の評価について、当のサラは全く気が付いていないようだった。サラは決してお金がないから他人のものを使っていたわけではなかったし、私から見る限り、周囲に対する気遣いを全く持ち合わせていないわけでもなかった。例えば、サラは売店で飲み物や食べ物を購入する時には、普段から常に、周囲の人間に何か欲しいものはないかと声をかける気遣いをみせていた。サラからそうして周囲に声をかけることはエジプトの文脈では「招待」となり、サラがその人が購入する分の支払いまで行うつもりであることが示されていた。私が一度サラと一緒に売店に行った時には実際に、こちらが注文をする前に、私の支払いまですでに済ませてしまっていたこともあった。こうしたことから、彼女にとってみれば、他人に対する気遣いが一切ないといった評価は的外れなものであったと想像できる。A校でサラ以外にこうした「招待」をしてくれた教員はいなかった。私から見れば、サラはむしろ、普段から自らの借り以上の形で他の教員たちへの好意を示そうとしていたように見えた。

ただし、彼女たちとサラでは、日々の行動様式に違いがあった。二〇代女性教員の中にはサラのように、毎日校内の売店を利用する教員はいなかった。[▽177] 校内で割高な商売をする売店を利用することそのものが、多くの教員にとっては不経済な行為に思われていたのだった。

サラが身に着けていたマナーや気遣いは、他の学校教員と共有されているものとは異なってはいたが、私にはそこまで非難されるべきものにも思えなかった。サラが全く自分の評価に気が付いていなかったことからも、本人に悪いことをしていたという自覚はなかったように見えた。とはいえ、異なるルールが適用される環境を生きてきた女性学校教員たちにとって、他の人と同じようにサラと仲良くすることは、それほど簡単なことではなかったのかもしれない。

5　日常に遍在する階級

サラは、A校で新しい自分を生きることを望んでいた。彼女がその中心に据えていたのは、かつての〈ヘルワ〉な自分を取り戻し、多くの人々に関心を向けてもらうことだった。つまり彼女が求めていたのは、A校の他の教員と友達になり、その美貌を生かして人気者になることだった。しかし二〇代女性学校教員との関係を見る限り、その計画の実現は、残念ながら難しそうだった。

本章では、サラと他の教員たちとのすれ違いを取り上げ、この失敗が出身階級・階層に根差したも

177　こうした行為は私がかつて通っていたアメリカン大学や勤務していた旅行会社ではしばしば行われていた。A校でこうした行いをする教員が他にいなかったのには、そもそも売店を利用する教員の数が限られていたことも関係していただろう（筆者が知る中では、二〇代未婚教員二人、シャイマとシェリーンとサラだけが利用していた）。

のであった可能性を検討した。エジプトでは、出身階層の違いは社会的に大きな意味を持っている。それは研究者の関心だけでなく、人々の具体的な関心事でもある。近年の都市開発は、こうした社会区分に、消費[▽178]という新たな次元を付け加えている。購買力としての経済力は、人の社会的位置を規定する指標として、日々その重要性を増している。A校においても、購買力の違いは、人々の社会での上下関係に関わる要素だからこそ、サラと他の二〇代女性教員たちとの間に緊張感を生み出すものになっていた。サラが何気なく口にした情報には、二〇代女性教員たちを深刻に傷つける可能性が付随していた。そのきっかけを生み出すのは大抵、彼女たちが育ってくる中で自然に身に着けた、いわばハビトゥス［ブルデュー 1990: 261］のようなものであって、特にサラにとっては意識的に発する言葉や行為ではなかった。しかしだからこそ、思わぬ時に出現し、彼女たちの間に横たわる「違い」を明らかにし、二〇代女性教員をサラの下位に位置づけるものとして、周囲からは嫌がられていた。

一方、サラの立場から物事を眺めてみれば、その景色は違ったものに見えた。サラは、彼女たちと仲良くなって、自分に関心を向けて欲しいと願っていた。彼女にしてみれば、当時のA校は、日々いわれのない警戒心に晒される過酷な環境だった。他の教員たちと仲良くなるための彼女の努力は、なかなか成果が上がらなかった。彼女はまた、その状況がどうなれば好転するのか、わかっていないようにも見えた。彼女がどうするべきか、面と向かってアドバイスしてくれる人はいなかった。

当時の私は、サラのことを面倒な女性だと思っていた一人だった。ちょいちょい自分のことを自慢するサラの態度が鼻につくと思ったこともあった。私には、サラに対して不満をもらす二〇代女性教員の言葉の方が理解しやすかった。彼女たちがサラに対して漏らした否定的な心情は、私がこれまで学んできた文献で取り上げられてきたものにも近かった［例えばアイケルマン 1988; ヴィカン 1986］。社会階層の下方移動を恐れる気持ち、自分の自尊心や自負が奪われることへの恐怖、周囲の権力者からのプレッシャー。こうした事柄は、特に二一世紀に入り、若者たちが吐露する不安として記録され、社会問題化されてきた［Gilman 2014］。エジプトにおいて、消費格差としての社会階級・階層を中心に据えた民族誌考察[179]に勢いがついてきたのは、比較的最近のことである。

サラと二〇代女性教員たちとのやりとりからは、実際にこうした階級・階層意識が、日常生活においても重要な役割を果たしていることが見えてくる。二〇代学校教員にすればそれは、自分自身の尊厳を脅かしうるものとして警戒対象になっていた。しかしまた社会階層・階級は、常に単独で威力を発揮するものでもなかった。そこには常に複数の対抗言説が存在し、どちらがより重視されるのかは、状況的に交渉されていた。例えばサラの物品使用に関わる鷹揚さは、A校の二〇代女性教員によって、貧困層や下層中産階級の生活のロジックで解釈され、サラはムハッメラ、すなわちマナーを知らない人間ということにされていた。同じ行動でも、参照するロジックを富裕層や上層中産階級のものにするなら、細かい事にこだわらない、おおらかな、身上が豊かな人という肯定的評価は可能だった。しかし富裕層の価値観に基づくそうした解釈は、二〇代女性教員たちにとっては避けたいものだった。

178 本書で消費を議論するにあたっては、ボードリヤール（1995）を参考にした。

179 こうした民族誌は、「労働者」、「農民」、「ミドルクラス」といった安定したカテゴリーではなく、日々自らの社会的位置が消費によって争われていることを考察している。

それはそのまま、自分たちの経済階層的な劣位を認めることになり、自分たちの尊厳を脅かすものになるからである。

彼女たちの行為を、オートナーの「シリアスゲーム」という概念を使って説明してみたい［Ortner 1996］。オートナーによれば、社会生活には、複数の可変的で相互に影響を与え合う「サブジェクト・ポジション（主体位置）」が満ちていて、行動主体は、技能、意図、知性、知識、さらにひらめきを持ってそこに参加している。行動主体はそこでは、自分の持ち札を使って、価値観の交渉を行っている。その交渉は、価値観を決めるのと同時に、カードの影響力にも変化を及ぼす、重大な結果をもたらすものである［ibid: 12-16］。オートナーの議論は、ジェンダーを考察することを目的にしたものではあるが、ここで社会階級・階層について検討する上でも示唆に満ちている。A校の二〇代女性教員たちの関係では、社会階級・階層は確かに重要な指標ではあったが、常に最も重要な指標とされるわけではない。実際に、階層という経済的豊かさを見れば、圧倒的に優位にあったサラは、ムハッメラ、というマナーの言説を持ち出されることで、劣位の存在に位置づけられていた。

サラの評価が作られていく際、そのプロセスを主導していたのは、二〇代女性教員の中でもリーダー的存在にあった、モナとナディアだった。彼女たちはこのシリアスゲームに長けていて、その時点での勝者であった。彼女たちはムハッメラという概念を持ち出すことで、サラを劣位に位置づけるのと同時に、経済力の欠如によって脅かされることのない、安全な場所に自分たちを隔離することに成功していた。もしもサラがこのゲームに強かったなら、社会階級・階層のカードを使って、簡単にゲームを制することができただろう。しかし彼女はそうしなかった。その理由には、もちろんシリアスゲームの能力やサラの個人的な性格の問題もあった。ただサラの場合は、そもそもこのゲームに勝ちたいと思っていなかったことを忘れるべきではないだろう。サラは、他の二〇代教員より優位に立ちたかったわけではなく、彼女たちと仲良くなって、人気者になりたかったのだった。[▽180]

サラが特にシリアスゲームが下手だったわけではないことは、その数年後に確認することができた。A校の教員を続けることができなかったサラはその後、SNSを使ったファッション・アイテムの販売に乗り出した。事業は順調に進み、海外有名ブランドバッグによく似た、流行のバッグを数多く売り上げていた。彼女はSNS上で、ファッション・アドバイスを求めるエジプト人女性の、憧れの存在になることに成功していたのだった。

180　オートナー［Ortner 1996］の「シリアスゲーム」では、エイジェンシーとしての個々人については関心が向けられておらず、サラのように、積極的にゲームに参加しないことがもたらす影響については考察されていない。サラの事例は、「シリアスゲーム」の限界を示すものと捉えることもできるだろう。

第III部

リハーム校長の生き方

時空を超えた植民地期エジプトの再興

第Ⅲ部で取り上げるリハーム校長は、調査地となったA校を、高級私立校として成り立たせていた敏腕校長だった。彼女は、簡単には人を寄せ付けない独特なオーラを纏い、威厳と権力で、A校をほぼ一人で取り仕切っていた。

エジプトでは、女性学校長は珍しくない。学校長が男か女かということは、現場では話題になることすらないほど問題になっていなかった。むしろ保護者たちにとって重要だったのは、自分たちの大事な子どもを預ける学校の顔として、校長が信頼に足る人物かどうか、またその校長が、自分やその子どもを尊重してくれるかどうかだった。リハーム校長は、保護者の好き勝手を許さず、同時に保護者との良好な関係を築く手腕に長けていた。

しかし学校教員に対しては、剛腕っぷりばかりを発揮して、校長に対して反論が許されない雰囲気を作り出していた。学校という一つの組織を、共に運営していくチームではあったはずではあったけれども、そこで教員のイニシアチブは、ほとんど必要とされていなかった。しかしそれにも理由があった。アメリカンスクールとはいえ、A校の教員の給与は安く、アメリカン・ディプロマを持っているような層の人間を雇うことは未だできずにいた。実際にA校で働く教員の多くは、アメリカン・ディプロマ教育とはどういうものかをわからないままに、校長に言われる通りに働いていた。教員の側の経験と知識の欠如は全て、リハーム校長が埋める必要があった。

アラブ世界における、学校教育を対象にした批判的研究は、まだその端緒についたばかりである［Herrera and Torres 2006］。これまで、学校教育についての研究はといえば、その効率性や効果を検討するものが主流とされてきた。しかし第1章で検討したように、近年のエジプトでは多様なカリキュラムが実施を認められ、「学校教育」と一言で語れないほどに、その内実には大きなバリエーションが生まれている。

こうした社会的背景を念頭に、第Ⅲ部では、リハーム校長が学校運営で重視していた〈シャクセイヤ〉と、彼女がA校で人材を教育することで目指していた〈ソサエティ〉の再興について、リハームという一人の人間の夢や希求という点から考察する。

第8章 天職に生きる

最後に取り上げるのは、A校の校長を務めていたリハームである。彼女は、一九三九年生まれ、計三八年の教員経験を持つベテランの教育者だった。A校に着任する以前は、同じ敷地内にあるB校で二〇年近く校長を務め、A校の初代校長に抜擢されていた（最初の三年間は両校の校長を兼任）。調査当時は六〇代後半であったが、立ち居振る舞いやファッションには、人を威圧する雰囲気があり、見るからに権力者といった風貌の女性だった。

まるで校長をするために生まれてきたかのように校長職が板についていた彼女だが、ある時、どうしてこの仕事をしているのかと尋ねると、「私は私の仕事をしているの（I am doing my job）」という返答が返ってきた。彼女にとって学校長は、職業ではなく、天職だと言うのだった。

1　リハーム校長の特徴

リハーム校長の人物像を描写するに当たり、まず彼女との出会いについて、少し字数を割いておきたい。なぜなら、私が感じた威圧感と困惑と開放感に、彼女の人心掌握の方法がよく表れていると思うからである。彼女は、対峙した相手を懐柔し、説得することに長けていた。彼女は、共感、理解、感情移入だけでなく、体面、尊厳、威信を自在に操り、交渉の中で落としどころを探るのがうまかった。彼女は調査当時、恐れられ、尊敬され、人々をけん引する学校長ではあったけれど、その姿はとても孤独なものにも見えた。

リハーム校長との出会い

私がリハーム校長に初めて会ったのは、秋学期直前の二〇〇七年八月半ば、A校でボランティアを引き受けることになった時だった。夏休みも終わりに近づいたある日、突然私にA校の理事長秘書から電話があり、折り紙やクラフトを教えるというボランティアをしないか、と誘われた。私は当時、エジプトで化粧の調査を行っていたため、当初この話を断ろうと思っていた。しかし夫からの強い勧めがあったことと、学校の内部を見ることができるのは、私にとって良い機会になるかもしれない、という欲に突き動かされ翻意した。その翌日、もう少し説明がほしいと思いA校に電話をしたところ、その日のうちに学校に来るよう指示された。しかし詳しい話を聞くために理事長秘書のもとを訪れると、彼女は「会うべき人は別にいる」と言ってそのまま私を最上階にあるリハーム校長の部屋に連れていった。

それは、私にとって初めてのA校の校長室訪問だった。その六か月前からA校に娘たちを通わせてはいたが、それまで校長室に迎えられたことは一度もなかった。入学時の面接や手続きも全て理事長秘書が行っていたため、校長と顔を合わせたことはなかった。初めての校長室訪問で、私は半開きの扉の前で躊躇した。自分がなぜそこにいるのかまだよくわかっていなかったし、彼女に何と言って会ったら良いのかわからなかった。腹を決めかねて、しばらくドアの前をうろうろしていると、部屋の中から男性か女性かわからない大きな怒鳴り声が聞こえてきた。その威圧的な声に、私はますます不安になった。

思い切ってドアをノックすると、先ほどの声に、中に入るよう大声で指示された。内開きのドアのノブを握り、覚悟を決めて押してみると、そこには一五畳ほどの広さの異様な空間が広がっていた。部屋の中央には巨大な執務机が設えてあり、その前には黒い革張りの応接セットが配置されていた。そして、ドアがある角以外の部屋の三隅には、マホガニー材でできた、アールデコ調の重厚な木製の飾り机が置かれていた。それぞれの飾り机には丈の高いドライフラワーアレンジメント、中国風の巨大な壺、キジの剥製が飾られ、大きな存在感を放っていた。エジプトの一般的な建物同様、外光を遮るために窓は小さく設けられ、そこには分厚いオレンジ色のすりガラスがはめられていた。弱々しいオレンジ色の光しか差していない空間は、明るい廊下から入ってきた私の目を一瞬曇らせた。床にも、臙脂と紺を基調としたイラン風の柄の、毛足の長い上質な絨毯が敷き詰められていて、敷物が一切ないA校の残りの空間とは明らかに違ったものとして演出されていた。エジプトの学校は全般的に殺風景である。A校にも、清潔ではあったが必要最低限の備品だけが備えられた殺風景さがあった。対して、間接照明に照らされた、装飾品の過剰な校長室は、完全に別の世界に見えた。それは富裕層の邸宅の一般的な応接間のしつらえにも似ていた。しかしその空間が突然校内に現れたことに、私は何ともいえない違和感を覚えたのだった。

その独特な空間で最も異様な雰囲気を醸し出していたのは、部屋の中央に鎮座する、リハーム校長その人だった。彼女は上下黒のブラウス、スラックス姿で、上に羽織った黒いジャケットの襟には、銀とダイヤでできたトカゲのブローチがついていた。そして彼女は、薄暗い室内にもかかわらず、大きな黒いサングラスをかけていた。端的にいって、彼女の風貌は、おとぎ話に出てくる魔女のようだった。だみ声の魔女は、私が入室した際、ちょうど業者にエアコンの調整をしてもらっている最中で、自分のリモコン操作で暖房仕様にしておきながら、暑い空気が出ていると、技師に向かって怒鳴り声をあげていた。

これまで半年間、娘二人をA校に通わせていながら、私はこの女性が校長であることを知らなかった。しかし思い返せば、この女性には見覚えがあった。彼女のことは、四月に行われた学習発表会で見かけたことがあった。それでもその時は、私は彼女が校長だとは全く思っていなかった。彼女が校長として保護者にあいさつすることはなかったし、何より、校長にしては周囲の教員や保護者が彼女のことを丁重に扱いすぎていた。彼女の席は保護者観覧席の最前列の中央に設けられ、開始時刻直後に彼女が入室すると、教員と一部の保護者が、子どもたちの舞台そっちのけで、彼女に傅かんばかりに歓迎の言葉を唱えていた。その時の教員の様子には、歓迎の気持ちや喜びというより、とにかくそつなくこなさなければいけない、という焦燥と緊張感が見えた。それを見て私は、彼女のことを地元の政治家か芸能人なのだろうと考えていた。

身長約一五〇センチで恰幅のいい、この初老の女性には、何とも言えない凄みや迫力があった。サングラスを外してもなお、七ミリメートル幅はあるように見える漆黒のアイラインが囲むまなざしには、人を動けなくさせる力があった。校長はまず、入室してきた私を自分が座る執務机の反対側の椅子に座らせ、訛りの少ない英語で、いつ終わるともしれない長い歓迎の言葉を述べた。そして唐突に、私に向かって、「あなたには、一年生の担任を務めてもらうつもりだ」と告げた。

ボランティアの依頼と聞いていたために、私は当初、校長の言っていることがよく理解できなかった。怪訝な表情を浮かべる私に対し校長は、私と目を合わせたまま深く頷いた。何が起こったのだかよくわからなかったが、それでも、彼女の提案がすでに二人の了解事項になってしまったことは理解ができた。彼女は続けて、子どもを持つ母親にとって教職がいかに理想的な仕事であるかをひとしきり主張し、私に発言の機会を与えないまま、私に任せるつもりだという授業の話へと話題を変えた。曰く、学校教員として成功するにあたって重要なのは、とにかく保護者が望む授業をすることである。フォークとナイフの使い方など基本的な生活スキルを教えるのが保護者たちには一番喜ばれる。大丈夫、保護者たちは教育のなんたるかが全くわかっていないから何も問題ない。学習内容に高度なものは望まない、ただ保護者を喜ばせることだけを考えてほしい。こうした彼女の発言は、私が聞きたかった具体的な情報とはかけ離れていた。しかしそれでも、校長の話に口をはさむことが格別に無礼なことのように思え、彼女が話している間は、何も言うことができなかった。そうこうするうちに、私からはもう、この依頼を受けない、という選択肢は奪われていた。

相手を誘導する語り口

今改めて思い返しても不思議なほど、私はその時、校長に逆らうことができなかった。逆らうどころか、特に意識することなく、彼女の期待を読み取り、望んだ反応を返そうと頭をフル稼働させていた。彼女の話には、短い質問がちりばめられていて、彼女の望んだものと違う答えをすれば、彼女はその度に、蔑みに似た、失望の表情を浮かべるのだった。それを見ているうちに、私は一所懸命、「正解」を答えようとする心理状態に誘導されていた。例えば、教員になることについては、彼女が私に要請しているのではなく、まるで私が頼み込んだことを彼女が許可してくれたかのように語られた。

あなたは一年生になる娘がいるでしょ、これってものすごいチャンスよ。自分の子どものすぐそばに付き添ってあげられて、いつも見ていてあげられるんだから。自分の子どもを教えられるなんて一番の特権でしょ。母親としてそれが一番よ。お金の問題じゃあないわ。これができるってとても恵まれていること。誰にでもできることじゃない。いつでもそばにいてあげられるの。これ以上のことはないわ。

冷静に考えれば、彼女の提案を受け入れるか、受け入れないかを決めるのは私であったはずである。しかし私には、この提案を受け入れないことが、彼女の親切を無碍にすることのように思え始めていた。これは私が望む提案ではなかったが、だからといって断ることは、とても自分勝手な振る舞いのような気になっていた。私は彼女の迫力を前に結局、ひたすら「わかっている」、という顔でうなずき続けるしかなかった。それ以外のことをすることが間違っている気がして、私は必死に精一杯納得をした表情を作ったのだった。

校長は私の不安を表情から読み取ったのか、最後に一転、柔らかな口調で次のように言葉を重ね、提案を終えた。

あなたには子どもがいるじゃない。だったらもう怖いものはないじゃない。一人も二人も同じよ。あなたにはできる。私にはわかるの。

さすがに、子どもを持つ女性が誰でも教員になれる、といった趣旨の発言や、「一人も二人も同じ」という発言には、そのいい加減さに内心失笑もした。しかしここでもやはり、自分からは何も口にすることができなかった。また、それまで威圧的な態度でこちらの力量を探るような様子であった校長から、優しい口調で自信満々に、「あなたにはできる。私にはわかるの」と持ち上げられるのは心地よく、なんだか自分が本当に学校教員になるべきなのではないかと思ってしまったのだった。

ところで、校長はいつまでも私を丁重に扱ってはくれたわけではなかった。彼女の話が一通り終わった後、なんとか勇気を振り絞り、私はA校で調査する許可を得たいと切り出した。彼女はその申し出を拒絶することはなかったが、私が「話し出した」ことに彼女はあからさまに不機嫌な様子を見せた。それまで私を見据えていた力強いポジティブな視線は一瞬にして緩み、「教員が学校で何をしようと、誰もそれを止めることはできないわ」と、いかにもどうでもいいことだ、という態度で口にした。私はそこで、調査について詳しい説明をしようとし始めたのだが、その私の目の前で、彼女は私がいないかのように振る舞い始めた。彼女はまず手始めに、足元に置いてあった黒いハンドバッグを膝に抱えると、話をする私を完全に無視して、バッグの中で何かを探し始めた。私はもう、話し続けることはできなかった。ひとしきりバッグ内を捜索し、見つけた携帯電話のロックを解除すると、彼女は唐突に、携帯電話を私の目の前に突き出し、待ち受け画面にしてあるらしいタキシード姿の笑顔の男性が映る画面を見せてきた。そして、「どう思う？　孫なの」と告げると、往年のエジプト人人気歌手、アブデルハリーム・ハーフェズ[▽181]の着信メロディーを鳴らし、歌い始めた。どうやらその孫が、自分の着信音として、その歌を設定してくれたらしかった。私は、目の前で繰り広げられる出来事の意味がわからず、その時はただただあっけにとられていた。それが彼女独特の面談終了のサインだったと理解できたのは、しばらくたってからのことだった。

　リハーム校長との会話では、この時に限らず、彼女が聞きたいと思う話題ではない場合、あるいは彼女の興味がない話の場合には、話の途中だろうが容赦なく退出を宣告された。それは、言葉ではっきりと伝えられる場合もあったが、大抵は態度で示された。ただしそのどちらでも、話を終える判断を下すのは校長であり、それでいて、私たちの方が彼女の意図を汲み取り、こちらから退席を申し出なければならないのだった。

否定を許さない語り口

このように、リハーム校長との初めての直接対決は、一方的に、私が彼女の威圧的な雰囲気や態度に圧倒されて終わってしまった。気づけば、全てが校長の望んだ通りになっていた。一風変わった彼女の部屋で、私にとってのアウェイな環境での面談だったこともある。ただ、それだけでは説明がつかないほど無意識のうちに、私自身が校長に与えられた役割を懸命にこなし、彼女に評価されたいという気持ちになっていた。私はまるで、自分で進んで共犯者になったようだった。この時に限らず、彼女を目の前にすると大抵、まるで操られているかのように彼女の望み通りに動こうとする自分を感じることがあった。彼女はそれほど、話術に長けていた。

彼女の語り口に特徴的なのは、甘ったるいほどの賛辞に満ちた言葉づかいと、それとは裏腹に、相手が取るべき行動や思考の道筋が明確に示され、それに則した行動を強制する威圧的な話し方だった。また彼女は、小さな質問を重ねる形で会話を進める点に特徴があった。それらは、質問というにはわかりきった事実を問う表現なのだが、それに同意を示しているうちに、彼女の意見全体に同意を示す必要があるポジションに誘い込まれていたのだった。もちろん彼女は、最後の最後に、否定を許してくれるような雰囲気は全く作ってくれなかった。彼女の希望や、意向、意見もまた、小さな事実と同じように、当たり前に承認されるべきものにされていたのだった。そこで彼女の意に反することは、小さな事実を否定するのと同じくらい馬鹿げたことで、また、それを当たり前に提案する、彼女の顔

181　アブデルハリーム・ハーフェズ（一九二九―一九七七）は、五〇年代半ばから六〇年代を通じて活躍したエジプト人歌手／俳優である［El-Saket 2011］。

に泥を塗る行為であるかのように思わされたのだった。▽182

リハーム校長は、相手を自分の文脈に引きずり込むことにとにかく長けていた。そのテクニックの一つが、相手の文脈のあからさまな否定である。例えば、最初の面談で彼女は私に一度も話を終わらせる機会を与えてくれず、私の調査の話など自分の興味から話題が外れれば、躊躇なく話題を変え、それでも私に食い下がられると、あからさまに聞こえないふりをした。こうした否定は、こちらの提示した文脈、またその文脈がよって立つ権威に異議を唱えるものと解釈でき、文脈を否定される方としては、自分の全てが否定されたような心持ちになった。そうして彼女は、自分だけが文脈を規定することができる状況を作りだしていた。

2　保護者に対する〈シャクセイヤ〉の発揮

相手を自分の文脈に誘い込む彼女の話術は、A校に子どもを通わせる保護者の対応で大きな成果をあげていた。エジプトでは保護者が頻繁に学校を訪れ、自分や子どもの要求を学校に嘆願する。A校のような授業料が高い私立校ではそうした傾向が特に顕著で、毎日毎日何組もの保護者たちが学校にやってきた。次々と訪れる保護者たちの要望は多様で、不満だけをぶつけにくるような保護者も珍しくなかった。彼らの中には、はじめからまるでけんか腰で学校にやってくる保護者もいるのだが、一度、リハーム校長と面談をすれば、多くの保護者は満足して帰って行った。

保護者の位置づけ

A校のように、新たな教育制度を実施する上では、保護者の信頼を得て味方につけることが重要だった[183]。この重要な任務は、A校ではリハーム校長と理事長秘書のマイが担っていた。

・・・・・・・・・・・・・・

182　エジプトの西方砂漠で暮らすベドウィンを対象に調査をしていたアブー＝ルゴドも、ベドウィンの若い女性たちが父親に反抗的な態度がとれないことを、同様の論理で説明した［L. Abu-Lughod 1990］。アブー＝ルゴドによれば、父親の言いつけに従わず化粧品を買った少女は、それが父親の権威、ひいてはベドウィン社会の権威や尊厳システムに対する挑戦であるという理由で制裁の対象とされたという。

私はしばらく時間がたってから、反論できないような状況に陥っても、例えば、校長からの提案が自分には身に余る光栄であると主張する戦術をとることで、校長の主張を真っ向から否定することなく提案を拒否することが可能であったことに気が付いた。しかし、たとえその場合であっても、こちらの辞退を受け入れるかどうかは結局、完全に校長次第だった。もしも彼女が、それでも「こちらがその特別処遇に適した人物なのだ」と再度主張すれば、私には、その主張をもう一度退けることが難しくなるのは目に見えていた。また、校長の話術に対抗する別のやり方としては、「馬鹿なふりをする（*bel3ab 3abīt*）」という戦術も考えられた。この戦術は、全く話の通じない人物を演じることによって相手をわざと失望をさせ、相手に課された期待から解放されるという効果を持つ。現地では主に男性同士の、明らかな権力差がある関係でのやりとりにおいて目にすることがある。

183　保護者に対して圧倒的に優位に立っていたリハーム校長だったが、保護者内におけるリハーム校長の評判は賛否両論あった。一般的には、彼女のことを、頼れる熱心な教育者と捉える意見が優勢だったが、中には権力を振りかざして他を威圧する、「古リハーム校長の保護者への対応は、実際、大きな効果を発揮していたようだった。彼女が発する威圧感は、保護者たちにも「偉そう」には見えていたようだが、それが「頼もしい」という好印象となって、リハーム校長の人気を支えていた。彼女自身、保護者対応には自信を持っていて、「私には目の前にいる人間がどんな人間かがわかるの。その人がどうやって話をしてほしいかがわかる。だから、どんな保護者だろうと、一度私の部屋にやってきたのであれば、不満を抱えたまま私の部屋を出ていくことはないの」[▽184]と説明したことがあった。

A校には毎日、相談や苦情陳述のために児童・生徒の保護者がやってきた。学校経営における戦略的な重要事案とはいえ、そうした保護者の対応は、かなり厄介な仕事だった。保護者の要求は千差万別で、相手の要求を理解するだけでも骨が折れた。そしてその多くは、日本では考えられないような、自分の子どものことしか考えない、特別措置を求めるものだった。低学年の児童の保護者から寄せられた要求の中には、我が子から他の子どもが小遣いを取り上げないよう学校教員が休み時間に付き添ってほしい、周りの子どもから悪影響を受けているので、自分の子どもに他の子どもが話しかけるのを禁止してほしい、スクールバスの座席を前から二列目の窓際にしてほしい、といったものまであった。

校長はそうした保護者に対し、一対一で会話をする時間を取り、相談内容によっては担当教員を呼び出して相談に同席させたり、面談後に子どもの教室を案内させたりするなど、保護者が満足するための努力を惜しまなかった。リハーム校長曰く、学校の運営を成功させるには保護者による評価が重要であり、それには児童・生徒以上に保護者を大切にすることが必要である。そのためには、対面で直接話ができる面談は、非常に重要な機会なのだった。

言葉ではそう表現しつつ、リハーム校長に保護者の相談や要望を真剣に聞き入れる気があるようには見えなかった。そもそもリハーム校長は保護者のことを、「教育について何も理解しない・できない存在」[185]と呼び、彼らの要求にいちいち従ったり、彼らの持ち込む苦情に真剣な解決策を考えたりする必要はない、と常々教員に語っていた。

リハーム校長によれば、保護者が学校に来るのは自分たちがセラピーを受けることが目的なのであって、彼らが口にする子どものための相談というのは言い訳であるという。とはいえ、学校にとっては、保護者が抱えている、日々言うことを聞かない子どもに感じる無力感を、共有したり、認めたり、頼りになるアドバイスをすることは重要である。保護者を納得させ、学校に満足を感じさせることが、学校としての成功のためには必要であった。しかし校長が言うには、聞くに値する意見を保護者が持っていると考える必要は無かった。彼らの意見を汲んでその実現に努めるのは時間の無駄であるばかりか、場合によっては危険を伴う行為である。一度学校が保護者に譲歩するとみなされれば、保護者の要求は際限が無くなる。「彼ら（保護者）は親指を与えられれば、片腕を奪ってしまう」[186]存在

いタイプ（*stail adim*）」の権力者と捉える意見もあった。

184 二〇一一年四月二二日に行った聞き取りでの発言。

185 二〇〇七年一一月（日付未詳）、職員室で教員数名との会話において発せられたもの。

186 この語りは、二〇〇七年一一月八日、ここで取り上げた父親との面談が終わった後に廊下で鉢合わせた際、リハーム校長が

であることを常に忘れてはならない、と言うのだった。

文脈の操作

保護者に不信感を抱きながら、保護者に満足感を提供する。その二つがリハーム校長の中では問題なく共存していたようだった。では一体、保護者のことを一〇〇%正面から受け止めずに、どのように彼らを説得していたのだろうか。次に挙げるのは、私がたまたま観察することができた事例である。

ある日の授業中、彼女の部屋に呼び出されると、次のような激しいやりとりがアラビア語のカイロ方言で交わされていた。

父：こんなに高い学費を払わせて、子どもを危険な目に合わせるのか。
校長：あなたは間違っている。あなたは全く問題を理解していない。問題を見ようともしない。
父：自分はビジネスマンだ。これだけの金があれば、どれだけ仕事ができると思っているんだ。どうして自分がわざわざ高い学費を払ってこの学校に子どもを通わせていると思っているのか。
校長：あなたの子どもは嘘つきだ。
父：おまえこそ嘘つきだ。人の子どもをよくも嘘つきと言ったな。辞めさせる。
校長：辞めさせればいい。あなたの娘は嘘つきだ。私はよく知っている。そして彼女を嘘つきにしているのはあなただ。あなたは自分の娘がいつ怪我をしたのかも知らなければ、どうして彼女が嘘をついたのかも知らない。何もわかっていない。

このやりとりは、G1に娘を通わせる、ある父親とリハーム校長との会話である。父親は、娘の目の中に小さな内出血を発見し、それが学校のせいだと乗り込んできたのだった（二〇〇七年一一月八日）。上記のやりとりが行われた際、父親はすでに激昂し、恫喝とも取れる態度で校長に詰め寄っていた。恰幅のいいその父親の身長は一八〇センチ近く、対するリハーム校長は一五〇センチと、かなりの身長差があった。

父親はまず、冒頭の発言でA校の高い授業料を持ち出し、A校が金額に見合う仕事をしていないと非難した。金を支払う側の強みを持って、学校の非をなじったと考えられるだろう。対して校長は、内出血にも、授業料にも触れず、ただその父親を、過ちを犯した者として非難した。さらに彼女は、彼の娘を「嘘つき」と非難し、攻撃を続けた。「嘘つき（*kaddāb/kaddāba*）」とは、一見非常に厳しい非難に聞こえるが、カイロの日常会話では、意見が食い違った程度の状況でも用いられる表現である。語感が強い割に相手に深刻なダメージを与えるものではないため、この場での、ある意味絶妙な攻撃であった。この序盤の非難の応酬では、全面対決をほのめかせた父親に対し、校長が迎え撃ちつつ、争点を、学校の対応から、父親としての彼の資質に移動させようとした。

当初は校長の強固な対応に驚いた父親も、再度「（学校を）辞めさせる」と述べることで、当初の、顧客とサービス提供者、という図式に会話を戻そうと試みた。しかし校長はその発言をはっきりと切

発したもの。

り捨て、この男性の父親としての素質、さらには彼の娘の人格を議論の争点とした。こうして彼女の土俵に、争いを引きずり込んだのだった。

ここまでのやりとりを一気に終えた校長は、私が入室したのを確認すると、彼の娘を教室から校長室に連れてくるよう命令した。校長は、実際に児童の顔を見るまでは、彼の娘がいったい誰だったかわかっていなかったようだった。したがって、この女子児童が実際にA校で内出血をおこしたのかどうか校長は知らないはずということになる。それでも、おそらく父親には、そんな片鱗すら全く感じ取ることができなかっただろう。それほど、校長の態度は威厳と確信に満ちていた。

問題の女子児童を連れ、校長室に戻ると、椅子に座って待っていたリハーム校長は、手招きをして女子児童を彼女の前に呼び寄せた。そして座ったまま、立っている女子児童の目線で、怒りを露わに、彼女の眼の内出血が本当に学校で起こったことかと女子児童を詰問した。彼女は、怒り狂う校長を前にして、瞬間的に首を横に振った。校長は続いて、家で起きた出来事ではなかったかと問いただした。すると、女子児童はこくりとうなずいた。▽[187]

このやりとりの後、女子児童はすぐに退出させられたが、女子児童の返答に加勢を得た校長は、椅子から立ち上がり一層大きな声で父親をなじり始めた。高い学費の支払いで責任を果たしたつもりになっていること、子どもが本当のことを言えない家庭環境を築いていること、そして子どもの日々の成長に父親が気づいていないこと。このころにはすでに二人のやりとりは、口論というより校長による激しいお説教になっていた。そして校長は突然、溜め息をつき黙り込むと、深々と椅子に座り、不機嫌な表情のまま静かな口調で、こう話し始めた。「あなたには、自分の子どものすばらしさがわかっていない」。それまで、ただ同じ場所に立ちつくしていた父親も、校長のこの発言を聞いて、自分も深々と椅子に腰を下ろした。

校長は、執務机に置いた肘を曲げ顎の前で両手を組み合わせると、「彼女がここに来てからどれだけ成長したかわかっているかしら。実のところ彼女は大変な子だったわ。でもそれは彼女にとっても同じ。彼女にとっても大変だったはず。でも彼女はとても努力して大きく変化した。それをわかっているの、あなた」と語りかけた。

校長は、「嘘つきな子どもと子どもに十分に向き合わない父親」という文脈のままに、実は成長を遂げている少女、という女子児童のサクセスストーリーを語り始めた。父親は、校長によるこの問いかけを受け、数秒間沈黙したが、急に校長に向かって、思いつめた様子で、「あなたの電話番号が欲しい」と口を開いた。リハーム校長は、無言で自分の仕事用の携帯電話番号を自分の手帳に書くと、そのページを破って「いつでも電話をしなさい」と言って父親に渡した。父親は、校長が書いた紙を受け取ると、それをジャケットの内ポケットに入れた。すると空気は一変し、父親は、何事もなかったかのように自分のビジネスや最近の景気について笑顔で校長と世間話を始めたのだった。

---

187 この時、女子児童がうなずいたのが、真実を告げる行動だったのか、恐怖から出た行動だったかはわからない。初めて彼女の目に内出血が見られた日の朝、私も彼女を校医に看せ、問題ないとの回答を得ていた。大したことではないと知りながらわざわざ校医に診てもらったのは、保護者が関わる面倒な事態が起こることを恐れていたからである。しかし、リハーム校長にとってこうした証拠の積み重ねは全く必要ないものであったようだった。

その時私は、そこで何が起こっているのかわからず、ただただ展開にとまどい一人で立ち尽くしていた。するとリハーム校長から、下がっていい、と目配せがあり、私はそこで退席した。

このやりとりには、リハーム校長のコミュニケーション方法がよく表れている。彼女はどれだけ腹を立て、威圧的な態度をとる相手にも怖じ気づくことはなく、最後には、相手の要求をのむことなく、相手を満足させることに成功していた。このやりとりを別の角度から整理すれば、次のようになるだろう。

権力を形成する語り口――〈シャクセイヤ〉の発揮

激怒する父親に対し、リハーム校長はまず、相手をなだめるのではなく、彼の文脈を否定した。そして、彼女が考えるより適した文脈を提示した。会話がかみ合っていないように見えるのはそのためである。しばらく拮抗した文脈争いは、女子児童の登場によって、リハーム校長に軍配が上がる。形成優位を見て取った校長は、相手に反撃の隙を与えず、ストーリーを積み重ね、文脈争いにおける主導権を完全に掌握した。しかし、父親にとどめを刺し、彼の面目を潰す代わりに、最後に落としどころを用意する。それが、娘の成功に十分に気づいてあげられなかった父親、という役割だった。言いがかりをつける理不尽な父親という立場から、娘の成長に気づかされる父親へ。この役割変更は父親にも無理なく受け入れられた。彼は校長から謝罪をもぎ取る代わりに、娘の成長に気づかされ開眼した父親、という役割と、娘に対する賛辞を与えられたのだった。

このやりとりを目撃させられた私からすれば、女児に対する、嘘つきという評価と、頑張って成長する少女という評価との違いが気になった。また、対象の女子児童が誰かわからないままに非難を口にする姿勢にもぎょっとさせられた。しかし、やりとりの後半に生まれた多幸感には、私ですら思わず胸を打たれてしまうものがあった。もしもあのタイミングで私にも役割が振られていれば、情報の真偽や適切さにかかわらず、私も喜んでその役割を果たしてしまっていただろうと思う。▽188

校長がこうしたやりとりで優れていたのは、後に引かない肝っ玉と並んで、落としどころの提案の上手さ、そしてそこに向かう大団円にやりとりをリードする演出力にあった。こうした能力は、A校のみならず、エジプト社会のあらゆる状況で必要とされる能力ではあるが、リハーム校長は、その能力に非常に秀でていた。

リハーム校長は、こうした彼女の話術を、自分の「シャクセイヤ（*shakhsyya*）」によるものと説明した。〈シャクセイヤ〉とは、属性や特徴、個性を意味するアラビア語カイロ方言である。ここで彼女が言わんとしていたことを私なりに補足するなら、それは、自分の属性に基づく社会的威信や威光を総動員して、自分の思うように文脈操作をする力、と説明できるだろう。謙遜や謙虚、といった概念とは正反対の、持てるものを利用し尽してでも、横車を押す力、と言ったらわかりやすいだろうか。リハーム校長にとって〈シャクセイヤ〉は、まさにリハーム校長をリハーム校長たらしめる性質だった。

彼女に言わせれば、それは学校業界で成功するためには必ず必要な資質だった。教育という、短期

188　私がその場に呼ばれていたこともまた、校長による演出の一種だった可能性がある。明かに外国人の私がそこにいたことで、校長の権威を増すことに一役買っていたというのである。この指摘は奥野克己氏からいただいた。

的な成果が見えにくいプロジェクトに関わる組織として、パトロンでもあり、一番の支援者でもある保護者の信頼をつなぎとめておくことは、学校のスムーズな運営において不可欠だった。とりわけ、子どもがどの学校に通うかを親の経済力が許す限り変えることができる昨今の風潮において、これは重要だった。どれだけ学校が頑張って児童・生徒を教育していても、親の一存で転校させられてしまえば、これまでの教育努力は水の泡である。教育という目的を完遂するためには、まず保護者の支援と信頼を得ることが非常に重要だった。A校では、保護者は教育のパートナーではなく、障害とも捉えられていた。教育制度が大きく変化する最中にあったエジプトにおいて、新しい教育制度は、保護者世代が享受した教育とは、質も量も大きく異なっていた。それでも、子どもの教育に熱心な保護者は、学校に対して好きに口を出す。高い学費を払っていればこその権利意識も強い。そうした状況において、相手をこちらのストーリーに導く〈シャクセイヤ〉は、同じ価値観を共有しない人々からの支援を取り付けるために重要な効力を発していた。実際、〈シャクセイヤ〉によって相手を誘導するリハーム校長のやり方は、短期的には保護者を満足させる効果を上げ、長期的には、保護者に対して彼女のビジョンを教育する効果を生み出すものでもあった。

3　学校内での彼女の評判

リハーム校長が、A校の教育を圧倒的な力で威圧的に牽引していたことは明らかだった。ただしそれは、リハーム校長の指揮のもと、A校の教職員が一丸となって教育に取り組む、という類のものではなかった。むしろ、文字通り反対意見を封じ、A校で働き続けたいのであればリハーム校長に従うしかないという独裁的な状況を作り出していた。そんな彼女の姿は時に、A校で孤軍奮闘しているように見えることもあった。

学校教員によるリハーム校長の評価——わがままな独裁者か

保護者たちからの高い評価とは対照的に、学校教員たちだけで話をすれば、そこでは必ずリハーム校長に対する不満が語られた。それは特に若い教員たちに顕著だった。二〇代女性教員たちは、彼女との対面ではリハーム校長への絶対的服従を示しつつ、彼女がいなくなれば、「全てをコントロールし、それを押し付ける傍若無人な女性」として不満を漏らした。

そうした二〇代女性教員たちの反応は、シャイマの章でも検討した通り、全くいわれのないものでもなかった。リハーム校長は、若い女性学校教員に話しかける時にはいつでも「愛しい娘 (*habibti*)」と呼びかけるところから始めていた。しかし彼女のそうした態度には、大人が子どもをかわいがるように、あるいは飼い主がペットに対して行うように、無力な存在に対する働きかけという意味付けが含まれていた。

保護者との会話同様、リハーム校長が女性教員に会話の主導権を与えることもなかった。若い学校教員が彼女の聞きたくないことについて話を始めれば、あえてちぐはぐな応答をしたり、唐突に話を切り上げたりした。会話は、彼女のためのものであって、決して女性教員たちのためのものではなかった。
ここでは具体的な事例を二つ挙げ、それぞれ検討してみたい。

シャイマが受けた不当な仕打ち

一つ目に紹介するのは、第I部で検討したシャイマが関係したストーリーである。シャイマは憤りながら、この出来事を、「校長が、保護者の前で自分を利用した」と説明した。詳しいいきさつは次のようなものである。

シャイマはある朝、彼女が担当するG2アラビア語の授業の件で、ある男子児童の保護者との面談に呼び出された。校長はシャイマにその男子児童の学習状況を尋ね、シャイマは彼女が思うところを語った。その男子児童が、普段から授業に上手く集中できていないこと、彼の学習習熟程度が他の児童に大きく劣ること、授業についていくためにも、家庭学習に力を入れて欲しいと考えていること。しかしこうしたシャイマの報告を聞き、リハーム校長は怒り出し、それをシャイマの職務怠慢のせいにしたという。自分の発言が誤解されたと感じたシャイマは、言葉を重ねて、その男児の状況を説明しようとした。それでも校長は聞く耳を持たず、保護者の前でシャイマを叱責した。結局、リハーム校長のあまりの剣幕にあわてた保護者がその場を仲裁し、シャイマは校長室から追い出されたという。

シャイマはこの出来事について、校長が自分だけを悪者にすることで、保護者に目くらましにかけた。私は彼女に利用された、と涙を流して訴えた。そして校長のことを、「金（学校の経営）のことしか頭にない女」だと非難した。

シャイマにしてみれば、彼女は児童の様子を報告しろと言われて、その指示に従っただけだった。彼女曰く、もしその児童の普段の様子が望ましいものでなかったとしても、それは児童自身の問題であり、自分が叱責されるのは筋違いである。そして自分だけを悪者にして保護者の不満から話の矛先をそらした校長のやり方は、シャイマに対しても、保護者にとっても誠実なものではないという。シャイマの憤りの中心は、校長の姑息なやり方によって、自分の面目が傷つけられたことにあった。また、公的な場で面子を潰すというやり方が、彼女を軽んじすぎているというのだった。

ヘバが嵌められた罠

二つ目に取り上げるのは、理科教員であったヘバが語ったストーリーである。ヘバは学期の途中で突然解雇されたが、その理由は最後まで他の教員には明らかにされなかった。この話は、彼女が解雇される以前に語られたものである。

事の発端は、登校してきたリハーム校長に、彼女が挨拶をしたことだった。その時ヘバは、職員室で、KGの問題児とされていたアダムという五歳の男子児童を膝に抱えてあやしていた。アダムは日ごろから集団行動ができず問題を起こすことがあり、これまでも、ヘバが空き時間に、職員室で彼の面倒を見ることがあったという。校長は挨拶を返し、ヘバに何をしているのかと尋ねてきた。ヘバはそこで、「アダムと遊んでいるんですよ、かわいいでしょう」と答え、アダムの顔が校長の方に向くように、彼を膝に抱えなおした。校長はアダムに近づき、「あらあかちゃん、かわいいわね。お元気（*Ya lolo inta tigannin, izayyak?*）」と赤ちゃん言葉で話しかけると、続いてヘバに、「さあ、さっさと動いて仕事をしなさい。そうでないならここから追い出すわよ」と、彼女に凄んだ。

ヘバはこの話をしながら、リハーム校長を「怒るだけが仕事の女」と罵り、他の教員とリハーム校長の悪口を言うことで気分を落ち着けていた。

ヘバにしてみれば、この出来事は、校長による八つ当たりにしか思えなかったのだろう。ヘバは、問題児であるアダムの世話を親切心から行っていた。彼女にとっては、それは褒められる行為でありこそすれ、怒られるような行為ではなかった。それにもかかわらず、突然校長から強い調子で咎められたことに、彼女は納得ができていなかった。ヘバの不満の中心は、校長に褒められる代わりに叱責され、彼女の尊厳が傷つけられたことと、自分の仕事に対して、正当な評価が与えられなかったことにあった。


校長に対するこうした不満は、A校の学校教職員に広く見ることができた。リハーム校長は、彼女がいないところでは、「独裁者（*diktatūra*）」「金持ちだと思って威張っている（*beta3mel nafsaha akbar 3alāshān heyya ganiyya*）」「血が無い（*ma3ndāsh dam*）」「重要人物ぶっている（*beta3mel nafsa mohimma*）」「性格が悪い（*shakhsyya wa7sha*）」「悪人（*wuṣkha*）」などと呼ばれていた。

しかし彼ら・彼女らは、実際にリハーム校長を前にすると、悪口や苦情を言うどころか、必死に彼女を喜ばせようとするのだった。

若手教員はリハーム校長のことを、関わり合いたくない相手とは口にしていたが、校長からの評価を熱烈に欲していたようだった。リハーム校長は、教員たちにとっては、自分を一番評価してもらいたい相手でもあった。彼女に対する不満には、その欲求が叶えられないことに対する鬱憤がかなり混じっているように見えた。

教員間のすれ違い

リハーム校長が、実際のところなぜシャイマやヘバを叱責したのかはわからない。彼女は、私には敬意のある態度で常に接してくれてはいたが、私たちは決して噂話を交わす仲にはなれなかった。彼女が他の教員に対する評価を私に話すことは珍しくなかったが、それでも、彼女の発言に対して私が質問を重ねることは許されなかった。そこでここでは、私から見た、リハーム校長の目指していた教育と、シャイマやヘバの言い分とのずれについてまとめてみたい。

シャイマのケースについて考える際に参考にしたいのが、リハームが語る保護者対応の重要性と、そこで彼女が用いていた〈シャクセイヤ〉である。シャイマによれば、リハーム校長が腹を立てたのは、問題の男児を「だめな児童」として切り捨てたシャイマの言動だった。保護者とのやりとりを「セラピー」と捉えていたリハーム校長の考え方を参照するなら、シャイマの発言は明らかに問題だった。保護者は大抵、子育ての苦労の矛先をA校に向けて苦情を言いに来る。その際、リハーム校長がまず大事にしていたのは、保護者の苦労を共有し、彼らも十分に頑張っている、あるいは児童・生徒が成長していることを労う姿勢だった。シャイマの発言は、保護者や児童・生徒に寄り添う代わりに、男児の落ち度を指摘して、自分の非を認めないものであった点で、保護者の気持ちを逆なでするものだった。このように考えれば、彼女の発言が、保護者を支援者にするというリハーム校長の職務を邪魔するものであったことは明らかである。

他方ヘバは、リハーム校長に、集団行動ができない児童を度々クラスから連れ出し、自分の膝にのせて好きなようにさせていた姿を見られていた。これが、リハーム校長の目からは、学校教員としての職務をこなしていないと見えたのだろう。第9章で詳述するが、リハーム校長は、常に教員の身だしなみや振る舞いを口うるさく監督していた。彼女にとって教員は、「教員」として児童・生徒に尊敬される人物である必要があった。ヘバが五歳の男児をあやす姿は、リハーム校長が教員に求めていた振る舞いではなかった。A校には、ダーダと呼ばれる上級用務員がいた。彼女たちは、校内の清掃の他に、児童のトイレの世話や、ぐずる児童の相手など、臨機応変にシッターのような役割を果たすことが期待されていた。リハーム校長に見とがめられたヘバの行動は、確かに親切心からやったことかもしれないが、リハーム校長から見ればそれは職務を離れた、ダーダの行う仕事であった。教員が児童・生徒と愛情に満ちた信頼関係を築くことは奨励されていたが、私にはヘバの姿が、下方越権行為として、教員たるべき姿ではないと責められてもしょうがないものにも思えた。

私にとってこうした事例が興味深かったのは、何より、リハーム校長が示した教育方針と、A校で働く、特に若い教員たちとの認識のずれを示すものだったからである。シャイマにとって、男子児童について上から目線で厳しく評価・報告したことは、学校教員として自分がきちんと仕事をし、好かれる先生になろうとしているアピールでもあっただろうし、ヘバにしてみれば、彼女がアダムをあやしていたのは、児童・生徒を大事にするというA校の方針に従った結果の行動とも考えられる。しかしそれらはどちらも、リハーム校長が教員に求めていることを、彼女たちが理解していない証左として捉えられたと考えられる。少なくとも彼女たちは、リハーム校長の指示を、具体的な行動要請のレベルでは共有できていなかった。

しかし私から見れば、それもまた仕方のないことに思えた。A校で働く教員の学歴や教歴を見る限り、彼らにとって、A校で求められていたことを理解するのは非常に難しかったはずである。A校の教員の多くは、エジプトの公立高校から国立大学に進学した経歴を持っていた。副校長や何人かのベテラン学校教員は、他の外国ディプロマ校で教えた経験を持ってはいたが、若い学校教員たちにとっては、A校が初めての外国ディプロマ校だった。外国ディプロマ校に通ったこともなく、そこで働いたこともなく、さらにはそうした空間に身を置いた経験のない彼ら・彼女らは、校長の指示を具体的に実施するための、教育経験も人生経験も持ってはいなかった。学校教員たちの中には、生徒としてA校に通うことができるほど裕福な家庭の出身者はおらず、またそれ以前に彼ら・彼女らの世代ではこうした教育制度はまだ一般的ではなかったのだった。

そのため、A校での日常やリハーム校長の指示が、学校教員たちにとって馴染みのあるものだったとは考えにくい。彼ら・彼女らにフェアな見方をするならば、A校やリハーム校長の指示は、彼らにはその多くが馴染みのないものであり、それでも彼ら・彼女らは、それを理解し、実践しようと努力していたのだった。それでもリハーム校長は、学校教員、とりわけ若い女性教員たちの行動に明らかな憤りを見せていた。

実際リハーム校長は、若い女性学校教員たちの働きに、常に不満を見せていた。学期途中で辞めさせられた学校教員はヘバだけではあったが、二〇代女性学校教員の中で、調査の翌年、つまり二〇〇八年度の継続契約をもらえた教員は一人もいなかった。[189] リハーム校長はこうした状況について、「〔近頃は〕しっかりと働く学校教員がいなくなってしまった。みなサボることばかり考えて怠惰（lazy）になった。いい学校教員を見つけるのは簡単。学校教員の給料を上げればいい。今みたいにピーナッツ程度しか給料が払えないのであれば、ちゃんとした学校教員を確保できるはずがない」[190]と語っていた。

一見、A校の全ての物事を管理していたようなリハーム校長だったが、彼女が自分の教育ビジョンを実現するのは容易ではないようだった。同じ価値観を持ち、手足となる学校教員が不在の中、自分が信じる教育を推し進めるのは、孤独な責務だったはずである。

校内での勢力争い

リハーム校長は、学校教員だけでなく、当時校内における勢力争いにも巻き込まれていた。リハーム校長がもともとB校で長年校長を務めてきた人物だったことは先に述べた通りである。A校が開校した二〇〇三年以降は、三年にわたって、それまで長年勤めてきたB校の校長と、A校の校長を彼女が兼務していた。彼女が正式にB校の校長職を離れA校専属の校長になったのは、二〇〇五年のことだった。しかしその移動をめぐっては、当時一悶着あったというのが専らの噂だった。B校校長時代から、リハーム校長の右腕だったという教務主任のドア先生[191]の話によると、この間の経緯は次のようなものだったらしい。

二〇〇五年、B校の現在の地位を築き上げた、当時の理事長アフマド・ナビール氏が急逝した。これを受け急遽新たな理事長が任命されることになり、他校で理事長職を務めていた現理事長のアフマド氏に白羽の矢が立てられた。当時彼は学校業界において、若い（四〇代後半）ながらに新興私立学校を経済的な軌道に乗せる敏腕さで知られていたらしい。A校およびB校（当時は一つの理事会が二つの学校の運営を行っていた）からの要請を受けたアフマド氏は、理事長を引き受けるにあたって彼の妻がその学校の校長に就任する、という条件をつけた。これをうけ理事会は、彼の妻をB校の校長に就任させることにした。同時に、それまでA校とB校の校長を兼任していたリハーム校長はB校の校長職を解かれ、A校の専属校長になった。

ドア先生によれば、この人事の表向きの理由は、リハーム校長がA校の発展に専念するためというものではあったが、内実は、新理事長であるアフマド氏の「横暴」による、事実上のリハーム校長の左遷である、と人々は捉えたらしい。二〇〇七年の時点でも、新理事長によるリハーム校長の冷遇は続いていたようで、理事会はA校に関心を向けず、リハーム校長を、折を見て解任しようとしているという噂が流れていた。A校では、理事長は教育には関心がなく、学校経営で利益を上げることを最重要課題とする人物である、と評価されていた。その理事長にとって、教育畑で長いキャリアを持つ

……………

189 この件については二〇〇八年夏に英語教員だったサラに聞いた。また二〇一〇年五月に行ったリハーム校長との聞き取りでも確認された。この時校長は、「未婚女性はやっぱり使えなくてダメ」なので、教歴の長い人材を積極的に探していると言っていた。

190 二〇一一年四月二二日の発言。

191 リハーム校長のB校校長職の解任を受け、長年B校でパートナーとしてやってきたドア先生自身も教務主任としてA校に移籍した。そしてB校で築いた関係を基に、引き続きA校で授業関連の雑事の一切を引き受けていた。

リハーム校長は、秘書のマイの言葉によれば、理事長に従わず、必要以上に学校運営に資金をつぎ込みたがる「やっかいもの（*osbor ala gark elsaw ya yerhal ya tigi mosiba taghdoha!*）」だというのである。[192]

この話の真偽は確かではないが、かつてA校で働いていたアメリカ人学校教員からも、「教育に関心を持たない理事長になって経費の使用が厳しくなった」と聞いたことはあった。[193] また少なくとも、アフマド氏の経歴は、リハーム校長のそれとは大きく異なっていた。彼は、公立高校を卒業の後、カイロ大学に進学・卒業していたらしく、私立学校に通うような経済階層の出身でもなければ、私立学校がどういう場所であるか、身をもって語ることができるような人物ではなかった。アフマド氏の経歴は、彼の世代としては決して見劣りするものではない。彼が学校教育を受けた七〇年代は、歴史ある名門私立校も国営化された後の時代で、当時私立校に通うのは、特殊な事情により公立校の勉強についていくことができない生徒と言われていた。この時代における公立校出身という肩書きは、むしろエリートにふさわしいものだった［El Sayed 2013］。とはいえ、こうした経歴からも、理事長がリハーム校長とは異なる教育のビジョンを持っているだろうことは想像に難くない。こうした違いが経済的利益と結びつけられて語られていたことに、当時のエジプトで流布していた、学校教育に対する不信感を見ることができるだろう。高額な私立学校は、人々の憧れであると同時に、何事も利益優先的な社会の縮図とみられていたのである［cf. De Koning 2005; Peterson 2011］。その点においてアフマド理事長は、学校経営によって莫大な利益を上げる守銭奴、という社会の幻想を投影するのに、もってこいの人物だった。

またA校にはもう一人、リハーム校長と必ずしも良い関係を築いているとは言えない人物がいた。

それが理事長秘書のマイだった。ドア先生が語るところによれば、彼女との確執の始まりも、二〇〇五年の人事に端を発していた。二〇〇五年以前、リハーム校長がA校で仕事をする機会が非常にまれだった。校長不在の中、A校の教務を切り盛りしてきたのは理事長秘書のマイだった。マイはそもそも前理事長アフマド・ナビール氏の長年の友人で、彼に請われてこの職に就いていた。当時、マイにはA校を好きに動かす力があり、彼女に意見することすら、怖くてできない雰囲気があったという。二〇〇五年以前、彼女がA校を仕切るにあたって指示を仰ぐ必要があったのは、彼女の友人であった前理事長のアフマド・ナビール氏のみだった。そのため当時のマイには、責務は重くとも、業務を自分の裁量で行う自由があった。しかし状況は、アフマド・ナビール氏の逝去によって大きく変化した。全てをコントロールしたがるリハーム校長が、A校の専属校長として異動してきたために、マイの自

…………………

192　*Osbor ala gark elsawa ya yatigy mosiba taghdoha* とは、直訳すれば「大惨事が彼女の近くにやってきますように」という意味だが、日本語で言うところの、「すぐにいなくなってほしい厄介者」といったニュアンスで使われる。これは理事長秘書のサラが、アフマド氏によるリハーム校長の評価として口にしたものである。マイとリハーム校長の関係（マイはリハーム校長のことを煙たがっていた）を考えれば、これがそのままアフマド氏によるリハーム校長の評価であったとは考えにくいが、理事長にとって、リハーム校長が厄介な存在となっていたことは想像に難くない。実際、二〇〇五年の人事異動では、B校の校長にリハームの代わりに自分の妻を据えていたし、二〇一〇年一二月には、リハーム校長を突然解雇した。

193　前アフマド・ナビール理事長の時代（正確には二〇〇六年度まで）には、年度末、児童の一人ひとりに二〇〇LE相当のプレゼントが渡されていた。ただこの件については、アフマド・ナビール氏がTop Toyというおもちゃ屋を市の中心部、ザマレックやムハンデシーンで数店経営していたため、そちらとの関係もあったのではないかと思われる。

由は大きく制限された。これが彼女にとって、相当なストレスになったことは想像に難くない。

マイとリハーム校長の関係は、それから二年がたった二〇〇七年の時点でも、上手くいっているとはいい難かった。マイは周囲のスタッフや学校教員にリハーム校長の批判を繰り返し、リハーム校長の動きに絶えず探りを入れていた。他の学校教員たちが仲間内で行う口先だけのリハーム校長批判とは異なり、マイの仕事ぶりにはリハーム校長に対するあからさまな嫌がらせが含まれていた。

例えばマイは、できるだけ保護者を校長に引き合わせないようにしていた。入学金や授業料の払いこみ、また学校への入学手続きを通じて全ての保護者と接触のあったマイは、保護者との窓口を自分だけに留めておこうとした。彼女は保護者に、「保護者の対応は全て自分を通して行う」というルールを伝えていた。私たち家族に対しても、彼女は、理事長秘書としてA校内での全ての権限と責任を持っていると説明をし、校長に接触させないようにしていた。私がA校で働き始めるまでリハーム校長に会ったことがなかったのは、こうしたマイの策略によるものだった。校長はこうしたマイの保護者対応については一切承知をしておらず、彼女は彼女で保護者の対応の一切は自分の仕事だと考えていた。

またマイは、直接具体的な指示が出されない限り、リハーム校長には自分が知りえた情報を一切共有しようとせず、遠足の日程、児童・生徒の移動(転校)、試験日程の変更など[194]、いくつかの場面では、このコミュニケーション・ギャップによる問題が深刻な事態に発展したこともあった。[195]

4 〈シャクセイヤ〉を利用する孤独な指導者

リハーム校長は、話術に富み、経験のある学校長だった。威厳のある態度に裏付けられた教育に対

194 二〇〇七年の秋学期の期末テストの試験日程をめぐるトラブルはその一例である。エジプトの定期試験は、政府が決定する日時によって全国で全学年一斉に行われる（例えば、「一一月一八日二限、数学」とあれば、その時間にKGから一二学年までの全児童・学生が、全国で一斉に数学の試験を受けることになる）。A校ではこれまで、アメリカン・ディプロマ教育を実施する教育機関としてこの政府通達を重視してこなかったのだが、制度が厳重化されるとの情報をもとに、二〇〇七年度からこの通達に従った試験の実施を決定した。理事会で決定されたという点で、それは理事長名（実際には理事長秘書によるもの）で保護者に通達されるべき事案であった。しかし試験の作成・実施を担うのは教員であること、それまでに配布されていた試験日程が校長名で出されていたことから、情報の連絡・徹底が、校長の責任のもとに行われることになった。こうした政府通達は、日程的な余裕がなく実施される。このときも、試験日程の直前に通達が行われたようだが、マイはその情報をすぐに校長に伝えなかった。最終的に教務主任のドア先生が、試験の二日前に、児童・生徒全員の家に一軒一軒電話で保護者に連絡した。しかし案の定、変更の連絡から試験日までの二日間、リハーム校長やドア先生は、パニックに陥った保護者からの問い合わせや苦情に二十四時間の対応を迫られた。

195 仕事内容が近い同僚同士で情報を共有することを避ける傾向は、これまでのエジプトの職場でも見ることができた。新たな人員がはいってきた時には、仕事は一切教えず、時には誤った情報を伝えたり、連絡を怠るなどして、新人の仕事のできなさを露呈させる努力が行われていた。それは、へまをする人間を自分の近くに作り出すことで、自分の評価を高めようとするゲームに見えた（私が実際に旅行会社で経験した同様の体験については、鳥山（2007）で詳しく記述した）。そのゲームから脱する一つの方法は、ゲームをしかけてくる人間をボスとして認め、徹底的に頼ることである。そうなって初めて、仕事を教えてもらうことができたり、手助けをしてもらうことができた。

する信念は、A校を動かすエンジンとなっていた。過剰なほどに威圧的な態度と、人の感情に寄り添いながら巧みに文脈を操作する力を使い分け、教員から保護者に至るまで、A校では彼女の指揮のもとに動かされていた。そこで彼女が用いていた戦術が、〈シャクセイヤ〉を使うことだった。彼女は、自らの社会的地位や、権威や、威厳といったもの、すなわち社会的個性という意味での〈シャクセイヤ〉を総動員して、相手を説得し、懐柔することに成功していたのだった。〈シャクセイヤ〉を利用するといえば聞こえはいいが、それは言い換えれば、権威を笠に着て、偉そうにし、横暴に振る舞い、相手を見下し、相手の弱さに付け入る行為でもあった。つまり、特定の物事について話し合い、総意を得るのではなく、威厳や威光という「偉さ」で相手を一方的に従わせていたと理解することもできた[▽196]。

リハーム校長が〈シャクセイヤ〉を利用した学校運営をしていたのは、そうしたコミュニケーションなくしては、A校がスムーズに運営されうる場所ではなかったからだと考えることができる。彼女の手となり足となって、実際にA校を動かしていかなくてはならない教員たちは、彼女と教育のビジョンを共有できていなかった。多くの教育たちは、自分たちがやるべき仕事が明確でないまま、評価ばかりは一人前に欲しがった。また保護者たちは、常に自分勝手な要求を突きつけ、A校にとっての足かせとなっていた。さらに、本来ならば共にA校の運営に携わっていくはずの理事長秘書も、彼女自身の権力闘争の中で、陰で校長に歯向かう戦略をめぐらせていた。唯一、教務主任のドア先生とは、チームとして協働関係ができあがってはいたようだったが、彼女以外に理解者がない中、それでもA校をエリート教育にふさわしい場にしていくことを、彼女は天職としていたのだった。

リハーム校長は、理解者を持たないだけでなく、理解者を求めることも諦めていたようだった。校長は、特に若手女性教員たちに対する不満を口にしながらも、もう彼女たちをどうこうしようとは思っていないようだった。二〇代女性教員たちはリハーム校長のことを恐れ、避けていたが、それこそリハーム校長が望んだ関係性に見えた。彼女は意図的に、過剰に威圧的な態度で教員たちに接し、彼女たちと校長との間の壁を保っており、周囲からの反感をも承知で、傲慢でわがままに見える態度をとっていた。その姿勢は、確かに彼女に友人をもたらしはしなかったが、独裁者としての威厳と、威光は保たれた。彼女が理不尽な態度で振る舞い、教員の意向を無視するほどに、彼女の意見は重要なものとして受け取られるようになっていた。ある意味ではこれこそ、彼女のいう〈シャクセイヤ〉の発揮といえるだろう。そもそもリハーム校長と他の学校教員たちとが同じ立場でない以上、学校教員らの個別の不満にいちいち耳を貸す必要はない。そこで重要なのは、学校教員たちがリハームを校長として認め、リハームの言うことに従うことである。こうした社会的属性に基づく行動様式を貫くことで、リハーム校長の言動は、教員たちにとって特別なものであり続けたのだった。

196　エジプトの学校組織に見られる強いトップダウン傾向には、学術的関心も寄せられてきた［cf. Hammad and Norris 2009; Naguib 2006; Szyliowicz 1973］。

第9章　〈ソサエティ〉の再興に生きる

第8章では、リハーム校長の振る舞いと周囲からの評価を取り上げ、彼女が彼女なりに〈シャクセイヤ〉を駆使して、孤軍奮闘の中A校の運営をけん引していることを検討した。リハーム校長にとってその難しさは、A校の教員にも、保護者にも、リハーム校長のビジョンが共有されていないことにあった。ではそのビジョンとは一体どのようなものだったのだろうか。また彼女がどのようにそのビジョンを抱くに至ったのだろうか。前章でリハーム校長の〈シャクセイヤ〉、つまり属性や社会的位置といった「外的な個性」を検討したとすれば、本章では、リハーム校長の「内的な個性」[197]を考察していきたい。

授業や行事など学校の全てが学校教員の手作りだったA校だが、アメリカン・ディプロマ校という新たな教育制度を実施するためのマニュアルやモデルシラバスは存在しなかった。A校で実施する教育やその基準を指し示す具体的な指針は、リハーム校長の指示のみだった。

197　アラビア語ではこれをナフスという。詳しい議論については奥野（2012）を参照のこと。

本章では、このように「A校の教育方針＝リハーム校長の目指す教育」とされていたことを踏まえ、リハーム校長の教育への関わり方や教育に対するこだわり、信念といったものを探ることを通じて、教育者としての彼女の人物像に迫っていきたい。

1　教育に対する熱意

リハーム校長を語る際、A校の教員同士だとどうしても話題に上るのは、彼女の威圧的な態度や強権的な手腕になり、彼女の教育に対する熱意は見過ごされがちだった。しかし彼女の発言や振る舞いは常に、A校で目指されるべき教育を意識してのものだった。

当初は私も、他の教員同様リハーム校長には必要以上に近寄ってはいけないような気がしていた。しかし、ある時私が担任するG1の近況を尋ねられたことをきっかけに、私はリハーム校長と頻繁に、自分の授業や、児童・生徒たちについて話をするようになっていった。リハーム校長は、ひっきりなしに訪れる訪問者の対応に常に追われてはいたが、それでも時間に余裕がある時には、熱心に話を聞いてくれた。

そうした中でも、リハーム校長が特に高い興味を示したのが、ハロウィン・パーティなどの「お楽しみ行事」の企画だった。経費の使用にうるさい彼女も、行事企画には嫌な顔一つせず、「絶対やり遂げるよう」応援の言葉をかけてくれた上に、後日提出した予算案についても、全てこちらの要求通りに承認してくれた。なかには彼女の提案によって始められた行事もあった。それが、低学年向けの月ごとの誕生会だった。毎月行われる誕生会では、KG、G1、G2の児童全員で、リハーム校長が注文したケーキを食べ、誕生月の児童には、校長が自費で用意したプレゼントが渡された。プレゼントは一つ五LEほどの小さなもの（羽根つきペンやヨーヨーなど）だったが、校長からプレゼントがもらえることを、児童はとても喜んでいた。

今になって言えることだが、私は当初、校長が興味を持っているのは「学校運営」であって、教育そのものには興味がないのだと思っていた。私の中には、初対面の時の彼女の言葉が、必要以上に強い印象を残していた。初回の面談の際に校長は、低学年の学習内容には「フォークとナイフの使い方のような基礎的なこと」以上は期待していないと明言した。私はそれを、学力の向上を求めない、という意味だと理解した。しかし授業やイベント企画について具体的な相談をするようになると、自分の理解が間違っていたことに気が付いた。リハーム校長は、資金面での支援に加え、実験準備や特別学習の手配といった[198]、特別授業に関わるサポートも惜しまなかった。とりわけ校長は、植物の栽培

198　魚の解剖の時には、実験助手のマルワをつけてくれたり、近所の市場まで魚（ボルティ）を買いにいかせてくれたりした。いつも図書館に座っているので図書館司書だとばかり思っていたマルワが実は実験助手だったことを知ったのもこの時である。マルワはもともとカイロ大学の生物学部出身で、大学三、四年の時にはかなりの時間を動物実験に費やしていたといい、切れ味のあまりよくない解剖セットで、的確に解剖のための下準備をしてくれた。エラ、肺、心臓、と特に見たい部分をあらかじめ指定しておけば、児童・生徒が少しの努力できれいに開くことができ、そうした臓器が観察しやすいように、切れ目を入れておいてくれた。実験が終わった後の魚は、用務スタッフが喜んで持ち帰ってくれた。

や魚の解剖といった「実物」に触れる学習に強い興味関心を示していた。インドの私立学校から学校視察団がA校にやって来たときには、模擬授業の予定表に、A校が得意とする外国語の授業に並んで、魚の解剖実験を行う理科の授業を組み込んだほどだった。[199]また、歌や踊りを使った授業も高く評価し、普段は決まった時間以外に校長室を離れることがほとんどない彼女が、一年生の英語授業のリトミック（振り付けをなぞりながら歌を歌うお遊戯）を見学しにきたこともあった。

彼女のトレードマークとも言える仏頂面とぞんざいな物言いのために一時は誤解してしまったが、リハーム校長は明らかに意欲的な教育者だった。普段はしかめ面ばかりの彼女も、教育について話をしていた時には楽しそうな笑みがこぼれることもあった。とりわけ、かつてリハーム校長自身が通ったアメリカン・カレッジ（現ラムセス・スクール）での経験について語っている時には本当に楽しそうな表情を浮かべていた。リハーム校長が通ったという、カイロの中心部（ラムセス通り）にあるアメリカン・カレッジでは、芝生の上での青空授業や、鉢植え栽培、屋外でのスケッチ遠足、合唱団など、学習の楽しみを優先した優れた授業が多く行われていたらしかった。そうした彼女の記憶を喚起するような企画は、特に高い評価を受けた。かつて自分が通った学校を再現したいと常日頃から彼女が語っていたことからも、彼女はA校で、自らの学校経験を基にした教育を目指していたことは容易に推測できた。

リハーム校長はA校を、B校などのエジプト政府のカリキュラムを実施する学校に比べて[200]、自分が望む教育を行うことができる自由な環境と捉えていた。リハーム校長にとってA校は、規制に縛られることなく、最高の教育経験を子どもたちに与えることができる、夢の現場なのだった。私が調査を行った二〇〇七年と二〇〇八年には、A校の開校からすでに四年がたっていたが、リハーム校長はA校について、「ようやくKG、G1、G2では満足のいくシステムができあがってきた。本物のアメリカン〔ディプロマの教育を受けたの〕は彼らから」と語り、道半ばながら、理想の教育の完成に向かって、さらに意欲的に取り組む意気込みを見せていた。

2 教育への指示

とはいえ、A校で働く教職員にリハーム校長の語るアメリカン・カレッジのイメージを共有することは非常に難しかったと考えられる。この点については第8章で検討した通りである。そこでリハーム校長は、A校の教員としての心構えを、次の三点に絞って、教員間での周知徹底を図っていた。その三点とは、①どんな理由があっても絶対に子どもに手を上げないこと、②子どもに好かれる学校教員になること、③見た目でも尊敬される学校教員たるよう身だしなみに気をつけること、だった。

……………

199 インドからやってきた児童・生徒や教員は、ほとんどが完全なベジタリアンということで、実際には実験には参加しなかった。それでも、少人数で実験をさせる授業を見せたことで、A校の教育の質の高さを印象付けるには一役かったようだった。

200 エジプトではDiploma Disease（学歴病）が長年社会問題とされてきた［Hargreaves 1997; 田中 2007］。少しでも評判の良い大学、学部に入学するために、生徒たちには長時間の詰め込み教育が課されている。第1章第4節も参照。

私にとってこの三点は、二〇〇七年の秋学期の最初に行われた学校教員ミーティング[201]で初めて聞かされたものだったが、その後も事あるごとに、校長から幾度も語られた。この三点は、A校の学校教員全員が共有するべきものとして、A校から直接示された唯一の指針だった。これらの指針は、私にとっては当たり前のことばかりのようにも聞こえたが、どうやら最初の二点は、当時のエジプトの教育業界の一般常識からすればかなり斬新な取り組みであったようだった。

子どもには決して手を上げないこと[202]

一つ目の、子どもに手を上げない、という指針が発表された際、学校教員たちからはすぐさま不満の声が上がった。彼らは、暴力抜きに学齢期の子どもたちをコントロールすることは不可能だと言い、リハーム校長の要求は無理難題だと反対した。しかし校長は、しぶる学校教員らに譲歩は見せず、「子どもは邪悪な存在よ。ええその通り。でもどんなに邪悪な子どもに対しても決して手を出してはだめ。これは命令。手を出さずにどうやって勉強させるかは、それはあなたたちが考えなさい。でも手を出すのはダメ。これでおしまい」と言った。

これは後でわかったことだが、ランゲージスクールとしてはかなり高額な授業料をとる隣接するB校でも、児童・生徒をモノで叩く[203]程度のことは当たり前に行われていたようだった。叩く理由は様々で、忘れ物をする、態度が悪い、さらには、間違った回答をした、という程度の理由で叩かれることも珍しくなかったらしい。一度、スクールバスで一緒になるB校の四年生の女子児童・生徒に、「A校では学校教員が決して児童・生徒に手を上げないって聞いたけど本当？」と尋ねられたことがあった。私が「もちろんそうだ」と返答すると、それを聞いた周りの児童・生徒たちから（そのバスの中で、A校に所属していたのは私の娘たちだけだった）驚きの声があがり、口々に、「今日定規で手を叩かれた」、「私の先生は教科書を投げつける」、「隣の子のいたずらだったのに、教科書で頭をぶたれた」、「計算をまちがったら定規で叩かれた」、「叩かれないならA校に行きたい」などと暴力経験を語り始めたことがあった。[204] それくらい、学校教員による子どもへの暴力は一般的に行われており、A校における教員による暴力の使用禁止に対しても、まず教員の側から根強い抵抗が起きた。

子どもに好かれる学校教員になること

二点目の「子どもに好かれる学校教員になる」について校長は、「どんな子どもにでもいいところはある、それを見つけて接してあげれば彼らは学校教員を好きになる」と説明した。すると今度は、

……………………

201 調査中に行われた全体ミーティングは、この一回きりだった。

202 二〇一三年三月二四日付の Daily News Egypt では、公立校における児童・生徒に対する暴力使用の常態化が記事になっている。記事によれば、学校での暴力使用を国家も問題にし、学校での暴力の使用は禁止する通達を出している。しかしそうした行為を実際に取り締まる法律がない以上、違法行為として立件することは難しいという（http://www.dailynewsegypt.com/2013/03/24/educating-with-a-broomstick/）最終アクセス日二〇一三年八月一六日。

203 教員による体罰として特に有名なのは定規で手や頭を叩くことだった。直接手を出すのではなく、物を使ったほうがいいと思われていたようだった

204 二〇〇七年一二月二日の放課後、発車を待つスクールバス内での会話。

部屋全体に押し殺したような笑いが広がった。

彼らが失笑したのは、アラビア語教員のムハンマド先生によれば、次のような理由からだった。「大勢の子どもたちの中には信じられないくらい悪い子どももいる。そうした子どもは愛情ではコントロールができない。教室で子どもに勉強をさせるためには、厳しく接することが重要で、甘い顔をして子どもが言うことを聞くと考えるのは間違いである」とのことだった。すなわち、学校教員たちが笑ってしまったのは、校長が口にしたのがきれいごとで、実際に子どもと接する現場を知らなすぎると感じたからだった。

私はこれを聞いて、厳しくされるばかりでは、学校が生徒にとってつらいだけの場所になってしまうのではないか、という危惧を持った。しかしそのことを口にすると、ムハンマドの代わりに、英語教員のファトヒ先生が次のように返答した。「学校とは基本的に危険に満ちた場所だから。子どもたちが行きたくて行く場所ではないしね。周りの子どもに嫌なことをされるかもしれないし、怖い先生に怒鳴られるかもしれない。それでも親が子どもを守ることができず、子どもが自分で対処することを学ぶのが学校っていうものなんだよ」。つまり彼らにとって学校教員は、学校で子どもを守る存在ではなく、学校という危険な場所を構成する一部分である。恐ろしい学校では、生徒たちはとにかく、自分の力でやっていかなくてはならない、というのだった。

A校の学校教員に限らず、エジプトでは、学校が子どもにとって危険な場所だと言われることが多い。そのため、子どもが学校に通い始める九月には、午後に校門の前で、子どもが涙にくれながら出てくるのを待ちわびる母親の姿が風物詩となっている。言われてみれば、私が学校で勤務することになって一番驚いたのも、エジプトの学校という場で感じるストレスの大きさだった。例えば、B校との共有場所に飛び交う、B校の学校教員たちの罵声には、調査が終わるまで私自身一度も慣れることができなかった。自分が怒られているのではないとわかっていても、突然聞こえてくる児童・生徒を怒鳴りつける女性教員の金切り声には、大人であっても体がこわばってしまうのだった。

こうした、子どもを力（や怒声）で押さえつけることが当たり前の状況において、全ての児童・生徒を尊重し、いいところを探して指導せよとの校長の要求は、エジプト人学校教員にとってはかなり難易度の高いものであったはずである。

身だしなみに気をつかうこと

三点目の身だしなみについて、校長は独自の厳しい基準を持ち、それは学校教員たちにもすでに周知されていた。A校では（リハーム校長によって）学校教員たちに、「ちゃんとした格好」、すなわち男性教員には、襟付でアイロンがかかったシャツの着用と、毎日の髭剃り。女性教員には、洗練されたファッションを徹底することが義務付けられていた。校長は若い女性学校教員たちのメークやファッションにもよく目を配り、若い女性学校教員とすれ違うときには、よく彼女たちのファッションを褒めていた。

一方でリハーム校長は、女性教員による派手なスカーフの着用を嫌っていた。二〇〇七年当時、カイロで流行していたのは、レースやリボンの飾りをふんだんにあしらうスカーフの巻き方や、後頭部をお団子にして高いトップを作って、そこに大き目にスカーフを巻く、「湾岸スタイル」と呼ばれる被り方だった。

A校の女子児童・生徒に、スカーフを纏う児童・生徒ほとんどいなかったが、学校教員の面接にやってくる女性の中には、派手なスカーフの女性たちも一定数含まれていた。そうした女性たちの面接では、校長は彼女たちに対するあてこすりや悪口を口にした。曰く、「何も入っていない頭であることがよくわかる」、「ベール（スカーフ）[205]しか目に入ってこない」、「あぁ気持ち悪い」、「学がない証拠」。リハーム校長によれば、派手な布で髪を隠せば信仰を表せると考えるのは、知性や文化が足りない証拠であり、過度に派手なスカーフを身に着けることは、「役立たず（good for nothing）」の象徴だ、と言うのだった。同じ理由で、イスラーム主義者の外見的特徴とされる、顎鬚の男性は採用しないことも公言していた。ただし、顎鬚を生やした男性学校教員が、A校に面接に来ることは、私がいる間は一度もなかった。リハーム校長自身もイスラーム教徒ではあったが、人生で一度もスカーフを被ったこともなければ、被る必要があると思ったこともなく、肩まであるブロンドの髪は、常にカラーリングされ、大きなカールに整えられていた。

リハーム校長は、学生のドレス・コードにもとても厳しく、メーク禁止の規則に反してメークをしてくる女子児童・生徒を許さなかった[206]。また、髪の毛を派手な形にセットしてくる女子児童・生徒や、規定の制服[207]を着てこないような児童・生徒も同様だった。そうした児童・生徒がいれば、その場でそれを改めさせ、場合によっては保護者を呼び出し、問題行動の改善に向けて、という名目で保護者が説教をされていた。女子児童・生徒の髪型やメークが厳しく規制されるのは、エジプトの学校では珍しいことではなかったが、服装規定の違反に対するリハーム校長の厳しさは、児童・生徒たちにも有名だった。そもそもリハーム校長は児童・生徒たちにも恐れられていたので、「リハーム校長のところへ連れて行く」と言えば、大抵の児童・生徒たちは身だしなみを改めた。

リハーム校長にとっては、身だしなみは単なるファッション以上の意味を持っていた。彼女は制服やドレス・コードを順守させることは、教育の重要な一部だと考えていた。身だしなみは、しつけ（discipline）が表れる重要な事柄であり、またしつけこそ、その人物の価値を表現する。そう考えていた彼女は、しつけを、〈テイスト〉と〈マナー〉という特定の価値を内面化するための行為として重視していた。リハーム校長の言う〈テイスト〉とは、一定の価値基準を指し、正しい服装の在り方や適切な振る舞いを知識として理解していること、また〈マナー〉は、その〈テイスト〉を適切に実践

……………

205 本書では一貫してベールやヒジャーブ（エジプトではヘガーブと発音される）ではなくスカーフという用語を用いた。それは、こうした文脈でよく使われるベールという用語に、ウエディング・ベールのような、顔までを覆うもの、という意味合いが含まれるからである。エジプトでは現在、顔を覆うものはニカーブと呼び、髪の毛を覆う目的で被られるものとは呼び分けがされている。本書では混乱を避けるために、頭髪を隠す布をスカーフと呼んだ。スカーフは現地ではタラハ、アシャルブ、オメーシュなどと呼ばれている。ヘガーブとは一般的にイスラームの教義の順守を意図して女性がスカーフを被った状態や行為のことを指し、その際に使用する布をヘガーブと呼ぶことはほとんどない。ただしここではリハーム校長自身の言葉のため「ベール」という語彙を残した。

206 女子生徒のメークを許さない態度は第I部のシャイマと共通していたが、その理由は必ずしも同じものではなかった。リハーム校長が重視していたのは富裕層の女子生徒にふさわしい振る舞いとしてのノーメークだった。

207 A校の制服は、夏服が規定のポロシャツとジャージズボン、冬服がトレーナーとジャージズボンだった（本書六一頁以下も参照）。

しようとする姿勢を指すものだった。

彼女の価値基準では、人物のランクは上から、①〈テイスト〉も〈マナー〉も良い人物、②〈テイスト〉は良いが、きちんと育てられず〈マナー〉が身に着かなかった人物、③そして最下層に、〈テイスト〉が悪く、当然それを発現する〈マナー〉も身に着けていない人物、と位置づけられていた。彼女にとって、身だしなみはその個人の〈テイスト〉と〈マナー〉が表れる場であって、たとえお金を持っていたとしても、適切な身なりができない人間は、二流とされていた。

A校では、学力だけでなく、きちんとした〈テイスト〉と〈マナー〉を身に着けさせ、最高ランクの人物に育てることが、教育の一環として重視されていた。初回の面談でリハーム校長が口にした、「フォークやナイフを使いこなせること」とは、学力の向上を重視しないことを意味していたのではなく、学力以上に、〈テイスト〉や〈マナー〉を身に着けさせることを重視している、という意味で理解すべき表現だったのである。身だしなみの指導も、〈テイスト〉や〈マナー〉を身に着けさせる、教育の重要な一部と捉えられていた。▽[208] 彼女にとっては、〈テイスト〉や〈マナー〉は育ちを示すものとされていて、顎鬚や派手なスカーフは、〈マナー〉と言うよりは〈テイスト〉の悪さ、すなわち社会的に劣った位置にある人々の象徴として、A校の学校教員にふさわしくないと考えられていた。

リハームにとっては、保護者が〈テイスト〉を持たないことも問題とされていた。例えばある時、別のアメリカン・ディプロマ校でのしつけについて話をする中で、校長は次のように発言した。▽[209]

　そうよ、制服は大事。しつけ（discipline）は大切なのよ。〔でも保護者たちは、〕アメリカン〔ディプロマ校〕

と言えば、なんでも好きなことができると思っているの。勉強なんかしなくても年度末には「パス（進級試験に合格）」できると思っている。[210] 彼らにはアメリカンっていうものが何なのかわかっていない。〈テイスト〉がないのよ。彼らにはそれがないんだもの！　両親がひどいのよ。

リハーム校長によれば、保護者たちは、アメリカン・ディプロマ校の「教育」を理解せず、子どもに好き勝手やらせることを「教育」とはき違えているという。そして、彼らが教育を理解できないのは、〈テイスト〉の欠如のためであるという。

この発言で注目したいのは、リハーム校長が、保護者らの不適切で的外れな言動を、単なる知識の欠如ではなく、〈テイスト〉、つまり根本的な性質の問題と捉えていた点である。「（彼らには）〈テイスト〉がない」という発言は、適切な振る舞いができる能力、すなわち〈テイスト〉と〈マナー〉が、「ある／なし」で表現されるという認識に基づくものである。校長は、保護者らにはそれが、足りないのでも、適切でない、というのでもなく、「欠如している」と表現した。保護者には、説得に時間をか

……………

208　リハーム校長がニカーブについて語るのを聞いたことはないが、おそらく真っ向から否定したであろうと想像ができる。

209　二〇〇八年一月一四日、校長室での会話。

210　エジプトの教育カリキュラムでは、児童・生徒たちは毎年度末に習熟度テストを受け、その結果によって進級できるかどうかが決まる。アメリカンではアメリカの習熟度診断が行われるのだが、そちらの方が簡単に通ることができると言われていた。また特に私立のランゲージスクールなどに比べると、宿題の量やテストにおける厳しさは緩いところがあった。

けたり、教育を理解する努力を強いたりするのではなく、黙らせておくのが得策だ、という校長の見解は、彼らにはもう見込みがない、というあきらめに基づくものだった。

保護者が学校に求めるのはセラピーだという発言といい、保護者は黙らせておくのが得策という認識といい、リハーム校長が保護者を、教育のパートナーではなく障害と捉えていたのは明らかだった。保護者のことを理屈が通じない理不尽な相手だと考えていたからこそ、彼女は保護者を説得するのではなく、〈シャクセイヤ〉で説き伏せる方法をとっていたのだった。

〈シャクセイヤ〉は、対保護者だけでなく、児童・生徒たちと、教員が適切な関係を築く上でも重要な資質だと考えられていた。校長によれば、学校教員が児童・生徒や保護者たちと信頼関係を築くには、愛情を感じさせるコミュニケーションが必要である。それがなければ、児童・生徒は自分に十分な関心が向けられていないと不満を抱くことになる。そこでは暴力は禁物だった。かといって、甘やかすばかりで見くびられてしまえば、児童・生徒たちをコントロールすることはできず、やはり児童・生徒が不満を抱く理由になる。このジレンマを克服するために重要なものが、一人ひとりの学校教員が発揮する〈シャクセイヤ〉だった。

教員にとっての〈シャクセイヤ〉の重要性を説明する際には、リハーム校長は、理想の学校教員像として、自分がアメリカン・カレッジに通っていたときの校長、ドクター・マーティン[▽211]の話をした。リハーム校長が通っていた当時、すでに六〇代後半だったドクター・マーティン校長は、全ての児童・生徒に愛されていたが、彼女のパンプスの音が廊下に響くだけで学校中が緊張したほど畏れられていた存在でもあったという。

皮肉なことに、A校の教員の多くは〈シャクセイヤ〉を持っていなかった。教員たちには、A校の外に出れば、保護者と対等に会話ができるような社会的属性（〈シャクセイヤ〉）はなかったのである。教師の不足分を補うためにも、リハーム校長の〈シャクセイヤ〉の発揮が重要になっていた。リハーム校長は、自らがドクター・マーティン校長のように威厳のある存在になるだけでなく、〈シャクセイヤ〉を持たない教員でも教員としてやっていけるよう、彼らを特別な存在に仕立て上げなければならなかった。〈シャクセイヤ〉を最大限に発揮した演出効果が、A校の命運を握っていたのである。

3　校長のルーティーン──傍若無人な振る舞い？

かつてのアメリカン・カレッジのドクター・マーティン同様、リハーム校長の靴音もA校で恐れられていた。二〇代女性教員たちは、少しでもリハーム校長と接触する機会を減らすため、彼女の一日のルーティーンを把握し、できる限り彼女のことを避けていた。

実際、リハーム校長は、毎日決まったルーティーンを規則正しくこなしていた。その一日の様子は次のようなものだった。

211　一九二三―一九五六年にかけて校長を務めた女性。現在でも学校には、彼女の名前が付けられた図書室がある［Ramses College for Girls 2021］。

一〇時四五分　登校してきた彼女はまず職員室に顔を出し、そこにいる学校教員たちに挨拶を済ませ、職員室隣の職員用トイレに向かう。職員室トイレは個室が一つあるだけの作りで、普段は施錠されている。利用するためには、教務主任が管理する鍵を使う必要があるが、この時間に毎日リハーム校長が使うことがわかっていたため、一〇時半を過ぎると、教務主任は教職員トイレの鍵[▽212]の貸し出しを止め、校長のためにトイレを空ける。

一〇時五五分　トイレから出たリハーム校長は、そのまま階段を上がり四階の校長室へ向かう。

一〇時五八分　校長室に入り、児童・生徒の下校時刻になるまで保護者や来客の応対をする。その間、特別な理由がない限り、彼女が校長室から出ることはない。何か用事がある時は、執務机に座ったまま大声で怒鳴れば、近くにいる学校教員が用件を聞きに飛んで来る。大抵は、四階にあった男性学校教員用休憩室から学校教員が向かっていた。特別な用件があれば、その男性学校教員を通じて、お目当てのスタッフ・学校教員に呼び出しがかかる。私がA校で長期調査を行っていた間に、勤務時間中に彼女を校長室外で目撃したのは、ハロウィン・パーティなどの行事の時と、たった一度、子どもたちの歌が聞きたいと、突然G1の教室にやってきたときの二回だけだった。一度、部屋からほとんど出てこない理由を直接尋ねたが、彼女から帰ってきた答えは、「〔校長室のある〕四階までの階段を上り下りするのは老人には一日一回が限度」というものだった。

一四時四〇分　下校時刻を知らせる合図が鳴ると、リハーム校長も校長室を離れ、そのまま自分の車に向かい、ムハンデシーンの自宅に帰宅した。運転手はおらず、彼女は自分で車を運転した。[▽213] 彼女の愛車は臙脂色のシャヒーン（九〇年代半ば製）[▽214] と呼ばれる国産セダンだった。シャヒーンは地味な車であったが、車体後ろのナンバープレートに軍の紋章が貼られていた。その紋章は、軍の高官にのみ使用が許されるもので、それがつけてあるだけで、彼女が権力者であることは誰から見ても明らかだった。[▽215] 下校

…………

212　三階にあった教職員用のトイレは施錠され、トイレの隣の職員室から鍵を借りて使用することになっていた。その理由について教員は誰も明確に語ることができなかったが、おそらく清掃をする用務員の都合であったと想像できる。A校の鍵の管理は用務員が行っていて、施錠に関わることにおいては用務員が最大の権限を握っていた。用務員の他にA校の鍵を管理していたのは理事長秘書のマイだったので、マイの都合で施錠が行われていた可能性もある。

213　二〇一一年四月に再会したときには、すでに自分で自動車の運転をすることをやめていた。

214　エジプトの自動車会社 Nasr がトルコの Tofaş 社からライセンスを経て製作していた Tofaş Şahin（エジプトでは Nasr Shahin）と呼ばれるファミリータイプの四ドアセダン車（http://Autocade.net/index.php/Tofaş_Şahin）最終アクセス日二〇一三年八月九日。二〇〇〇年代に入りファッション重視の若者の関心が、比較的安く手に入るようになった日本車や韓国車にあつまるようになった中、シャヒーンには「古臭い」「堅実」といったイメージが定着していた［cf. Egypt Independent 2013. 3. 14］（http://www.egyptindependent.com/news/Another-erA-nAsr-cAr-weAthers-chAnging-economic-winds）最終アクセス日二〇一三年八月九日」。ちなみに九〇年代の終わりごろから一番人気と言われていたのが三菱ランサー、二〇〇八年ごろまでに一番人気といわれていたのは現代アクセントだった。

215　軍の社会的地位が高く、尊敬されかつ恐れられているエジプトでは、軍の高官の関係者というのは最もわかりやすい権力者

時刻には、学校の駐車場は大変な混雑状態にあったが、リハーム校長の車はどんなにスクールバスで込み合っている日でも[▽216]真っ先に外へと誘導されていた。理事長秘書のマイが乗る新車の二〇〇六年製三菱パジェロは、当時カイロで富裕層に人気のある車種だったが、マイの車がリハーム校長より先に駐車場から出ることはなかった。

4 最高ランクの人材を生み出す教育の牽引者

リハーム校長が、意欲的な教育者だったことに異存を唱えることは難しい。彼女は、自分が与えうる最高の教育によって「質の高い人間（a man of high quality）」を育てるべく、エジプトではまだ馴染みのない指導法を取り入れつつ、自分にとっての理想の学校を作り上げようと尽力していた。マニュアルなど頼るべき明確な基準が無い中で、A校がアメリカン・ディプロマ校として機能していたのは、ひとえにリハーム校長の頑張りの賜物に見えた。

彼女は、彼女自身がかつて通ったアメリカン・カレッジの記憶を頼りに、その学校をA校に再現することを目指してA校の運営に当たっていた。アメリカン・ディプロマという学校制度こそ新しかったが、「アメリカ的教育」そのものは、エジプトでは以前から実施されていた。二〇世紀前半にエジプトで一部の富裕層に提供されていた教育も、アメリカ式教育の一つだった。リハーム校長にとっては、現代のアメリカン・ディプロマ校とは、一九五二年革命以前のエジプトの富裕層の生活を復活させる場所であった。点数至上主義的教育だけでなく、実習やファン・イベントを重視し、〈ソサエティ〉にふさわしい人間を育てたいという教育方針は、そうした文脈で生まれてきたものだった。

ところで、一九四〇―五〇年代にリハーム校長が通ったアメリカン・カレッジは、外国人や上流階級の子女のために開かれた、アメリカ系ミッショナリーが運営する学校だった▽217。スエズ紛争前のカイロは、商業都市として様々な国の多くのビジネスマンを惹きつける国際的な街であった。アメリカン・カレッジは、そんなコスモポリタンな町カイロで、限られたコスモポリタン・エリートの子女に向けた教育が提供される場所だった［Reynolds 2012］。

リハーム校長が言う〈ソサエティ〉が、そうした特定の社会階級を意味するものなのであれば、それは定義上、生まれで規定される社会的位置によって選抜される、限られた人々のためのものだった。ところがA校で「〈ソサエティ〉にふさわしい教育」が授けられていた当の児童・生徒たちは、その多くがニューミドルクラスや新興富裕層の子どもだった。彼らは、本来的な意味では名家の人々だけ

216 のサインである。このプレートをつけていると、一切の関門をパスでき、路上駐車も取り締まられないと言われていた。いわば誰もが夢見る、どんな扉も開くことのできる魔法の鍵だとみられていた。

217 A校、B校合わせて三千人以上の児童・生徒が一斉に帰宅する下校時間には、学校の駐車場はスクールバスで溢れかえり大変な騒ぎである。それに加えて、児童・生徒の到着が遅れる、行方不明の児童・生徒が出る、運転手が見当たらないなど様々な要因でいつも以上の混乱が生まれる日もあった。アメリカン・カレッジについては、本章の第5節を参照のこと。

が所属する〈ソサエティ〉には入ることのできない人々だった。[218]

むしろA校は、そうした新興富裕層を積極的に受け入れることを、マーケティングの基本戦略にしていた。二〇〇七年当時、歴史があると言われる一部の私立学校は、未だ入学資格に、親に卒業生がいることや、学校の理事を務める知り合いからの紹介を課していた。しかし当時のA校は、学費こそ高額であるものの、基本的には希望者全員に門戸が開かれた民主的な学校であることをウリにしていた。A校の児童・生徒は、本来的には、〈ソサエティ〉への参加資格を持たないからこそ、A校で学んでいたのだった。

つまりリハーム校長がA校で試みていたのは、〈ソサエティ〉から排除される人々に対し、〈ソサエティ〉で求められる〈テイスト〉や〈マナー〉を学校教育を通じて身に着けさせ、再度エジプトに〈ソサエティ〉を再興することだった。それはすなわち、一部の限られた人間しか受けることのできなかったエリート教育を、高い金銭的報酬と引き換えに、一般人に対し行うプロジェクト、と言い換えることもできるだろう。

階級を問わず、階級社会的教育を与えるというこのプロジェクトはある意味で民主的なものだった。おそらくここに、校長自身が当初想定していなかったねじれが生まれていた。というのも、彼女が考えていたこのプロジェクトの中核は、〈ソサエティ〉にかなった振る舞いを、教育を通じて、後天的に学習させることにあったからである。ところが〈テイスト〉は、リハーム校長にとっては、生まれによって先天的に獲得されるものと理解されていた。リハーム校長はこの矛盾を、幼いころからの教育があれば、〈テイスト〉は身に着けることができる、という折衷案で回避していた。

本来最も〈ソサエティ〉が体現されているべき家庭を、〈ソサエティ〉から外れた場所だとみなすことによって、学校には、家庭での教育分も補う一層の努力が求められる状況が生まれていた。〈テイスト〉を学ぶことができるのは学校だけ、となったことで、学校には二つの試練が課されたのだった。一つは、限られた時間の中で、児童に適切な〈テイスト〉を身体化させる必要があったこと、そしてもう一つが、その効果が無駄にならないために、児童をできるだけ、「野蛮」な保護者とその家族と引き離すことであった。そのどちらも、A校の実際の現場では成功しているようには見えなかった。保護者を敵に回し、学校だけでそれをやりとげることは、私にはあまりにも無謀な試みに思えた。加えて、A校にはさらに乗り越えなければいけない課題があった。それが、学校で実際の教育活動を行う学校教員が、〈ソサエティ〉どころか、新興富裕層の出身ですらなかったことである。第I部で検討したように、彼ら・彼女らの大多数は、教育を受けることができた、下層中産階級の出身者だった。

リハーム校長の、〈シャクセイヤ〉を利用して力で押し切る学校運営のやり方は、こうした環境の中で、唯一の命綱に見えた。リハーム校長は、自らの持つ、出身階層、教育歴、教員経験、軍幹部の妻といった〈シャクセイヤ〉を総動員し、彼女にとっての理想の教育を完成させるために戦う、孤独な将軍となっていた。

218 エジプトに旧来から存在する名門校は親族の通学歴を基準に入学者選抜を行っていた。

5　リハームの生い立ち

リハーム校長は、一体どのような人生経験のもとに、こうした無謀な闘いを挑むに至っていたのだろうか。リハーム校長その人に興味を惹かれた私は、二〇〇八年二月に調査を終えた後も、一年に一度はA校を訪れ、リハーム校長にインタビューに応じてくれるよう説得を試みた。それがようやく実現したのは、彼女が二〇一〇年一二月に、突然校長職を解任された後のことだった。二〇一一年四月、「一月二五日革命」を経験した後のエジプトで、私はついに、校長と教員としてではなく、被調査者と調査者として、彼女とインタビューを持つことができた。[▽219] とはいえ、リハーム校長はやはりリハーム校長だった。ようやく個人的な話を聞くことこそ叶いはしたが、彼女は自分が話したいことだけを話し、そうでないことについては、いくらそちらに会話を振っても見事に無視された。それでいて、彼女の話こそ私がずっと聞きたかったものである、というように振る舞うことが、聞き手である私には要求されたのだった。

ここからは、彼女が話してくれた半生を、成育歴、教歴、〈ソサエティ〉という三つのテーマに沿って考察してみたい。この三つのテーマは、リハーム校長が好きに語った中で中心的位置を占めたものである。なお本節でリハーム校長の昔の姿について記述する際には、リハーム校長ではなくリハームと記す。

リハームの成育歴

私が長期調査を行っていた二〇〇七、八年当時、リハーム校長は六八歳だった。彼女は一九三九年にカイロ市内で生まれ、学齢に達すると同時に、市内の中心地（ラムセス地区）にあるアメリカン・カレッジ（正式名はAmerican College for Girls, 現Ramses College for Girls）[220]に入学した。エジプトでも一、二を争う名門英語、アラビア語、フランス語の三か国語での教育を行う女子校で、アメリカン・カレッジは、女子校である。リハームが通っていたころは、The United Presbyterian Church of North Americaが運営する、いわゆるミッショナリースクールだった［Herrera 2013］。一九五五年、一七歳になる目前にアメリカン・カレッジを卒業したリハームは、卒業と同時に婚約し、数年後に一五歳ほど年の離れた男性と結婚した。同級生の中では、卒業後にどれだけ早く結婚をするかの競争があり、かなり早い段階で婚約・結婚を済ませたことは、彼女にとっては良い社会的ステータスになったという。夫は軍の高官で、軍では技術者[221]として責任のある任務についていた。女性は若くして結婚するべきだと考えられ

219　本節で用いた彼女のライフ・ヒストリー執筆に関する情報は、二〇一一年四月二二日に、校外（ムハンデシーンのmarriott bakery）で行ったインタビューに基づいている。会話のほとんどは英語で行われ、アラビア語カイロ方言で行われた発話は極力そのまま残すようにした。

220　一九一〇年にセオドア・ルーズベルト第二六代アメリカ大統領（任期：一九〇一年九月一四日―一九〇九年三月四日）が開校した。創設時はThe United Presbyterian Church of North Americaが運営していたが、一九六〇年にカリキュラムが国家化されることを受け、Evangelical Church of Egypt（Synod of the Nile）へ所属が変更された。一九六七年に現在の名前へと学校名が変更された（http://www.rAmsescollege.com/DefAult.Aspx）最終アクセス日二〇一三年八月三一日。

221　技術者（エンジニア、ムハンデス）は、エジプト社会ではエリートとみなされている。技術者を表す「ムハンデス」という

ていた時代の話ということもあり、学校で優秀な成績を収めた彼女であっても、進学するという選択は考えてもみなかったという。しかし後にリハームは、旧チェコスロバキアとアメリカ合衆国で高等教育を受ける機会を得た。

一度学校を離れた彼女が、四年制の大学へ進学することを決意したのは、三〇歳を過ぎたころだった。その直接のきっかけになったのは、夫の海外転勤と、彼女の父親による強い勧めだった。当時子育てを理由に実家で「何もしていなかった」彼女を心配した父親は、夫の転勤で旧チェコスロバキアへ行くことになった彼女に、この機会に海外で進学するよう助言した。彼女の父親は、スコットランドにあるグラスゴー大学[▽222]の出身で（一九一〇年代か二〇年代の話と思われる）、大学卒業後にはイギリスの鉄道会社で一一年働いた経験を持つエンジニアだった。文学にも造詣が深く、リハームが幼いころから小説の感想について議論したり、彼女を映画に連れて行ったりしては映画評を書くよう課したりする父親だったらしい。父親との良好な関係は結婚後も続き、それが父親からの大学進学への助言につながったようである。この父親の意見によって、彼女の気持ちが動き、最終的に進学を決意することにつながった。彼女の父親は、子どもを持つリハームが大学へ提出する願書を作成するのにも根気強く付き合った。そして彼女の入学が無事許可されると、彼女以上に喜んだという。

一九七四年、それまでの学歴（カイロ・アメリカンカレッジ卒）が大学二年修了程度とみなされたことをもって、彼女は旧チェコスロバキアのベール大学に三年次編入という形で進学を果たした。彼女は英米文学を専攻し、全て英語の授業を受けるのに際して、言葉の壁はなかったという。[▽223]彼女はまだ幼かった子どもの育児に追われながらも勉強に励み、卒業論文ではウォルター・スコットを取り上げた。

一九七六年にベール大学を卒業した彼女はそのまま同大学の修士課程に進学し、「せっかくエジプトから来たのだから、何かエジプトと関係のある文学を対象に」と指導教官に勧められたのをきっかけに、ロレンス・ダレルによる『アレキサンドリア四重奏』について修士論文を書いた。その間、大学院での勉強を最も強く応援し、支えてくれたのもやはり父親だったという。そして旧チェコスロバキアでの修士号の公開審査会にまでかけつけてくれた両親に対し、リハームは修士論文を父親に捧げるという一文を入れることでそれに応えたらしい。

修士号を取得し終えた一九七八年、夫の海外転勤の終了をもってリハームは家族と共にエジプトに帰国した。しかし二年後の一九八〇年、夫が今度はアメリカ合衆国に赴任することになり、それに付き添いエジプトを離れることになった。夫は旧ソ連で修士号と博士号（工学）を取得した軍属のエンジニア（最後の階級は major general, *luwaa3*▽224 であったという）で、この時はジョン・ホプキンス大学の電気工学の教授に着任することを受けての異動だった。結局、軍に予定より早く帰国する命を受け、リハームはアメリカ滞在を二年で切り上げるのだが、その間、またしても父親に勧められ、リハームはメ

語彙は、技術者に対する敬称として名前の前につけて用いられることもある。

222 大英帝国において、スコットランドは技術発展の中心地だった［北 2003］。この指摘は、並河葉子氏、奥田伸子氏、森本真美氏よりいただいた。

223 ウォルター・スコット（Walter Scott 一七七一―一八三二）は、スコットランドを代表する作家。多数の小説と詩を創作し、スコットランド紙幣には彼の肖像画が用いられている。

224 この表現はいわゆる「将校」を指すものだが、ここからは正確な階級はわからない。

リーランド大学文学部の博士課程に在籍し、「一九世紀と二〇世紀の女性作家の比較」をテーマに研究を開始した。しかしこの博士論文は道半ばであきらめることになった。彼女が冗談交じりに話したところによれば、二〇世紀の女性作家のあまりの多さに挫折したという。別の機会には「博士論文は、私に向いていなかったのよね」とも口にしていた。彼女が何度も繰り返したところによれば、彼女が博士号を断念したのは、自分に研究が向いていなかったためであり、帰還要請はきっかけに過ぎなかった。そして帰還がなくとも、それ以前からすでに自分に研究を続けるつもりはないとわかっていたらしい。

当時、彼女の世代で博士課程にまで進学した女性は、非常にまれだった。しかし、それを海外で行うという選択は、彼女にとってはそれほど突飛なことではなかったという。その大きな理由は、リハームにとって、勉強するのに一番身近な言語が英語であったことにある。彼女が育った家庭では、父親がイギリスの大学を卒業し、第一言語として普通に英語が話されていたという。彼女は英語の他、フランス語も流暢に話すことができ、▽225 日常会話程度のチェコ語の使い手でもあった。これらの情報からは、リハームが当時のカイロに居住していた多くの外国人に近いライフスタイルを送っていたであろうことが推測できる。リハームは、言語においてもライフスタイルにおいても、エジプトで生まれ育ったとはいえ、エジプトの庶民の暮らしに馴染みがなかった可能性が高い。アラビア語カイロ方言での日常会話に支障はなかったものの、彼女の正則アラビア語の能力は、基本的な読み書きのレベルに限られ、リハーム校長の言葉によれば「正則アラビア語で文学作品を楽しむことができるほどの言語能力」は持っておらず、「アラビア語の文学作品に対する感情移入はできない」らしかった。

一方リハームは、エジプトの生活と海外での生活には大きな差を感じたことがないと言い、アメリカではいつもイギリス人に間違えられていたと話していた。これも、彼女が育った時代のカイロの状況を考えれば、あながち誇張とは言えないだろう。彼女が育った一九四〇年代―五〇年代のカイロは、二〇〇七、八年のカイロとは違い、イギリス統治下に置かれた世界有数の商業都市で、エジプト人に限らず、様々な地域にルーツを持つ人間が暮らす、国際的な町だった［Reynolds 2012］。欧米系ミッショナリースクールが運営する学校に通い、英語を第一言語としていたエリート層の少女が、一九五二年革命の後のカイロ以上に、欧米の都市に強い親しみを覚えていたとしても、それもまた当然のことだったのかもしれない。

リハームの教歴

リハーム校長が持つ三八年という学校教育でのキャリアは、A校の校長を務めるのにも申し分のないものであった。しかも彼女がこれまで教職を務めたことのある学校はブリティッシュ・カリキュラム（ランゲージスクール）、外国ディプロマ校（アメリカン・ディプロマ）、公立校など、その教育システムは多岐にわたっていた。アメリカ滞在時も、アシスタント・ティーチャーを務めないかと持ちかけられたことがあったという。学校教員としての長いキャリアを持ってはいたが、リハーム校長は昔から

225 リハーム校長のような世代のエリート層においては、第一言語がフランス語というのが普通である。むしろこうした階級に属しながら、英語を第一言語とするリハーム校長は少数派だと言えるだろう。

学校教育に強い関心を抱いていたわけではなかったという。それでも教職を続けてきたのは、「自分のやるべきことをやっていた（I am doing my job）」と語ったように、教職の方が彼女のもとにやってきたからであった。

そもそも学校教育に興味を持っていなかったリハーム校長がどうして学校教員として働くようになったのか、またそこでの経験はどういったものだったのか、「自分のやるべきことをやっていた」とはどういう意味なのか。ここでは、彼女が学校教員として働くようになった経緯と、そこでの経験を手掛かりに、彼女にとっての学校教員の仕事が意味するものを探ってみたい。

彼女が学校で働き始めたのは、結婚後のことだった。若くして結婚したリハームだったが、家事労働者が「ピーナッツほどの給金で雇うことができた」当時、家庭の主婦とはいっても、家で自分がやらなければならない仕事はあまりなかったらしい。どうしてもやらなければならなかったのは、夫が帰宅して食事をする際、一緒に食卓に座っていることぐらいだった。軍隊で活躍していた夫は、仕事で忙しい毎日を送っていたため、彼女と共に家で過ごしてくれる時間も少なかった。そのため彼女は、結婚した後、家に一人でいる時間をもてあましていた。そんなある日、アメリカン・カレッジの同級生と、町でばったり顔を合わせる機会があった。まだ婚約したばかりだったというその友人は、学校時代にはそれほど目立つ存在ではなかったが、彼女が婚約した相手は、当時カイロでは名の知れた成功したビジネスマンだった。このニュースに彼女は非常に驚いた。そしてその出会いについて詳しい話をねだったところ、その友人は、働いていた学校で出会った男性であることを明らかにした。それを聞いて、社交の場としての学校に興味を持ったリハームは、誘われるままに後日、彼女が務める学校に遊びに行った。その同級生が働いていたのはヴィクトリー・カレッジ（旧ヴィクトリア・カレッジ）[226]というカイロ有数の名門校だった。そもそも、リハームは遊びにいくだけと思い訪ねたつもりだったが、成り行きで英語の学校教員にならないかと誘われた。その日帰宅し「学校の教員になるよう誘われた」と彼女が夫に相談すると、夫はすぐ彼女が学校教員になるという考えに賛同してくれたらしい。当時彼女が持っていた最終学歴はアメリカン・カレッジ卒業であったが、それは学校教員を務めるのに問題のない学歴だと判断された。当時は、良家の子女が結婚前に花嫁修業や行儀見習いのような感覚で、有名校で学校教員を務めることも多かったのだという。

働き始めた当初、彼女の月給は一七LE[227]、そしてそのうち一二LEは通勤のために雇ったタクシー

…………………

226 ヴィクトリア・カレッジは、エドワード・サイードら有名人が通ったことでもよく知られている。イギリス統治下ではイギリス人により学校運営が行われていたが、アメリカン・カレッジ同様、一九五六年スエズ運河国有化をめぐる騒動の後に国有化され、ヴィクトリー・カレッジと名前を変更した（http://www.victory-college.com/DynamicPage.aspx?PageID=5）最終アクセス日二〇一三年八月一七日。

227 リハームが最初に働き始めたおよそ一〇年後、一九六九年から一九七二年にかけてカイロの庶民街で調査を行ったヴィカンは、大卒男性が基本給一七LEの教員として就職したという記述を残している［ヴィカン 1986: 246］。この男性は公立（国立）の学校教員となったことが推測されるが、一〇年の違いがあるにもかかわらず、ヴィカンが提示している金額とリハームが語った金額は完全に一致していた。ちなみにヴィカンが調査対象にした庶民街に暮らす家族の月収は、八―三〇LE（個人の固定給は八―一六LE）となっていて、二五LE以上あれば、貧困層に生きる一家にとって理想的な暮らしができると考えられていたという［ヴィカン 1986: 43-59］。六〇年代の物価上昇率が年率三―六％［土屋・山田 2008: 5］だったことを考えれば、リハームがもらっていた給料が公立学校のそれを大きくしのぐものであったことは明らかである。

代に使っていた。[▽228] この金額は、当時のレートで考えても決して高いものではなかったというが、リハームにとって、学校教員として働くことになる上で金銭的な見返りは重要ではなかった。彼女にとっては、ヴィクトリー・カレッジという場に学校教員として身を置くことができたことが、何より貴重な体験だったという。そこは、学校を卒業し結婚した彼女にとって、しばらく疎遠になっていた社交の舞台になった。

当時ヴィクトリー・カレッジに通っていたのは、名家と言われるような有名な家族の子弟であった。そして児童・生徒同様、そこで働く学校教員も当然、選ばれた〈ソサエティ〉の人間（chosen ones）で占められていたらしい。同僚には、ファルーク王の娘[▽229]の家庭学校教員をしていた女性などもいて、王族との関係も深かった。その環境においては、学校教員は生活のために就く単なる職業ではなく、社会的義務感に則った誇りある仕事だったという。学校教員と保護者とは同等の関係を築き、そうした人々に家に招かれることもしばしばだった。その学校ではまだ万事が、「あるべき姿で（how it supposed to be）」進められていたし、学校教員は、月給の額とは関係なく社会的地位の高い尊敬される存在として扱われ、児童・生徒たちも自らの振る舞いを知っていた。そういう意味で、当時のヴィクトリー・カレッジは健康的（healthy）な環境だったという。ましてや保護者が学校に苦情を言いに来るということなどはなく、子どもの問題行動について学校からの呼び出しを受ければ、どんなに地位の高い保護者であっても、学校に謝罪することが普通であった。そこには、保護者が学校や学校教員を尊敬し、学校教員もまた保護者や児童・生徒を尊敬する信頼関係があったという。リハームはそのヴィクトリー・カレッジで数年間英語を教えたが、第一子の出産を機に教職を辞した。

その後リハームは、エジプトに戻るたびに教職に就くようになった。そして八三年にエジプトに戻ってからは、請われるままに初めての校長職に就いた。A校では二〇〇三年の開校当初から校長を務めていたが、当時はB校の校長との兼務であり、A校専任の校長になったのは、二〇〇五年のことだった。

現在エジプトでは、学校教員は給与が低い職業として広く知られているが、リハームの語りによれば、学校教員という職業に支払われる対価は昔から低いものだったらしい。そしてそれは公共セクターだけに限られた現象ではなかった。リハームによれば、彼女が身を置いていた「健康的な」環境では、学校教員という仕事は、賃金という対価で清算されるべきものではなく、以前に恩恵を受けたものがそれを後輩につなぐという意味での「貴族的義務（ノブレス・オブリージュ noblesse oblige）」として捉えられるべきものであり、だからこそ敬意が払われる仕事であった。また、学校教員という仕事が、学校教育を終えた女性にとって、貴重なコミュニケーションを得る機会であったこともうかがい知ることができる。リハームにとって学校という場は、同じ〈ソサエティ〉の人間が集まる一種の社交空

…………………

228　ムハンデシーンからマーディまではかなりの距離があるが、当時はそもそも自動車の数が限られていたので三〇分もあれば問題なく学校まで通勤できたという。自分で自動車を運転できるようになったのは後のことで、当時運転ができなかった彼女に、夫はタクシーを雇うことを条件に外で働くことを許してくれたという［二〇一〇年五月、校長室でのインタビュー］。

229　リハームはこの女性を「シェリーファ王女」と言ったが、ファルーク王にはシェリーファという名前の娘はいない。おそらくリハーム校長の言い間違いだったと思われる。

間であり、「適切な」人間関係を築くことのできる限られた場所だったのである。最後にこの、リハームが重視した〈ソサエティ〉について考えてみたい。

〈ソサエティ〉に生きる

リハーム校長による自分についての語りで印象的だった事柄の一つは、随所で〈ソサエティ〉という言葉が出てきたことだった。特に、彼女が初めて教職を務めたヴィクトリー・カレッジに言及する際には、そのすばらしさを表現するために〈ソサエティ〉という言葉が頻繁に使われた。彼女が使う〈ソサエティ〉とは上流社会や社交界を意味する英語のsocietyと同様な使われ方をしていたが、そこで含意されていたものには特定の人間集団だけでなく、組織や、特定の場が持つ独特の雰囲気が含まれていた。

小さいころから貧困、病、死といった不幸な要素が嫌いで、キラキラした豪華な世界に魅かれていたという彼女は、今でも英国王室のゴシップが大好きな王室・王族好きだった。二〇一一年四月に再会したときには、ウィリアム王子の結婚式を[230]「死ぬほど楽しみ」にしていると語り、彼らが乗る馬車や結婚式の会場、花嫁のドレスなど、そのどれもが早く見たいと心待ちにしていた様子だった。英国に限らず、王室の記事があれば興味深く読むらしかったが、一番のお気に入りは英国王室だった。幼いころはエジプト王室に憧れ、国王が国を追われた時には自分のことのように悲しんだという。当時特に憧れていたのはファリーダ王女で[231]、彼女の強く自由な性格に特に魅かれていたという。

そんなリハームは、過去三〇年間のエジプトを、「年々問題が深刻化する、下降線をたどる国」と捉えていた。二〇一一年の革命も、彼女は「ただの大きな混乱」と呼び、エジプト社会に利益をもたらす動きとは考えていなかった。リハームにとって、現在エジプトが抱えている問題の発端は、本物の〈ソサエティ〉の人間が社会で発言力を失ってしまったことにあった。リハーム校長は、本当の名家と言われる人々は、今では財産を持っておらず、豊かな暮らしを送ることはできなくなってしまったため、彼らはもうエジプトを引っ張っていける存在ではないと言い、その原因について次のように説明した。

見てごらんなさい。下層の人間（low people）はたくさん子どもを産むの。母は二人生んだ。私も二人。娘も二人。でも門番（*bawwāb*）を見て。彼らは七人、八人、九人も子どもを産むのが普通。私たちは少数派（minority）で彼らが多数派（majority）になったのよ。彼らはこう考えるでしょうね。彼らのやり方こそあるべきやり方なんだってね。だって彼らのほうが数が多いんだから。

リハームによれば、上流社会の衰退は、下層の人間の子どもの多さによってもたらされたものだっ

……………………

230　二〇一一年四月二九日に行われた英国のウィリアム王子とキャサリン妃の結婚式のこと。聞き取りはその一週間前に行われた。

231　一九五二年の青年将校革命によってエジプトを追われたファルーク王の最初の妻。自分専用の別荘を作り、自分の友人たちに囲まれて過ごすことが多かったことから、悪女として描かれることも多い［cf. Stadiem 1991］。

た。リハームが言及した門番とは、建物の守衛兼小間使いのような役割を果たす人間のことを指し、一つの建物に一人（もしくは一家族）が、階段下などの小さなスペースに住み込み、建物の不具合に対応したり、その他に住民のこまごまとした用件を小間使いのようにこなしたりする職業である。賃金が安く劣悪な環境で働かされるが、専門技能の必要がないことから、エジプト都市部では、農村の人間や[232]、都市でも経済階層の低い人間の職業となっている。多くの都市住民にとっては、一番身近に経済格差を感じさせる存在であり、劣悪な環境で生きる、社会的階級の低い人間の代名詞にもなっている。リハーム校長はその門番、すなわち社会階層の低い人間が数において上流階級を上回ることで、社会の規範が彼らの規範に近いものに変化してしまったことが、問題の核心であると主張したのである。

もう一つの問題は、そこで新しく権力を手に入れた（リハーム校長の言葉によれば）成金（nouveau riche）には文化がないことである。彼女は以下のように述べている。

> 彼らの英語を聞いてみなさい。彼らが話す英語は農民（*falla7in*）[233]なまりよ。文化や〈ソサエティ〉っていうのは子ども時代からの積み重ねなのに。それがあの人たちにはわかっていないのね。朝起きたら〔発音のいい〕英語がしゃべれるなんていうことがあると思っているのかしら。ありえないわ。

彼女が考える〈ソサエティ〉にとって重要なのは、英語の発音に端的に表れるように、子どもの時から特定の環境、つまり〈ソサエティ〉という環境に長い時間身を置いてきたことで初めて身に着くものだった。それが理解できない成金は、とにかく上流階級の真似をして権力を誇示しようとする。しかし文化というものが一朝一夕で身に着けられるものでないことがわかっていないため、結局彼らは自分の出自を隠すことはできないというのである。

以上、彼女の〈ソサエティ〉観を整理してみたが、そこから見えてくるのは、〈ソサエティ〉は、豊かさを象徴するものである一方、王族に代表されるような世襲的な継続性に根差した先天的なもので構成される、ある特定の文化を共有する集団であり、またその特徴である、ということである。彼女の中では、〈ソサエティ〉の対語となりうるのは農民（*fallā7īn*）であり、その代表が門番（バワーブ *bawwāb*）であったが、アラビア語のカイロ方言で農民という言葉には、「後進的な人々」、「学がない人々」という意味がある。他方〈ソサエティ〉は、都市的で先進的なものと位置づけられていた。ただしリハーム校長にとって〈ソサエティ〉は、何より彼女の往年の暮らしを象徴するものだった。彼女にとって〈ソサエティ〉は、「時代が時代であれば」国を率いていく集団やその文化であったにもかかわらず、〈ソサエティ〉外の人々に人口で凌駕されることにより、年々弱体化が進み、このままでは滅び行くものと捉えられていた。

……………………

232　一般に農村は生活水準が低く、都市へのエントリー職（移住後に初めて就く職業）として門番（バワーブ）になる農村出身者は多い。

233　「農民」が別称として普及していることに関する詳しい議論については注58を参考のこと。

〈ソサエティ〉の重要性

リハームは、英語を第一言語とし、学歴（最終学歴はメリーランド大学の博士課程中退）や経歴（学校教員歴三八年、有名校で学校教員を務めた経験を持つ）において、アメリカン・ディプロマ校の校長の条件に十分合致する人物だった。少なくとも、彼女の言葉、文化、振る舞いなどは十分に「インターナショナルスクール」の校長を務めるに足るものであった。

その背景にあったのが、リハームが植民地統治下における現地の知的エリート層出身の女性で、複数の文化圏が重層的に重なる時代のエジプトに子ども時代を過ごした経歴を持っていたことである。彼女が生まれ育った当時（一九三〇年代から六〇年代）のカイロという場所と、彼女の家庭環境は、彼女の人生に大きな影響を与えていた。スコットランドの大学を出た父親のもと、英語を最も身近な言語として育った家庭環境は、現代エジプトにおける「エジプト生まれのエジプト育ち」というニュアンスとは大きくかけ離れている。植民地支配下のエジプトを経験した多くの著述家は、植民地支配下のエジプトは今以上に欧州との結びつきが強く、国際的な雰囲気が存在したと述べている［cf. Amin 2011; Lagnado 2008］。そうした環境において、外国人社会にどれだけ参入できるかどうかは、リハームによれば、国籍ではなく、〈ソサエティ〉に所属していたかどうかの問題だった。彼女にとっては、外国語の能力も、外国文化への造詣も、外国で通用する〈マナー〉も、国という枠組み以上に、〈ソサエティ〉という特定の階級に属する文化の問題として語られた。

6 〈ソサエティ〉の再興に生きる

ここまでの考察ではリハーム校長を複数の角度から検討した。そこから見えてきた彼女という人物を一言で表すとすれば、それは自らが属する〈ソサエティ〉に課されたノブレス・オブリージュとして教育に尽力する人物ということになるだろう。彼女は自分自身を、「自分の仕事をしている（I am doing my job）」人物であると表現したが、彼女はまさに自らの天命として、長年教育に携わってきた女性であった。金銭的なうまみが薄くても、周囲に理解者がいなくても教育業界でのキャリアを続けてきたのは、それが彼女の仕事、すなわち〈ソサエティ〉で育ったという素地の上で彼女に課せられた天命だったからだった。

彼女が実現を目指した天命とは、何より自分が属する〈ソサエティ〉に向けられたものだった。彼女が行っていたのは、自分がかつて受けた教育を復活・継承するための努力で、そこで目指していたのは、〈ソサエティ〉の文化を次世代に伝達することだった。彼女の教育方針は、二〇〇〇年代半ばのエジプトでは新奇なものと見られていたが、リハーム校長のように、限られた一部の人々が構成していた昔の〈ソサエティ〉を知っている人たちにとって、A校の教育方針は、まさに彼ら・彼女らがかつて経験した、往年の植民地期エジプトの都市部エリート文化を成すものだった。政治、経済、そして社会状況の変化の中、昔とは違った人々が富を持つようになり、新たな富裕層は必ずしも昔〈ソサエティ〉を経験したことのあった人々というわけではなくなっている。そんな中、彼女が推し進めようとする教育は保護者から理解が得られず、理不尽な要求が突きつけられることもあった。〈シャクセイヤ〉は、そうした局面において、反発を抑え込むために、有無を言わさず自らの論理を相手に承諾させることを可能にする、重要な資源や能力のように捉えられていた。〈シャクセイヤ〉とは、一般的には属性や性格を意味する言葉だが、リハーム校長がその言葉で表現していたのは、状況操作や会話の主導権を握ることで他人を自分の思うままに動かす力だった。それはまさにリハーム校長が持つ特徴的な力そのものだったのだが、彼女はそれを、自分に課されたノブレス・オブリージュを果たすために用いていた。彼女の中では、彼女の〈シャクセイヤ〉もまた〈ソサエティ〉にその起源をたどるものとされていた。彼女にとって〈シャクセイヤ〉とは、〈ソサエティ〉の一員として、社会の上に立つ人間ならば、使うことができて当然のものだった。リハーム校長は、若い学校教員たちに〈シャクセイヤ〉が欠けていることを嘆くのと同時に、〈シャクセイヤ〉は生まれや育ちによって身に着く〈マナー〉や〈テイスト〉の一部であり、英語の発音同様、一朝一夕に身に着けることはできないものと考えていた。しかし彼女の中ではそれは矛盾ではなく、自らがますます〈ソサエティ〉の復興に尽くさなければならない理由となっていた。

カイロのグローバル化は、必ずしも国家経済の発展や時系列的な流れで進展したものではなかった[Sims 2010]。リハーム校長が育った一九三〇年代半ばから五〇年代のカイロは、局所的なグローバル化の進行が見られ、今以上にヨーロッパの影響が強く感じられる場所だった[Reynolds 2012]。その点からいっても、リハームが生きたカイロや彼女の人生は、五〇、六〇年前の出来事であるにもかかわらず、いろいろな意味で二〇〇七、八年当時のカイロ以上にグローバルな場所だった。そこで彼女が培った〈ソサエティ〉に対する帰属精神は、彼女の半生を通じて、彼女が考える国家（エジプト）や宗教（イスラーム教）のあるべき姿として、現在に至るまで彼女の価値観を根本から支えるものになっていた。

こうした彼女の価値観は、現代的な感覚からすれば、偏見に満ち差別的といえるかもしれない。しかし、エジプトの言説としては特に珍しいものではない。リハーム校長を考察して見えてくるのは、彼女が、富裕層のエリートとしての価値観の持ち主であっただけでなく、自身の育ったコロニアルなコスモポリタン・カイロの価値観を強く内面化し、またそれをA校で再興しようとしていたことである。エジプトは国民の平均年齢が若いこともあり、研究の焦点がもっぱら若者の課題や若者文化に当てられてきた。特に二〇一一年の「一月二五日革命」以来、この傾向は顕著である。しかしリハーム校長のストーリーからわかるように、上の世代は、上の世代なりのまた違った価値観を生きていた。リハーム校長にとっては、性別や宗教よりも、個人の〈マナー〉や〈テイスト〉こそが、集団を切り分ける重要な指標になっていた。こうした感性や価値観を、歴史の遺物として切り捨てることは難しい。むしろこうした特定の時代に育まれた特権意識に基づく価値観が、現代エジプトで未だ強い影響力を発揮していることに注意を向ける必要があるだろう。例えばリハーム校長のように学校運営に携わる人材として、あるいは会社経営や政治家として、権力の中枢や社会の上層で、それは社会を率いる価値観として今も生きられている。現代カイロでは、宗教、階層、性別だけでなく、こうした世代ごとにも大きく異なる複数の価値観が互いに衝突することなくそれぞれに影響力を発揮し続けているのである。

ところで、私がA校での長期調査を終えてから二年一〇か月後の二〇一〇年一二月、リハーム校長はアフマド理事長より突然解任を言い渡されていた。そこで告げられたのは、「もう来なくていい」という言葉だけだったという。リハーム校長は、「もう戦う気になれず」引退を決意したというが、その後の学校の様子に言及したときには次のように語っていた。

あの学校はもう大変なことになってしまっているわ。女子児童・生徒は制服も着ないで平気な顔をしてやってくる。髪の毛はこんなだし、メークまでしている。以前はあんな髪でくる子がいたら、そのまま流しに頭を突っ込んだものよ！

この発言は、短いながら、彼女が教育で重視してきたこととそのために彼女がとってきた行動を端的に表していると言えるだろう。彼女が考える教育においては、児童・生徒に適正なしつけを課すことが重要であり、そのためにはやりすぎと捉えられ得る行動も辞さなかった。彼女がA校を去った今、服装や髪形の乱れに表される、彼女にとっての〈ソサエティ〉の崩壊は、彼女の目には確実なものに映っていたのだろう。

終章　「私らしさ」の民族誌、その必要性と可能性

本書では、二〇〇七年から二〇〇八年にかけてエジプトのAという私立校で行った調査を主なデータとし、現代カイロの私立アメリカン・ディプロマ校で教員として働く三人の女性の「私らしさ」を民族誌として描いてきた。とはいえその内実は、私にとっての、彼女たちとの出会いと交感の記述である。彼女たちを知ろうと試みて、わかったつもりになっては失敗したが、それでもたまに共感にたどり着けたような気がすることもあった。民族誌では、そんな経験の中で見ることができた彼女たちの姿を描くことに注力した。言葉を換えれば、これは彼女たちと私との間で行われた、彼女たちがどのような人物になろうとし、実際にどうなっていたのかをめぐる交渉の記録である。本書ではそれを、「私らしさ」の民族誌と名付けてみた。

1 「私らしさ」という泥試合から見えるもの

「私らしさ」の民族誌とは、「私」の民族誌でも、「私らしい」民族誌でもない。「私らしさ」の民族誌が描くのは、一人一人がそれぞれの「私らしさ」を探求し、交渉し、挫折しつつなお、自分自身を改変し、自己に投資し、また自己を賭金として未来を切り開こうとする姿である。本書で目指したのは、三人の女性たちの日々の行動や自分語りを、そんなパフォーマティブな自己成型のプロセスとして考察することであった。

「私らしさ」という表現は日常的な使用においては、「私」を唯一無二の存在としてそれ以外の人々から切り離す、経験的な自己認識に基づくものである。ただしそれはまた、その個人が生きる社会構造を可視化させるものでもある。なぜなら特定の「私らしさ」を主張する行為は、主体的になされるものでありながら、社会的承認を求める点において、個人を社会構造に埋め込むものだからである。つまり「私らしさ」に着目することは、人々の自己主張が記録できるだけでなく、社会的相互行為によって形作られた欲望や希求を捉え、個々人の能力や社会的位置づけや関係性が、特定の社会構造に絡め取られていく過程を考察することを可能にするのである。

このように、「私らしさ」をめぐり問題化される主題は、主体と構造、あるいは「承認」［藤野 2015］をめぐる議論と多くの部分で重なりがある。「私らしさ」の民族誌は、その具体的な様相に焦点を当て、実際の出来事としてそのプロセスを記述した点に特徴がある。人が自らの望む自己を生きようとする現場には、「主体と構造」といった抽象的議論からは想像もできないような、共感を求め、自分の居場所を探し、他人からの評価も得ようという、私利私欲にまみれた泥臭い、真剣な闘いがあった。それは時に清々しいこともあったが（リハーム校長による、エジプトの庶民差別は、ポリティカル・コレクトネスでは太刀打ちできないほど、余計なものをそぎ落とした清爽さすらあった）、往々にして、直視することに申し訳なさを覚えるような、自意識にまつわる妙な恥ずかしさを湛えていた。

第Ⅰ部で取り上げたシャイマは、勉強ができ、すばらしい成績で大学を卒業したにもかかわらず、学校教員にしかなれないでいた女性だった。こうした人物は、エジプト社会を対象としたこれまでの研究では、高学歴プアとして、社会的課題として問題にされるべきものではなく、これから先に約束されている明るい未来に続く一ステージと位置づけられていた。二〇〇〇年代に入り、エジプトでは若者問題が大きく取り上げられるようになったものの、制度破綻の被害者や、解決されるべき「問題」として若者を位置づけける視点では、こうしたシャイマの選択や心持ちを説明することは難しい。第Ⅱ部で取り上げたサラは、美人で大らかで家庭的、というエジプトの女性の理想像のような人物だった。エジプトにおけるジェンダー規範についての調査研究には、女性役割を重視する彼女と同じような特徴を持つ女性が頻繁に登場する。ところが、彼女が求めていたのは、不特定多数の人々から寄せられる好意であって、そうした意味では彼女の行動は、貞節さや家庭内役割を強調する、既存のジェンダー規範の議論で説明できるようなものではなかった。第Ⅲ部で取り上げたリハーム校長もまた、学校校長という職責に真剣に取り組んではいたが、ナーセル統治期の社会主義体制の中で登用された女性人材として説明しきれる人物ではなかった。彼女は、ナーセルが率いた青年将校革命を心底憎み、五〇年以上たってなお、それ以前のコスモポリタン・コロニアル・エジプトの復興を目論んでいた。その試みには、陰謀論にも似た、スケールの壮大さがあった。彼女のような、特定の政治レジームと、それを背景とした社会状況を長期間にわたって個人として生きる人々の姿は、体勢の転換を時代区分に用いる議論からは見えてこないものである。

彼女たちを人として描く、と宣言はしてみたものの、それは思いの他難しい作業になった。その主要な要因は、彼女たちが目指す「私らしさ」が、中東の女性を議論するための既存の枠組みに上手く当てはまらないところにあった。また私が、そもそも彼女たちがどのような自己を目指し、どのようなストーリーを生きているのかを完全には理解できていなかったことも影響していたかもしれない。私たちは互いに自分が誰であるかを交渉してはいたが、それはどこかで結論にたどり着くようなものではなく、いつまでも続くプロセスの積み重ねでしかなかった。本書では、そのプロセスを暫定的に振り返り、彼女たちが示した「私らしさ」を〈クバール〉（第Ⅰ部）、〈ヘルワ〉（第Ⅱ部）や、植民地期エジプト（コスモポリタン・コロニアル・エジプト）の復興を目指す女性（第Ⅲ部）として位置づけた。

彼女たちに対峙している現場では、どのような人物として私が彼女たちに接するべきかが、毎回彼女たち自身から提示され、それに準じた扱いをするよう要求が突きつけられた。私が彼女たちに接する時には、提示される人物像に見合った対応を求められた。自分の求めた対応が尊重されていないと判断されれば、彼女たちは私の話が聞こえていないふりをした。あるいは怒られたり、あからさまに幻滅を表明されることもあった。それが嫌なら、彼女たちの要求に注意を向け、彼女たちの提示する自己を尊重する必要があった。

しかし彼女たちに突きつけられる要求は、必ずしも私にとってわかりやすいものばかりではなかった。それは、これまで中東研究で検討されてきたような、貞節な妻や妹といった家父長制のもとでの「私」でもなければ、イスラーム教徒女性としての神に献身する「私」でもなく、かといって、結婚を人生のハイライトと位置づけ「女の幸せ」を追求する、ジェンダー規範に規定される「私」でもなかった。だからといって、私自身の規準に照らして、彼女たちのストーリーを理解したつもりになれば、そこでは彼女たちからのダメ出しが待っていた。

2 多様な職業意識

なかでも私にとって理解が難しかったのが、シャイマやサラの就業意識だった。シャイマやサラに限らず、リハーム校長までも、それぞれが学校教員という職業に見出していた意義は、私が考えるものと大きく異なっていた。これが、彼女たちと共に働く中で、私にとっては当時最も大きなストレスになっていた。私は、彼女たちの職業意識の希薄さに頼りなさを覚え、苛立ちを募らせずにはいられなかった。一方、実生活では、シャイマにはA校について細かなことまで教えてもらい、サラにも実務においてはいろいろな機会に助けてもらっていた。そのことには心から感謝をしていたし、シャイマがG1の児童の成長を喜びを持って語ってくれた時には、彼女に対する自分の誤解に恥ずかしさを覚えた。それでも、彼女に私と同じように教員として振る舞ってくれることを期待すれば、翌日には失望や落胆が待っていた。彼女たちに世話になっているという気持ちや彼女たちから学ばせてもらっている気持ちと、彼女たちに対する失望やあきらめの間で、私は自分を見失い疲弊した。

私にとっては、就業するということは、私個人の関心や欲望を一旦脇に置き、その仕事に付随する目標に向かって、職業的ペルソナのもとに優先順位を決め行動することだった。ところが、シャイマやサラにとって学校教員であることは、彼女たちがそれぞれ持つ、別の目的や欲求を満たす手段や方法になっていた。それが、〈クバール〉になる舞台を手にすること（第3章、第4章）や、〈ヘルワ〉として児童・生徒の関心と愛情を一身に集めることだった（第6章）。それらが成功していたかどうかはともかく、彼女たちはその「真の目的」を隠そうとすることはなかった。むしろ彼女たちは、日々私的関心を満たすことに邁進していた。私はそのことに腹が立った。

驚いたのは、A校の精神的支柱となっていたリハーム校長においても、教員になることが別の目的を充足させるための手段の一つであるかのように語られたことだった。一九六〇年代初頭に彼女が教員になった理由もまた、既婚女性でありながら社交の場を持つためだった（第9章）。私にとってはこうした公私混同の見られる就業意識は、教員職の私物化、つまり職業を利用して私利私欲を満たしながら職務の遂行を阻害する、軽蔑すべき行為に思えた。

女性の就労をめぐる仕事と家庭のバランスは、エジプトにおいて社会的・学術的関心の対象とされてきた。しかし彼女たちの就業意識においては、職業意識と家庭役割が対立し得るものとして認識すらされていなかった。そもそも、職業意識が最初から強くないのだから、それが何かと衝突するわけはなかった。彼女たちには、教員として働いていたとしても、就業中に自分自身の利益を追求することに問題があるとは考えられていなかったのである。

仕事中は職務に徹しそれ以外のことを考えるべきでない、という私の前提は、合理性においても、汎用性においても自明のものではなかった。当たり前と言えばそれまでのことだが、私たちは仕事だけに生きているわけではない。▽234 仕事を単なる稼得行為だと考える人も、生きるために従事する好きではない責務だと考える人もいるだろうし、それ以外の個人的な企図のもとで仕事に従事する人もいるだろう。振り返ってみれば、私もまた、学校教員職に従事することで、調査の場所を得ることができていた。彼女たちが教職を私物化していたと言うのなら、私自身もまた、教職を私物化していた一人だった。ただし調査中に私は、時折そのことに思い悩まされていた。就業時間中に調査のことを考えては罪悪感にさいなまれ、家に帰っては、「今日もまた調査ができなかった」と自己嫌悪に陥った。彼女たちに感じた苛立ちには、私自身が抱えていた憤りが含まれていた可能性すらあるだろう。しかし当時の私は、そのことに気が付かないほど、自分にとっての理想的な就業意識を彼女たちに押し付け、そこからずれる彼女たちの態度を問題化して目くじらを立てていた。

学校教員という職業は、エジプトの女性の社会進出という議論において、就業者数の多さから、大きな注目を集めてきた。女性教員を対象に、仕事と家庭のバランスや、女性による就業の難しさを扱う論考も多い。しかしそうした議論では、個々人の職業意識の違いについては関心が向けられてこなかった。女性教員たちは、教員として働いてさえいれば、「学校教員」として、それが意味するとこ

234 同様の議論は、イタリアの労働者を対象にした宇田川の論稿でも提起されている［宇田川 2016］。

ろを問わず数に入れられてきた。だが、学校教員が意味していたものは、その一人ひとりにとって違っていた可能性がある。こうした気づきは、彼女たちを学校教員としてだけ捉えていたのでは生まれなかったものであって、「学校教員」としてではなく、シャイマやサラ、リハーム校長という人に向き合ったからこそ見ることができたものである。

3 ジェンダー規範をめぐる変化

調査中は、彼女たちのジェンダー観についても驚かされることが多かった。言うまでもなく、中東はジェンダー規範が強い影響力を持つ地域として広く知られてきた。女性の公的活躍が限られている、女性の移動が制限されている、男女交際が禁止されている、女性が男性の管理下に置かれている、女性からの離婚はできない、女性の身体は覆われる必要がある。こうしたステレオタイプは、ある意味では現実を捉えている。就学における男女差こそほとんどなくなりつつあるものの、エジプトでは女性の就労率は二五%を超えず、女性の一人暮らしや単身での長距離移動は世間の否定的な注目の的になる。女性だけで暮らす住居に夫や親族以外の男性訪問者が来れば、門番に警察を呼ばれることもある［Wynn 2018］。女性の外出時に、兄弟やオジ、父親や夫に、その日の服装について事細かに修正要求を突きつけられることも珍しくない。

エジプトをはじめとする中東地域のジェンダー規範については、「古典的家父長制」［Kandiyoti 1988］

という概念や、イスラーム教の教えを参照した説明が試みられてきた。そこで議論の中心となってきたのは、男性に女性を経済的、物理的に保護する役割が課せられるのと同時に、女性に男性への従属を求める、「保護と従属」という関係性や、女性の性的貞節が、家族の名誉の象徴として管理対象となる、名誉という言説を用いた男性による女性身体の管理だった。

シャイマ、サラ、リハーム校長の三人の生き方もまた、多分にジェンダー規範の影響を受けていた。シャイマが学校教員にしかなれなかったのも、学校教員になってさえいればよかったのも、彼女が女性であったことが主要な要因であったと推測できた。サラに至っては、学校教員になろうとした、その職業選択そのものが、ジェンダー規範に配慮したものだった。子どものために教育者になろうとした選択は、近年新たに付け加えられた、「教育者としての母」というジェンダー役割を意識した末にたどり着いたものだった。加えてサラが、大学卒業後に就労経験のないままに結婚をしたことも、児童・生徒に対して母親的役割を構築することで「お気に入り」になろうとしたことも、家父長制的規範に則った行動だったといえるだろう。

しかし彼女たちが追求する「私らしさ」は、必ずしもこれまで議論されてきたジェンダー規範で説明できるものでもなかった。シャイマについて言うならば、女性の社会進出がなかなか進まないエジプトで、近年大学を卒業したとしても、特別なコネでもない限り、女性がいい仕事に就けないことは当然のこととされている。個人的経験に照らして言えば、私の義理の妹も、姪も、大学卒業後、何年もつてを当たり続けて、それでも満足のいく仕事には就けていなかった。それでも、世間的には「そういうもの」だと考えられていた。シャイマと同じような経験をしている女性はごまんといた。かつてエジプトの職場で私と共に働いていた女性の同僚たちの場合は、アメリカン大学を出たり、父親が社長であったりと、みなそれぞれに社会における特別な後ろ盾を持っていた。公務員の両親を持つシャイマが就職に失敗して激しく落胆した、というストーリーは、現代エジプトではありふれたもの過ぎて個人的には共感することが難しかった。今更そんなことで悩むなんて、というのが私の率直な感想だった。

しかしシャイマという個人に向き合うことで、驚くべき発見もあった。それが、彼女が人生の中心に、「社会で活躍する私」という「私らしさ」を据えていたことだった。それは単なる見当違いや世間知らずということで済ますことができるようなものではなく、それになれないとわかれば鬱状態になるほど彼女にとって重要なものだった。彼女にとって社会で活躍することは、彼女が誰かを定義する際の最大の指標であり、それを彼女は〈クバール〉であること、と表現した。〈クバール〉になることは、シャイマにとっては、場合によってはジェンダー役割以上に、彼女が「私らしく」いるために重要なものと位置づけられていた。この点において彼女は、エジプトで女性として生きてはいたが、必ずしもジェンダー規範を第一義としない人生を生きていた。

サラもまた、典型的なジェンダーモデルを生きているようでいて、彼女が「私らしさ」を定義した〈ヘルワ〉という表現は、これまでの中東ジェンダー論の議論で説明しきれるものではなかった。これまで、中東の男性による女性の身体管理という言説で強調されてきたのは、例えば女性身体を覆うことでフィトナ（社会騒乱）を生み出さないことだった［Mernissi 1975］。そうした議論で注目されてきたのは、ムスリム女性が纏うスカーフであり、ＦＧＭであり、名誉殺人だった［アブー＝ルゴド 2018］。一方サラは、不特定多数の人々から注目を集め、魅力的な女性であると広く認めてもらいたがっていた。しかもその延長線上に、結婚は存在しなかった。女性の魅力を語る上で、彼女にとっては、結婚や家族といった家父長制言説は必要不可欠なものではなくなっていた。彼女はただ、美しい女性として多くの人々に好意を寄せられたがっていた。その欲求は、経済的資源の獲得や社会的地位の上昇といったものに支えられたものではなかった。身体的にも精神的にも、彼女はただ、みなに「一番のお気に入り」として望まれたい、という承認欲求に突き動かされていたようだった。

ジェンダー規範に一義的な重要性を見出さなくていい可能性があるということは、ジェンダー規範を説明するだけでは女性の生を理解することが不可能であることを示唆している。これもまた当然と言えば当然の指摘であるが、テーマ先行で行われてきたこれまでの中東ジェンダー研究では見過ごされてきた点である。

4　イスラーム教の不可視性

加えて、本書におけるイスラーム教に関する考察も述べておきたい。中東地域といえば、多くの人がまず思い浮かべるものの一つがイスラーム教である。それぐらい中東にはイスラーム教のイメージが強く結びつけられている。信者人口こそインドネシアの後塵を拝するとはいえ、イスラーム教発祥の地として、聖地マッカを擁する場所として、また人口の大多数が信仰する宗教として、確かに中東におけるイスラーム教の影響力は強い。宗教としてのみならず、身分法の法源として、また政治イデオロギーとして、生活の隅々にいたるまでイスラーム教は強い存在感を放っている［cf. 小杉 2016］。

しかしながら、彼女たちが私に投影していた彼女たちの「私らしさ」は、イスラーム教だけで説明できるものでもなかった。もちろんイスラーム教について語られることはあった。特にシャイマの場合は周囲から信仰心に篤い女性という評判を得ていて、彼女自身、彼女にとってのイスラーム教の大切さをとつとつと私に語ることがあった。しかしそれらはイスラーム教について語られたことであって、彼女の語る「私らしさ」が、イスラーム教に照らして包括的に理解が可能だったかといえば、決してそうとは言えなかった。

イスラーム教は、彼女たちの生きようとする「私らしさ」において、重視はされていたが常に最重要事項となっていたわけではなかった。そう見えた理由として考えられるのが、①イスラーム教がすでに生活の一部に浸透している現実と、②イスラーム教について熱心に語ることに特別の意味が見出されていなかった状況、さらには、③私がイスラーム教に特別な学術的関心を抱いていなかったこと、の三点である。

エジプトの日常に埋没しているイスラーム教

エジプトで暮らすようになった当初、私は目の前で繰り広げられる多くの出来事がイスラーム教で説明できるものだと思っていた。その認識は、ある局面ではその通りではあったが、別の局面では全く見当違いだった。早朝にはアザーン（礼拝の呼びかけ）が町中に鳴り響き、テレビを見ていても、礼拝の時間には番組が中断する。休日に買い物にでかけても、金曜礼拝の時間には店舗を閉める店もあった。確かに、暮らしの隅々に、イスラーム教の影響を感じることができた。

しかし慣れてしまえさえすれば、エジプトで生きていくために、イスラーム教やその教えを日々の生活で意識する必要はなくなった。日常生活の多くの部分は、イスラーム教徒が大多数を占めるエジプトでは、すでにイスラーム教に適した形で行われるようになっていた。そのため、イスラーム教の知識を身に着けなくとも、エジプトの当たり前を受け入れれば、イスラーム教がわざわざ問題になることはなかった。例えばムスリムに許された食品などに表示される「ハラール」マークは、日本でも近年知名度を上げつつある。しかしエジプトに「ハラール」マークがついた食品はほとんど存在しない。そもそも人口の大多数がイスラーム教徒である空間において、流通する食品は基本的にハラールと認識され、あえて「ハラール」マークをつける必要性が強く周知されているわけではない［大川2017］。

本書で対象としたA校も、アメリカン・ディプロマ校とはいえ、こうした空間に存在する教育機関であった。イスラーム教に適合したやり方で運営された場合であっても、特別にそのことに言及されることはなく、イスラーム教的かどうかを問うことも日常的には行われていなかった。その意味では、日常の暮らしをあるがままに受け入れることさえできてしまえば、そこにあえてイスラーム教を援用して説明を付け加える必要はなかった。

ポストイスラーム復興の日常

本書の舞台である、二〇〇七、八年のA校のような環境について言えば、イスラーム教を声高に語ることにそもそも積極的な意味はそれほど見出されてはいなかった。九〇年代末から二〇〇〇年代初頭にエジプト社会を席巻した、若者を中心にしたイスラーム教意識の高まりもそろそろ沈静化を迎え、シャイマやサラのような二〇代の女性たちにとっては、あえてイスラーム教を口にすることが、新しいことでも、刺激的なことでもなくなっていた。宗教意識に敏感な女性たちが勇気をもってスカーフを纏い始めた時期は過ぎ、このころにはスカーフがただ当たり前のモノとして身に着けられるようになっていた。多くの女性が宗教意識に基づき頭髪を覆うスカーフを纏ってはいたが、それはすでに、過ぎ去ったブームの名残のようでもあった。モスクやイスラーム教の勉強会であればともかく、特別宗教的とされるような場所でない限り、日常生活においてわざわざイスラーム教が問題にされることも、議論のテーマとなることもなかったのである。[▽235]

エジプトでは長年、過激なイスラーム勢力との対決が国家の主要な闘いの一つに位置づけられていた。メディアの検閲において対象となっていたのも、「過激な」イスラーム思想と、エジプトを「遅れた文明」のように映し出す、エジプト社会のネガティブなイメージだった[Grippo 2010; Hammond 2007]。一方A校は、エジプト社会の中でもとりわけ「モダン」で最先端の教育機関として知られていた。声高にイスラーム教について言及することは、そうした環境に身を置く人間にとって、肯定的な効果を生み出すものとは考えられていなかった。そうした環境で出会った女性たちを描く上でも、イスラーム教はそれほど重要なものには思えなかった。

日常の一要素としてのイスラーム教

しかしこうした感覚は、私が覚えた個人的なものである。私にとってそれは、経験の中でたどり着いた認識ではあったけれど、他の人も同じ結論にたどり着いたかどうかはわからない。例えば私は、改宗ムスリムではあったが、私がムスリムであることを当時A校の教員はみな知っていて、そのこと自体は当たり前のことのように扱われていた。エジプトで暮らし始めてから一〇年近くたっていたこともあり、A校には、私にイスラーム教について説明したり、イスラーム教的解釈を使って物事を説明したりしようとする人はいなかった。イスラーム教が、日常生活を説明するものとして利用される文脈は、私の周囲には存在しなかった。

また私は、もともとイスラーム教に興味を持ってエジプトにやってきたわけではなかった。私がエジプトにやってきた理由は、中東に暮らす人々の生き方を知りたかったからだった。暮らしや生き方の中には、当然イスラーム教も含まれてはいたが、それは生活の一つの要素であって、全てではなかった。その感覚は、エジプト人の家庭に嫁いでも変わることはなかった。現地で暮らす女性には、

235　この点については、学界においても賛同を得ることは難しい可能性が高い。近年むしろ高い関心が寄せられてきたのは、いかにイスラーム教徒が世俗的でない生活を送っているのか、またそれがいかに営まれているかについての議論である。こうした議論については *ZMO Working Paper* や *HAU* 上で交わされた Schielke（2010; 2015）、Fadil and Fernando（2015）、Deeb（2015）に詳しい。この議論については齋藤剛氏にご教示いただいた。

日々の生活の中で、モスクに行く機会や宗教行事に関わる機会は限られていた。家庭で行う礼拝ですら、男性に比べると、女性に礼拝が期待される程度は低かった。男性は何をおいても礼拝を優先すべきとされていたとしても、女性には、調理作業や、赤ん坊をあやすことなど、礼拝に優先されるべきことがあるとする暗黙の了解があった。宗教実践は、女性たちに向けられる期待において、男性と同じようには重視されていなかった。女性たちや彼女たちの暮らしを知りたかった私にとってイスラーム教は、重要な要素ではあるが、日々の生活においては、絶対に触れなければいけないものではなかったのである。

また私は、アラビア語カイロ方言を、現地の人々との交流の中で学んでいた。そのこと自体には、彼らと経験的に「同じ」言葉を学び、話せるようになるという利点があった。しかしこの状況は、例えば日々の言い回しに含まれる宗教的ニュアンスを理解するようなことを難しくした。先述のように、生活に埋め込まれた宗教性は、すでに暮らしの一部に取り込まれていた。そのため、暮らしの経験の中で言語を学んでしまえば、宗教的要素だけを後で取り出すことは逆に難しかった。私は目の前で使われる言語を考察するための、外在的指標を持っていなかった。大塚は、九〇年代に日常の挨拶の中に「宗教的」言い回しがより多く使われるようになったことをもって、宗教意識の高まりを指摘した［大塚 2002］。しかし私にはそうした変化に気づくことはできなかった。私にとっては宗教的言葉づかいもまた、日常的慣習の一つとして、「そういうもの」としてしか認知されていなかった。ただしこのことは同時に、暮らしや生き方を描き出すときに、イスラーム教が必ずしもなくてはならないものではなかったことの証左とも言えるだろう。調査者にイスラーム教の知識が豊富であれば、特定の事象について、より深い考察は可能だったのだとは思うが、それがなくても、人々の生き方や暮らしについて描き出すことは不可能ではなかったのである。

少なくとも私にとっては、こうした理由から、三人の女性を理解しようとする際に用いる枠組みとしてはイスラーム教が格別に重要なものには思えなかった。彼女たちがイスラーム教について触れればそれを記述はしたが、彼女たちの特定の行動や発言は、イスラーム教の枠組みだけで理解できるものとは思えなかったのである。

5 ステレオタイプからの脱却を目指して

本書で取り上げた三人の女性の誰か一人についてでも、その「私らしさ」を十全に、かつ彼女たちが求めたように尊厳を尊重しつつ描こうと思うなら、家父長制やジェンダー役割、あるいはイスラーム教や学校教員、欧米への近接性といった、職業、階級、宗教、ジェンダー、グローバル化のうちのどれか一つの切り口からそれを試みるのはリスクが高すぎる。それらはどれも彼女たちの生において重要な意味を持っていたけれど、彼女たちの「私らしさ」を形作る言説は、そのどれか一つに限定されているわけではなかった。本書で検討してきた通り、彼女たちは、母や妹といったジェンダー役割を取り出してみたり、学校教員という職業を使ってみたり、学力の高い理想的な市民像といったものを持ち出してみたりしながら、多彩なイデオロギーを恣意的に使って、時にはそれを独自に解釈して、彼女たちなりの「私らしさ」を語っていた。そうした語りを、特定の切り口から議論するだけでは、私には彼女たちの「私らしさ」が矮小化されてしまうように思えたのだった。

とりわけ、中東の女性のように、植民地主義的文脈－ジェンダー的文脈－資本主義的文脈－二一世紀の国際政治の文脈など多様な文脈で「被害者」としてまなざされてきた人々と、「共感できる」という感覚を共有したいのであれば、それぞれの権力構造が強いる、強固なステレオタイプに抗う必要度は一層高くなる。特定のイデオロギーに着目しながら、女性たちの生の解明を目指すという営為は、女性たちの上に覆い被せられた複数の権力の絡み合いの中から、たった一つの位相のみを問題化することと言えなくもない。中東の女性に限らずとも、そのような解釈を押し付けられて、居心地の悪い思いをしない者はいないだろう。またそれは、現地のロジックの無批判な援用を通じて、特定のイデオロギーを再生産する行為でもある。つまり、対象となる女性たちの実生活を縛る制約を、わざわざ強化することに加担する行為なのだ。序章で触れたアブー＝ルゴドが、「文化に抗って書く（Writing against Culture）」で指摘したのは、こうした行為に孕まれる問題に意識的になることだったはずである［L. Abu-Lughod 1991］。

二〇〇〇年代のカイロには、オリジナルな「私らしさ」を紡ぎ出すには事欠かない環境があった。国家や都市の変化と同様あるいはそれ以上に、人々の生き様は大きく変化を遂げつつあった。第2章で検討したように、当時のカイロでは、長らく寡占状況にあった国家による近代化言説が失速し、それが相対化される流れが生まれ始めていた。この動きは後に、二〇一一年の「一月二五日革命」を引き起こし政権交代につながった。消費至上主義的なグローバル資本の流入により、インターネットや衛星放送という情報環境も変革し、人々は家にいながらにして多様な情報に触れることが可能になった。またここで出現した開かれた消費空間は、人々が社会的格差を体感し、「格差を吸収し、経験する」アリーナにもなった。こうした中、エジプト社会の価値観を主導する存在とされてきたミドルクラスの役割は、その消失が議論されるほどに弱体化したとされている。それ以前、エジプトの在り方を規定する存在だったミドルクラスに代わって、近年では多様な勢力が、それぞれの価値観を独自に発信するようになっている［Amin 2011］。エジプトは今、大きな社会変革と、それに伴う生のあり方の変化を経験している。

こうした状況を受け、私がA校で調査を行っていたのとちょうど同じころ、これまでエジプトのジェンダー研究をけん引してきた研究者の中には、都市研究や、コスモポリタンを鍵概念とする「カイロ・スタディーズ」▽236に研究対象を移す動きが現れた。「カイロ・スタディーズ」は、カイロという都市に焦点を当て、そこで急激に進行する社会変化を、ミクロな視点から考察することを目指した試みだった。対象となった事象は、大規模都市開発、グローバル企業の躍進、新しいイスラーム運動、メディア環境の変化など多岐に渡り、それらをグローバル化論、消費論、空間論、アイデンティティ

236 カイロ・スタディーズを代表する著作は、Singerman and Amar (eds.) による *Cairo Cosmopolitan* (2006)、Abaza による *The Changing Consumer Cultures of Modern Egypt* (2006)、Singerman (ed.) による *Cairo Contested* (2009) を初めとして、De Koning (2005)、Peterson (2011) などがある。しかし、二〇一一年の革命を契機に、かつての勢いは失われたようにも見える。

論といった理論枠組みで読み解く考察が行われた〔cf. Singerman and Amar (eds.) 2006; Singerman (ed.) 2009〕。こうした動きは、めまぐるしく変化するエジプト社会の動向に合わせたものだった。

二一世紀の初頭にはまた、女性主導の離婚（*Khul*）の法制化や、国会議員選挙におけるクォータ制の導入、ハラスメント防止法の制定といった、女性に関わる大きな変化があった。しかしそれにもかかわらず、女性を対象にした研究には一時の勢いが失われつつあった。[▽237] その要因が、十分な議論蓄積がなされたから、でないことは明らかだった。むしろ急激に多様化し動態化する生の様相を前に、汎用性の高い一つの枠組みで女性たちを分析することの不可能性が露わになったからだと考えられるだろう。この時代に生きる女性たちの姿が、ますます既存の枠組みで理解できない多様性を見せ始めていたことは、本書で考察した通りである。それでは、女性たちを理解するための手掛かりが有効性を失われつつある中、いったいどのように、彼女たちとの共感を目指すことが可能になるのだろうか。

本書で共感の一つの在り方として試みたのは、人の民族誌の執筆を通じ、「どうしてそうなるのかはわからないけれど、彼女たちの感情に共鳴できる」と感じた瞬間を描写し、そこから特定の人物について考えていくことだった。[▽238] 本書で示した通り、これまでのようにどれか一つの枠組みで現代エジプトの女性の状況を語ることは不可能に近い。現代エジプトのように、多様な価値観がめまぐるしく消費され、変化する環境においては、そこに生きる人々との人間としての交感のもとに彼女たちに向き合い、彼女たちの選択や、周囲に流される様子を描く以外に、そこにたどり着く方法は無いように思うのである。

6 人の民族誌の可能性

序章で私は、人を書くことにしたのは、私には人しか書けなかったからだ、と述べた。それは本当にその通りだったのだけれど、こうして実際に人について書く作業を進めてみる中で改めて、彼女たちの魅力には圧倒され続けた。調査当時は、彼女たちの言動が理解できずに振り回されることや、同じ前提を共有できずに突然怒鳴られることもあった。けれども彼女たちの生身の姿は、私にとっては、エジプトの家父長制の議論よりも、イスラーム教の議論よりも、女性の就労をめぐる議論よりもおもしろかった。

また人を書くことには、書くべきものの手掛かりを、目の前にいる人物に求めることができるという利点があった。本書を書き進める上で私が注視したのは、彼女たちが提示した、「自分らしさ」であった。私が気をつけなければならなかったのは、外在的な枠組みに精通していることではなく、それらを前提とせずに、彼女たちの語る「私らしさ」に耳を傾けることだった。人を書くことは、現代エジプトのような多数の異種イデオロギーが混在する空間を考察する上でも利点があった。彼女たちは、様々なイデオロギーや言説に日々晒されながら、それらのいくつかを特に強く内面化し、また別のも

……………………

237 唯一の例外が、女性によるイスラーム復興運動の実践を主題にした研究である。Mahmood による *Politics of Piety* (2005) 他、日本語でも、後藤（2014）、嶺崎（2015）、八木（2011）による書籍が出版されている。

238 本書の試みについては四七―四八頁でより詳しく提示した。

のにも、適度に縛られ利用しながら、「私」を生きていた。人に焦点を当てることは、その人に浮かび上がる、多様なイデオロギーを観察する機会を与えてくれた。また、一人の個人が、多種多様なイデオロギーを結びつけ、読み替え、退け、優先順位をつける現場を観察することも可能にしてくれた（シャイマによる「コネクテッドネス」の流用や、リハーム校長が陰で掲げていた植民地期エジプト再興という教育目標はその一例である）。

それは思いの他、社会や規範といったものの、「変化」や「ずらし」を描き出すことに適していた。つまり、彼女たち一人ひとりの振る舞いや発言には、脈絡のなさや、場当たり的な適当さに溢れていた。人を書くことは、そうした特定の規範や社会的期待では説明のつかないバイタリティに満ちていた。彼女たちの言動は、規範や社会枠組みから外れたように見える行為についても、書き進めることを促した。ある行為がイスラーム教的であろうとなかろうと、あるいは消費主義的であろうとなかろうと、ひとまず価値判断を留保して人に注視することで、枠組みの心配なく、情景描写を可能にしたのである。

この特性は、本書において重要なものになった。なぜなら、本書で扱った三人の女性たちは、自分自身について、「こうなりたい」、「こうなはず」、「こうでなければならない」という強烈な「私らしさ」を持っていた一方で、それらは必ずしも周囲からのお墨付きをもらえるようなものとは限らなかったからである。それらは、人を中心にしなければ、誤解、失敗、不足といったものとして位置づける必要があっただろう。シャイマの〈クバール〉という主張や、サラの〈ヘルワ〉という主張に困惑させられたことは、先述の通りである。しかし人を中心に描くなら、彼女たちの主張する「私らしさ」について「客観的」に評価する必要はなかった。彼女たちには、彼女たちなりのロジックがあり、彼女たちと仲良くやっていきたいのであれば、それが私にとって納得できないものであったとしても、現場ではそれを尊重するほかやりようはなかった。そして私は、それをそのまま書くことができた。そんな彼女たちのことを最後に「こじらせ女子」として考えておきたい。

7 「こじらせ女子」礼賛

「こじらせ女子」は、雨宮まみが二〇一一年に出した『女子をこじらせて』から派生した、二〇一三年の新語・流行語大賞にノミネートされたフレーズである。それは、「女性としての自分に自信が持てず、(中略)自意識が肥大し、恋愛が空回りする残念な女性のことを指す」［アエラ 二〇一五年六月二二日］。つまり、「女子である」ことと自分との間の距離に悩み、特に恋愛関係について思い悩んだ結果、女子としての自分を生きられなくなっている状態にある女性のことだと説明できるだろう。日本のマスメディアでこの用語が用いられる場合には、自己肯定感が低い、劣等感が強い、モテない、「女の幸せ」から遠ざかる、といった表現と並列で使われることが多い▽239。

239 一例として、日刊スパでは「[こじらせ女子」の奇妙すぎる生態」という特集が組まれたことがある。二〇一二年五月一六日から、二三日にわたり、計七本の記事が掲載された。

しかし雨宮の主張では、こじらせ女子＝劣等感が強い、という単純な図式で「こじらせ」が捉えられているわけではない。[240]雨宮が「こじらせ」と名指す違和感においては、自分自身と同時に、「世間が期待する」女子らしさも議論の遡上に挙げられている。そこで「こじらせ」が意味するのは、世間に期待される「女子」の在り方と、自分との距離に戸惑い、開き直ることもできず、そこであがく状態のことである。雨宮はそれを自虐的に描きはするが、そのことに否定的なまなざしを向けるわけではない。

「こじらせ」には、社会規範に完全に取り込まれることに抗う、あるいは、そうと意識しないでもずれてしまう、エイジェンシーの現出という側面がある。自ら明確に意図したわけではないが、社会的期待からずれていく人たち。そしてそのことに悩み、もだえること。つまり「こじらせ」とは、社会からの期待や、社会的役割に完全に一致できない自分を抱え、居心地の悪さを感じるという状態のことだと理解できる。この状態には、ずらし（subversion）［バトラー 1999］という、構造化された格差を変革し、打破する契機が含まれている。

「こじらせ」とは実は、ジェンダー論やフェミニズムが社会変革のよりどころとしてきた、ずらしの中核である、あるいはパフォーマティビティの源泉である、と言ったら言い過ぎだろうか。[241]「こじらせ女子」として捉えた、本書で描いた三人の姿は、こうした構造変化の現場だったと考えられるだろう。私には、彼女たちが提示した自己は、現代カイロにおいて未だ主流にはなりえていない「私らしさ」に見えた。しかしだからこそ、そこには変化の想像力と可能性が投影されていた。今後、彼女たちが唱えていた「私らしさ」が主流言説になれるかどうかはわからない。しかし彼女たちの「私らしさ」の中には、当時のエジプトにすでに存在した、未来の萌芽を見ることができるように思うのである。

8 「こじらせ女子」としての私

エジプトに生きる三人の女性の「私らしさ」を描く、という本書のプロジェクトは、実は私自身に、自分が抱える「こじらせ」を可視化させる契機にもなった。恐ろしいことに、彼女たちの「こじらせ」について考察することによって、私が抱えていた内なる「こじらせ」に向き合うことが要請されたのだった。

私はこれまで、自分のことを落ちこぼれ研究者と自認して研究を続けてきた。カイロアメリカン大学での修士課程に四年、お茶の水女子大学の博士課程に至っては一〇年かけて学位取得に漕ぎつけた。大学卒業後、自分の興味のままにエジプト滞在を始めてからだと、博士号の取得までに計一六年半費

……………………

240 『女子をこじらせて』では、女子だけでなく、セックスや「私」もこじらせの対象になっている。

241 日本においては、「こじらせ」女子ブームと同時期に、「女子」ブームがあった。著述家のジェーン・スーが、その代表ともいえる「女子会」について、女装パーティーと表現したのは偶然ではないだろう［ジェーン・スー 2014］。フェミニズム理論の発展にドラァグが重要な位置を占めたように、仮装や過装は、ずらしにおいて重要な気づきをもたらしてくれる。

やしたことになる。その間、中東の暮らしについて理解したい、中東に生きる人々のことをわかりたい、という一貫した思いはあったが、語学留学生、エジプト在住の日本人妻、母親、大学院生、研究員と、ステータスだけが変化した。

共に学ぶ仲間が次々にステップアップするのを眺めつつ、私は日々研究書を読んでは悪態をついていた。私は、大学卒業後約一〇年にわたるエジプト生活で出会った人々や、そこで経験したことを、なんとか表現したいと思っていた。私にとって、エジプトで夫の家族と共に暮らした一〇年弱は、決して楽なものではなかった。詳しくは別稿で述べたが▽242、右も左もわからない日々を乗り越え、思いがけない敵対心におののきながらも、長い時間をかけて、なんとかエジプトに生きる人々（基本的には家族の女性たち）と、愛情や親密さを交わす関係を作ることができるようになっていった。自分自身が苦労して習得した、エジプト人との暮らしについての理解や、彼ら・彼女らの考え方。そういったものについて私は、日本の読者に向けて、日本語で物を書きたいと思うようになっていった。

しかし私の限られた勉強量においては、なかなか自分が描きたいものと一致する研究には出会えなかった。何がやりたいか、についての具体的なビジョンもないままに、中東やイスラーム教やアラブを対象にした著作を読んでは、そこに感じる違和感に憤りを募らせ、悪態をついていた。

この状況は、念願の博士学位が取得できてもすぐには変わらなかった。博士論文を書籍にしたいという気持ちはあったが、それにどのように手をつけていいのかわからなかった。割り切れない思いの源泉は、調査時に出会った女性たちの姿と、博士論文で提示した議論の溝にあった。自分で書いた論文を読んでいても、やはり悪態をつきたい気持ちにしかなれなかった。せっかく学位を得ることができてなお、博士論文を見る度に、私の心には、自分で上手く処理できないノイズが沸き上がった。目の前にある博士論文からは、私が出会った人々の活力や、訳のわからなさ、いい加減さや、おもしろさは伝わってこなかった。それが私に自己嫌悪を植え付けた。その感覚から逃げ出したくて、私は学位取得から四年間、博士論文を開くことができなかった。

書籍化から逃げ続けて五年。虚勢を張りもらった出版助成に追い立てられて、ついに本書執筆に手をつけた。中心に据えたのは、「私らしさ」という座りの悪い概念だった。自己啓発本から匂い立つような強迫観念と、過剰な自我。人工的な香りを漂わせるこの概念を用いた理由は、序論で述べた通りである。ところが「私らしさ」を鍵概念に作業を始めてみると、思った以上に三人の女性たちの言動を素直に受け取れることに気が付いた。本文で提示した通り、彼女たちの語る「私らしさ」はしばしばエジプトの一般常識や、エジプト研究の議論からかけ離れていた。彼女たちの主張は、調査時の私には、虚栄心や見栄といったものに見えることも多かった。自己防衛本能に基づく浅ましい粉飾。疲れていた時には、そのように感じることもあった。彼女たちの語る「私らしさ」が、だんだんと彼女たちの希求や、希望や、期待として、彼女たちが語るままに、私の中に響いてくるようになったのは、本書執筆を始めてからである。

そこで重要な役割を果たしたのは、既存の議論に頼るのではなく、彼女たちの言動の中にストーリーを見出す作業だった。外在的な情報に頼らず、彼女たち自身の言葉や行為に集中して、彼女たち

242 エジプトの大家族での生活を描いたものには、鳥山（2018b; 2021）などがある。

の姿を描き出してみれば、そこに現れたのは、人々の希求を置いてきぼりに消費主義的ご都合主義へと邁進する社会と、そんな状況に置かれてなお笑ってしまうほど自己評価の高い女性たちだった。そしてもう一人、彼女たちの言葉以上に私自身のエジプトの知識を重視して、彼女たちを愚かな世間知らずとして捉えていた、私自身の姿だった。私にとって、彼女たちをわかることを阻害していたのは、私の方が彼女たちよりエジプト社会についてわかっている、という謎の自負だった。私は本書を執筆する過程で、ようやく初めて彼女たちを見下すことなく彼女たちに素直に向き合うことが少しできたのだった。

ここまで来れば、やるべきことは明らかだった。私は、博士論文で執筆した分析の部分は一旦脇に置くことにした。それはとてつもなく恐ろしい決断でもあった。博士論文には、私が考える研究論文として「こうあるべき」「こうでなければいけない」「こうなりたい」という思いが詰まっていた。民族誌的記述に続く理論的分析は、その中核を成す重要な一部だった。しかしそれには、私自身が、心からやりたいと思っていたものとのずれがあった。分析部分を手放すか否か。その決断に悩む私は、自分の欲望が、社会的期待からずれていることに思い悩み怯える「こじらせ女子」だった。

結果として私は、博士論文で行った煮え切らない分析と共に、社会的期待を放棄することにした。生煮えの分析を後生大事に拠り所とすることは、私にとっては、「ちゃんとした研究者」っぽい体裁を整えることや、「賢い分析もできるふり」をすることに他ならなかった。それらは、一度直視してしまえば、大事にする価値があると言い切るには恥ずかし過ぎる物に見えた。それを大事にするくらいなら、本当に自分がやりたいことを書いて本にしてみたかった。そのことで、私が「ちゃんとした研究者」でないことや「賢い分析もできるふり」をしていたことがバレたところで、それは私が私であることが暴かれるに過ぎなかった。そもそも私は、落ちこぼれ研究者を自認していたのだった。

本書では、ここまで描いてきた三人の女性が見せた、少し過剰な自己評価の高さを拝借して、自分が書きたいものを書いてみることにした。もしかしたらそれが、あるべき「研究」の在り方をずらすかもしれない。いやむしろそんなことを気に留める人はいないだろう。こうした希望的観測と自意識の過剰さは、私が三人の「こじらせ女子」に向き合うことで感化されたものだということにしておきたい。彼女たちとは、調査時に、また論文や本書の執筆でせっかく深い関係を築いた仲である。喜んで、そのぐらいの影響は受けようと思う。

あとがき

本書は二〇一五年三月、お茶の水女子大学人間文化創成科学研究科に提出した博士論文『現代カイロで女性学校教員として生きること――日常的実践からの中東ジェンダー論再考』に大幅な書き直しを加えたものである。

博士課程への進学から論文提出に至るまでの一〇年は、私にとってはあっという間に感じられた。博士論文には、一九九八年に渡埃して以降エジプトで暮らす日々で学んだ情報もできる限り入れ込んではみたが、完成した論文には満足できず、本書刊行までにはさらに七年の月日を費やすことになった。

博士論文は、私の三〇代のほぼ全てを賭した一大プロジェクトではあったが、だからこそ方向を見失い、書き進められず、そのフラストレーションに何度も押しつぶされそうになった。絶対に書き上げるという強い決意と、遅々として進まない執筆作業のギャップに、自分が引き裂かれそうに思うこともしばしばだった。指導教員を務めてくださった棚橋訓先生なしには、博士論文を完成させることはできなかった。ここで改めて御礼を申し上げたい。私が自分で書き始めるまで辛抱強くまってくださった忍耐力と、真摯な研究者としての志に関わる熱い信念、そして肩透かしに終わることをいとわず常に洗練された知識を惜しむことなく共有してくださった学問的気前の良さに支えられ、私のような頑固者でも前に進み続けることができた。優れた指導者に直接ご指導いただけたことは、博士論文だけでなく、現在に至るまで、日々研究者として生活を続ける上での重要な糧となっている。尊敬と感謝を込めて、ここに謝辞を表す。また博士論文執筆においては熊谷圭知先生、申琪榮先生、鷹木恵子先生、三浦徹先生にも大変お世話になった。なかでも鷹木恵子先生には、学位取得後もPDとして桜美林大学に受け入れていただき、同じ中東ジェンダー研究に携わる先輩として、研究者としての振る舞いから、研究に向き合う姿勢に至るまで丁寧にご指導いただいた。身をもって研究者としてのあるべき姿を見せていただいたことは、何より得難い学びとなった。こうした先生方のご指導がなければ、博士論文を提出することは叶わなかった。返しきれないご恩と学びを与えていただいたことに、心よりの感謝を記す。

使用した事例や載録したデータの主なものは博士論文と同じだが、本書では構成を大幅に変更した。博士論文では、三人の女性教員の日常行為と生い立ちに関わる語りを用いて、彼女たちの自己成型や自己のテクノロジーを明らかにすることを試みた。一方本書では、上記カテゴリーを用いた理論的分析の部分をほぼ全て削ることにした。そこで目指したのは、調査者としての私自身を書き加えることで彼女たちの生き様をより立体的に描き出すことと、私にとって彼女たちと共に生きるための方法を模索することである。この選択をするにあたっての逡巡については、終章で述べた通りである。

終章では、その逡巡をあたかも私の内面的な発展であるかのように記したが、実際には多くの方にお世話になりながら徐々にこうした書きぶりに落ち着くことになった。ようやく今の形が明確になったのは、本当に、最後の最後のことである。齋藤剛氏、大坪玲子氏、大川真由子氏には最終段階の草稿を見ていただき、主要な議論のみならず、章の構成、文章のトーン、語句の選択に至るまで細かく丁寧なアドバイスをいただいた。同じ中東人類学に携わり、秀でた仕事を重ねる彼らからの言葉は、信頼がおけるものであっただけでなく、私にとっては進むべき道を照らす指針となった。また竹村和朗氏、**Léon Buskens** 氏には、筆が止まるたびに、「お前が書きたいものを書け」という励ましの言葉をいただいた。そうした言葉はしばしば、燃料切れを起こした私のやる気を奮い立たせてくれた。これは、研究者にとって最良のアドバイスだと思っている。また細谷幸子氏、村上薫氏、後藤絵美氏には、私が研究を続ける上でおおいにお世話になった。彼女たちのような優れた研究者に自分の研究が「おもしろい」と言ってもらえなければ、書籍化もとうに諦めていただろう。とりわけ、無駄に長く不明瞭な博士論文を全文読み、肯定的な評価を与えて下さった細谷氏には心より御礼申し上げたい。博論提出直後の私は、自分が書いたものを評価できず悩みながらも、ただただ彼女たちと共に研究活動に従事することが楽しくて研究を継続することができた。ここに謝辞を表す。

　François Pouillon 先生、大稔哲也先生、中村雪子氏、本山央子氏、**Aymon Kreil** 氏、**Dalila Ghodbane** 氏には事あるごとに有益な指摘や情報をいただいた。彼女ら・彼らとの知的交流によって、断片的な自分の研究にも意義を見出すことができた。さらに長沢栄治先生をはじめとする「イスラーム・ジェンダー学科研」[*1]関係者の方々、国立民族学博物館共同研究「個―世界論――中東から広がる移動と遭遇のダイナミズム」（二〇一五年一〇月―二〇一九年三月）研究会メンバーのみなさんには研究会や個人的なやり取りを通じて有益な学びやコメントをいただいた。その一つひとつが本書の議論や描写となっている。最後になるが、本書を丁寧に読み、私の考えや思いを引き出すことに尽力くださった春風社の韓智仁氏、本書出版の糸口を与えてくださったカンナ社の石橋幸子氏、出版に怖気づく私の肩を押してくださった小川さやか氏、私に無理なく出版できるよう惜しみないアドバイスをくださった元立命館大学衣笠リサーチオフィスの正木孝行氏にも御礼申し上げたい。

一方、今更ながら感謝を述べるのに若干の逡巡を感じるのが、本書で描いたシャイマ、サラ、リハーム校長を初めとするA校の教職員、保護者、児童生徒たちである。調査時には日々アドバイスをもらい、細々としたサポートをいただいたが、今になっても簡単に感謝を口にする気にはなれない自分がいる。私が博士論文を出し、書籍を刊行することができるのは彼女ら・彼らがあってのことである。しかしそのことに対し感謝を述べるのは、なんだか偉そうなことのようにも思われる。むしろ、衝突したり、軽蔑したり、優しくされて嬉しくなったりを繰り返しながら、なんとか激闘の日々を共に乗り越えたことを一緒になって祝いたい。私が彼女たちのために本書を書いたわけではないように、彼女たちもまた、私が論文を書いたり書籍を出版したりするために何かをしてくれたわけではなかった。

…………………

*1　日本学術振興会科学研究費「イスラーム・ジェンダー学構築のための基礎的総合的研究」基盤研究（A）課題番号：16H01899　研究代表者：長沢栄治（二〇一六―二〇一九年度）、および日本学術振興会科学研究費「イスラーム・ジェンダー学と現代的課題に関する応用的・実践的研究」基盤研究（A）課題番号：20H00085　研究代表者：長沢栄治（二〇二〇―二〇二三年度）、

感謝をするとすれば、それは私を人間扱いしてくれたことに対して、ということになるだろうか。変に気を遣うことなく、思い込みや私情のままに私に接してくれたことには確かに感謝をすべきだろう。また、決して洗練されたわけではない「自分らしさ」を隠すことなく、面倒くさい要求を突きつけ、舵取りの難しい人間関係に巻き込んでくれたことには謝意を表したい。そうした彼女たちの自分自身に対する無謀な期待や、奇想天外なリアクションがなくては、本書は全くおもしろみのない本になっていただろう。

エジプトでは、本書の舞台である二〇〇七―二〇〇八年から数年後、二〇一一年の「一月二五日革命」を契機に民主化運動が盛り上がりを見せた。しかしそれは、当時のムバラク大統領を権力の座から追いやることにはなったが、続いて権力争いをめぐる混乱と、安定性を欠くことで悪化した経済状態をもたらした。本書で描いた学校教員の生き方にも、大きな変化が訪れた。新しいインターナショナルスクールの開校が続く一方、生活水準が悪化したかつての中産階級家庭の中には、子どもたちを公立学校に通わせなくてはならなくなっている層も増えているという。この間出生数は増加を続け、地域の公立学校は大幅な定員超過に見舞われ、そこに通うためには「しかるべき人物」に金銭を渡す必要があるという噂もまことしやかに流れている。そうした状況を見るにつけ、日本から訪れる私は、一体人々がどうやって生きているのか訝しく思うことがある。しかし傍から見ればどうしようもない袋小路に見える生活であったとしても、人々はそれぞれにクリエイティブに自己を生きているのだろう。断片的かつ状況的ながら、本書にもそんな人々の生の力強さを感じていただけたのであれば幸いである。

この間、エジプトの変化に合わせるように、私自身の生活にも大きな変化が訪れた。二〇〇八年の調査の後に、私と娘たちは日本に拠点を移すことにした。当時エジプトの旅行会社に働き口を得てようやく安定した生活を手に入れエジプトに残ることにした夫とは、そこから約一〇年の別居生活の末に離婚を果たした。おもしろいことに、離婚をしてみて初めて自分が暮らしていたエジプトでの生活を「書く」ことができるようになった。それはまるで、離婚が私とエジプトに文章を書くのに適度な距離を生み出したかのようだった。また離婚においては、エジプトの家族との簡単ではないやり取りにおいて、新しく気づかされた彼らのすばらしさや、私が考えていた当たり前とは違う彼らの物事の捉え方が見えてきた。本書の執筆を終えてなお、書きたいこと、考えてみたいことは次々に湧いてくる。まずはここで区切りをつけて、次に進むべき道についてじっくり考えてみたい。

本書の出版にあたっては、二〇二〇年度立命館大学学術図書出版推進プログラムにご支援いただいた。また博士後期課程在学中には、二〇〇五年度にお茶の水女子大学「ジェンダー研究のフロンティア」平成一七年度二一世紀COE公募研究、[*2]二〇〇六年度にお茶の水女子大学魅力ある大学院イニシアティブ・プログラム「〈対話〉と〈深化〉の次世代女性リーダーの育成」学生海外調査研究費、[*3]

………………

＊2　研究題目：家父長制のダイナミズムと拘束力――ジェンダー規範によって生み出されジェンダー規範を変質させる移住労働、エジプト人女性「派遣教師」を事例として

＊3　研究題目：現代カイロの「美容」をめぐるディスコースと実践――「隠されるべき」ものから「美しき」ものへ

二〇〇七年度から二年間は、日本学術振興会特別研究員DC2（課題番号：19・12027）[*4]に採択され継続した長期調査を遂行することができた。加えて、二〇〇九年から二年間はコスメトロジー研究財団より「コスメトロジー研究」助成を[*5]、博士号取得後は二〇一五年度から三年間日本学術振興会特別研究員PD（課題番号：201507975）[*6]に採択された。これらの支援に記して感謝する。こうした助成金なくしては、本書刊行のみならず、研究生活を遂行することは不可能だった。

改めて振り返るまでもなく、私はこれまで元夫、あや、らな、両親を初めとして、いつでもすばらしい家族に支えられてきた。彼らの支えにも、この場を借りて謝意を表したい。なかでも、私を信じ、私の成功を一番心待ちにしてくれていた、祖母河村澄子と姑のナンナ・スースー、そして私のエジプト生活を通じて最大の理解者でいてくれた柴田あゆみさんには特別な恩義を感じている。彼女たちは三人とも、学位取得から本書刊行の間に次々と旅立ってしまった。私の仕事が遅く、彼女たちに本書を見せることができなかったことだけが心残りである。

…………………

＊4 研究題目：女性の美容整形をめぐる、現代カイロのセクシュアリティ論争

＊5 研究題目：化粧の消費と身体規範の転換——現代カイロの化粧をめぐる世代間の衝突

＊6 研究題目：現代中東のインターナショナルスクールにおけるジェンダー実践——中東的近代の国際比較

【著者】鳥山純子（とりやま・じゅんこ）
立命館大学国際関係学部国際関係研究科　准教授
専門は文化人類学、ジェンダー論、中東研究
主な著作に「「あるけれど無い」リッブ——エジプト都市部のユビキタスな「ローカルフード」」（大坪玲子・谷憲一編『嗜好品から見える社会』、二〇二二年、春風社）、『フィールド経験からの語り（イスラーム・ジェンダー・スタディーズ4）』（編著、明石書店、二〇二一年）、「ジェンダーから考えるイスラーム——女性にとっての「良い・悪い」の議論を超えて」（小杉泰・黒田賢治・二ツ山達朗編『大学生・社会人のためのイスラーム講座』、ナカニシヤ書店、二〇一八年）、『イスラームのくらし（イスラームってなに？シリーズ2）』（かもがわ出版、二〇一七年）など。

「私らしさ」の民族誌——現代エジプトの女性、格差、欲望

二〇二三年三月一八日　初版発行

著者　鳥山純子　とりやまじゅんこ

発行者　三浦衛
発行所　春風社　Shumpusha Publishing Co., Ltd.
横浜市西区紅葉ヶ丘五三　横浜市教育会館三階
〈電話〉〇四五・二六一・三一六八　〈FAX〉〇四五・二六一・三一六九
〈振替〉〇〇二〇〇・一・三七五二四
http://www.shumpu.com　✉ info@shumpu.com

装丁・挿画　中本那由子
印刷・製本　シナノ書籍印刷株式会社

乱丁・落丁本は送料小社負担でお取り替えいたします。

ISBN 978-4-86110-786-3 C0036 ¥3200E

索引

参照文献

邦文／邦訳文献　＝後は原著の出版年、(　) 内は初版の出版年

アイケルマン、D.F 1988 =1981『中東――人類学的考察』大塚和夫訳、岩波書店 (Dale F. Eickelman 1981 *The Middle East: An Anthropological Approach*. New Jersey: Prentice-Hall, Inc.)

アエラ　2015年6月22日「こじらせ女子は未婚の過剰防衛？　傷つくことを避け、キャラが濃くなる一方…」14頁

赤堀雅幸 1998「挨拶としぐさ――ジャスミンのかおる朝を君に」大塚和夫編『アラブ（暮らしがわかるアジア読本）』河出書房新社、48-54頁

朝日新聞　2015年6月28日「(著者に会いたい)『東京を生きる』　雨宮まみさん」

朝日新聞アタ取材班 2002『テロリストの軌跡――モハメド・アタを追う』草思社

アハメド、ライラ 2000 =1992『イスラームにおける女性とジェンダー――近代論争の歴史的根源』林正雄・岡真理・本合陽・熊谷滋子・森野和弥訳、法政大学出版局 (Lila Ahmed 1992 *Women and Gender in Islam: Historical Roots of a Modern Debate*. New Haven: Yale University press.)

アブドーラ、アルモーメン 2010『地図が読めないアラブ人、道を聞けない日本人』小学館

アブー=ルゴド、ライラ 2018 =2013『ムスリム女性に救援は必要か』鳥山純子・嶺崎寛子訳、書肆心水（Lila Abu-Lughod 2013 *Do Muslim Women Need Saving*? Cambridge: Harvard University Press)

雨宮まみ 2011『女子をこじらせて』ポット出版

綾部恒雄（編）1982『女の文化人類学――世界の女性はどう生きているか』弘文堂

池田美佐子 2012「受験競争の過熱と教育格差の現実――欠かせない教育の民主化」鈴木恵美編著『現代エジプトを知るための60章』明石書店、217-221頁

板垣雄三（編）1977『閉ざされた世界から　世界の女性史14　中東・アフリカIII』評論社

岩崎えり奈 2012「エジプトにおける革命の社会経済的背景――人口、失業、貧困」伊能武次・土屋一樹編『エジプト動乱――1.25革命の背景』アジア経済研究所、111-135頁

インゴルド、ティム 2020=2018『人類学とは何か』奥野克巳・宮崎幸子訳、亜紀書房（Tim Ingold 2018 *Anthropology: Why It Matters*. Cambridge: Polity Press.)

ヴィカン、ウンニ 1986=1976『カイロの庶民生活』小杉泰訳、第三書房（Unni Wikan 1976 *Fattingfolk i Cairo*.)

宇田川妙子 2016「労働に埋め込まれた社会関係、社会関係に埋め込まれた労働――「仕事嫌い」なイタリア人の働き方」中谷文美・宇田川妙子編『仕事の人類学――労働中心主義の向こうへ』世界思想社、204-231頁

エル=サーダーウィ、ナワル 1988=1980『イヴの隠れた顔――アラブ世界の女たち』村上真弓訳、未來社 (Nawal El Sadawi 1980 *The Hidden Face of Eve: Women in the Arab world*. London: Zed Press.)

大川真由子 2017「ムスリム女性の「美」と消費――中東におけるハラール化粧品の可能性」『コスメトロジー研究報告』25: 126-129.

大塚和夫 2007「ナイル河谷――生命の糧としてのパン」大塚和夫責任編集『世界の食文化 10　アラブ』農文協、181-230頁
―― 2002『いまを生きる人類学――グローバル化の逆説とイスラーム世界』中央公論新社
―― 2000『近代・イスラームの人類学』東京大学出版会
―― 1988「〈解説〉『中東――人類学的考察』をめぐって――その理論的枠組みを中心に」D. F. アイケルマン著、大塚和夫訳『中東――人類学的考察』岩波書店、403-415頁
大塚和夫（編）1998『アラブ（暮らしがわかるアジア読本）』河出書房新社
奥野克己 2012「時代のフロンティアをゆくこと、とは――ヌビア人」鈴木恵美編『現代エジプトを知るための60章』明石書店、63-70頁
柏木健一 2008「社会・労働政策」山田俊一編『エジプトの政治経済改革』アジア経済研究所、155-180頁
片倉もとこ 1991『イスラームの日常世界』岩波書店
―― 1979『アラビア・ノート――アラブの原像を求めて』日本放送協会出版
加藤博 1999『イスラム世界の常識と非常識』淡交社
神本秀爾 2020「まえがき」神本秀爾・岡本圭史編『マルチグラフト――人類学的感性を移植する』集広舎、3-5頁
ギアーツ、クリフォード 1996=1988『文化の読み方／書き方』森泉弘次訳、岩波書店（Clifford Geertz 1988 *Works and Lives: The Anthropologist as Author*. Stanford: Stanford University Press.）
北政巳 2003『スコットランド・ルネッサンスと大英帝国の繁栄』藤原書店
木脇奈智子 2007「シンガポールの子育てと子育て支援」落合恵美子・山根真理・宮坂靖子編『アジアの家族とジェンダー』勁草書房、230-244頁。
クリフォード、ジェイムズ 2003=1988『文化の窮状――二十世紀の民族誌、文学、芸術』太田好信・慶田勝彦・清水展・浜本満・古谷嘉章・星埜守之訳、人文書院（James Clifford 1988 *The Predicament of Culture: Twentieth-Century Ethnography, Literature, and Art*. Cambridge: Harvard University Press.）
グリーンブラット、S. 1992=1980『ルネサンスの自己成型――モアからシェイクスピアまで』高田茂樹訳、みすず書房（Stephen Greenblatt 1980 *Renaissance Self-Fashioning: From More to Shakespeare*. Chicago: University of Chicago Press.）
ケネディ、ダグラス 1991=1989『エジプトの日々――イスラムのはざまで』近藤純夫・南暁子訳、心交社（Douglas Kennedy 1989 *Beyond the Pyramids: Travel in Egypt*. London: Harper Collins Publishers.）
小杉泰 2016『イスラームを読む――クルアーンと生きるムスリムたち』大修館書店
後藤絵美 2016「イスラーム国家における「シャリーア」と「自由」――エジプトのヴェール裁判にみる政教一致体制」アジア法学会編『現代のイスラーム法』成文堂、46-77頁
―― 2014『神のためにまとうヴェール――現代エジプトの女性とイスラーム』中央公論新社
―― 2012「「結婚したい」「離婚したい」女性たち」鈴木恵美編『現代エジプトを知るための60章』明石書店、226-231頁。
―― 2004「現代エジプトと「ヒジャーブ」――ヴェール着用の宗教的根拠をめぐる議論か

ら見えるもの」『アジア地域文化研究』1: 88-113。
坂本佳鶴恵 2005『アイデンティティの権力——差別を語る主体は成立するか』新曜社
ジェーン・スー 2014『貴様いつまで女子でいるつもりだ問題』幻冬舎
清水芳見 1994「アラブ・ムスリムの家族と結婚——ヨルダン」片倉もとこ編『イスラーム教徒の社会と生活』悠思社、225-259頁
—— 1992『アラブ・ムスリムの日常生活——ヨルダン村落滞在記』講談社
澁谷知美 2002「性の商品化」井上輝子・上野千鶴子・江原由美子・大沢真理・加納実紀代編『岩波女性学事典』岩波書店、283-285頁
シャクリー、オムニア 2009=1998 宮原麻子訳「教育を受けた母、構造化された遊び——一九世紀末から二〇世紀初頭のエジプトにおける育児」後藤絵美・竹村和朗・千代崎未央・鳥山純子・宮原麻子訳『女性をつくりかえるという思想——中東におけるフェミニズムと近代性』、明石書店、230-316頁
スピヴァック（スピヴァク）、ガヤトリ・C. 2003『ポストコロニアル理性批判——消え去りゆく現在の歴史のために』上村忠男、本橋哲也訳、月曜社
—— 2000=1987『文化としての他者』鈴木聡・大野雅子・鵜飼信光・片岡信訳、紀伊國屋書店　(Gayatori Chakravorty Spivak 1987 *In Other Worlds: Essays in Cultural Politics*. New York and London: Routledge.)
—— 1998=1988『サバルタンは語ることができるか』上村忠男訳、みすず書房（Gayatri Chakravorty Spivak 1988 “Can the Subaltern speak?,” in Cary Nelson and Lawrence Grossberg (eds.), *Marxism and the Interpretation of Culture*. Chicago: University of Illinois Press, pp. 66-111.)
—— 1992『ポスト植民地主義の思想』清水和子・崎谷若菜訳、彩流社
鷹木恵子 2002「チュニジア農村部女性の内職にみる民俗知識と技法」大塚和夫編著『現代アラブ・ムスリム世界——地中海とサハラのはざまで』世界思想社、117-165頁
竹村和朗 2019『現代エジプトの沙漠開発——土地の所有と利用をめぐる民族誌』風響社
竹村和子 2002「エイジェンシー」井上輝子・上野千鶴子・江原由美子・大沢真理・加納実紀代編『岩波女性学事典』岩波書店、43頁
——1999「ジェンダー・セクシュアリティ・セックスの構築のただなかで」ジュディス・バトラー著『ジェンダー・トラブル——フェミニズムとアイデンティティの攪乱』青土社、285-295頁
田中哲也 2007年「エジプトにおける学歴病と中等教育課程」『福岡県立大学人間社会学部紀要』vol. 16, No 2, 53-67
—— 2006年「エジプト現代教育研究序説——無償教育制度とブラック・マーケット」『福岡県立大学人間社会学部紀要』vol.15. No.1, 59-71
田辺繁治 2010『「生」の人類学』岩波書店
土屋一樹・山田俊一 2008「はじめに」山田俊一編『エジプトの政治経済改革』アジア経済研究所、3-11頁
土堤内昭雄 2011「格差社会を考える〜容認されない格差とは何か〜」NLI Research Institute REPORT June 2011, pp10-15. (http://www.nli-research.co.jp/report/report/2011/06/repo1106-2.pdf) 最終アクセス日 2014年10月8日

鳥山純子 2021「なぜいま「フィールド経験」から語るのか——一人の人間としてイスラーム・ジェンダーを生きるために」鳥山純子編『フィールド経験からの語り』明石書店、17-34頁
——2019「中東ジェンダー研究の挑戦——ジェンダー化されたオリエンタリズムを超えて」『国際ジェンダー学会誌』vol. 16, 20-33
——2018a「女性からみたカイロの生殖の一風景——家族をめぐる二つの期待の狭間で」村上薫編『不妊治療の時代の中東——家族をつくる、家族を生きる』アジア経済研究所IDE-JETRO、81-110頁
——2018b「病の前の舅の姿を求めて」村上薫編『「中東における家族の変容」研究会調査報告書』アジア経済研究所IDE-JETRO、37-48頁(https://www.ide.go.jp/library/Japanese/Publish/Reports/InterimReport/2017/pdf/2017_2_40_005_ch03.pdf) 最終アクセス日2021年12月5日
——2015「身に着ける歴史としてのファッション——個人史と社会史の交差に見るエジプト都市 部の老齢ムスレマの衣服」水井万里子・杉浦未樹・伏見岳志・松井洋子編『世界史の中の女性たち』勉誠出版、244-256頁
—— 2012「主婦がこだわる住まいの床張り——過密都市の空間利用術」鈴木恵美編『現代エジプトを知るための60章』明石書店、196-200頁
——2010「中東研究における女性身体の処遇——「交渉」を鍵とした研究動向分析」『人間文化創成科学論叢』12: 277-285
——2007「エジプト的キャリアウーマンの悩み」『若手教育者支援ケース・メソッド・セミナー 〈ジェンダーと開発〉をケース・メソッドで学び、教える　ケースブック　ジェンダーと開発　F-GENS Publication 24』、お茶の水女子大学21世紀COEプログラム「ジェンダー研究のフロンティア」(F-GENS) 91-108, 163-170頁
中谷文美 1997「「女性」から「ジェンダー」へ、そして「ポジショナリティ」へ——フェミニスト人類学の系譜」青木保ほか編『岩波講座文化人類学4　個からする社会展望』岩波書店、225-253頁
中山紀子 1994「農村の女性とイスラーム」片倉もとこ編『イスラーム教徒の社会と生活』栄光教育文化研究所、261-294頁、悠思社
長沢栄治 2008「経済改革問題の歴史的経緯」山田俊一編『エジプトの政治経済改革』アジア経済研究所、89-114頁
ナーラーヤン、ウマ 2010=1997『文化を転位させる——アイデンティティ・伝統・第三世界フェミニズム』塩原良和監訳、川端浩平・冨澤かな・濱野健・山内由理子訳、法政大学出版局(Uma Narayan. *Dislocating Cultures: Identity, Traditions, and Third World Feminism*. New York: Routledge.)
日刊スパ　2012年5月16日「[こじらせ女子] の奇妙すぎる生態」(https://nikkan-spa.jp/spa_feature_group_name/%ef%bc%bb%e3%81%93%e3%81%98%e3%82%89%e3%81%9b%e5%a5%b3%e5%ad%90%ef%bc%bd%e3%81%ae%e5%a5%87%e5%a6%99%e3%81%99%e3%81%8e%e3%82%8b%e7%94%9f%e6%85%8b?cx_clicks_last_artmdl=art_list)
パタイ、ラファエル 1977=1973『これがアラブだ——その民族性と心理の謎』脇山俊・脇山怜訳、PHP出版(Raphael Patai 1973 *The Arab Mind*. New York: Carles Scribner's Sons Inc.)

バトラー、ジュディス 2004=1997『触発する言葉――言語・権力・行為体』竹村和子訳、岩波書店（Judith Butler 1997 *Excitable Speech: A Politics of the Performative*. New York: Routledge.)

―― 1999=1990『ジェンダー・トラブル――フェミニズムとアイデンティティの攪乱』竹村和子訳、青土社。(Judith Butler 1990 *Gender Trouble: Feminism and the Subversion of Identity*. New York: Routledge.)

フーコー、ミシェル 2004=1988「自己のテクノロジー」『自己のテクノロジー―フーコー・セミナーの記録』田村俶・雲和子訳、岩波書店、15-69頁（Luther H. Martin, Huck Gutman and Patrick H. Hutton (eds.), 1988 *Technologies of the Self: A Seminar with Michel Foucault*. Massachusetts: University of Massachusetts Press.)

――1986=1976『性の歴史Ｉ　知への意思』渡辺守章訳、新潮社 (Michel Foucault 1976 *La volonté de savoir: Volume 1 de Histoire de la sexualité*. Paris: Gallimard.)

藤田結子・北村文 2013「フェミニスト・エスノグラフィー――「女」が「女」を調査する」『現代エスノグラフィー――新しいフィールドワークの理論と実践』新曜社、62-67頁

藤野寛 2015「承認論とジェンダー論が交叉するところ」越智博美・河野真太郎編『ジェンダーにおける「承認」と「再分配」――格差、文化、イスラーム』彩流社、19-39頁

藤本隆志 2008「近代社会の陣痛（J. ロック）」坂部恵・加藤尚武編『命題コレクション哲学』筑摩書房、164-170頁

ブルデュー、ピエール 1990=1979『ディスタンクシオン――社会的判断力批判　I』石井洋二郎訳、藤原書店（Pierre Bourdieu 1979 *La distinction: critique sociale du jugement*. Paris: Les Editions de Minuit.)

ボードリヤール、ジャン 1995=1970『消費社会の神話と構造』今村仁司・塚原史訳、紀伊國屋書店 (Jean Baudrillard 1970 *La société de consommation: ses mythes, ses structures*. Paris: Gallimard.)

松田素二 2009『日常人類学宣言！――生活世界の深層へ／から』世界思想社

嶺崎寛子 2015『イスラーム復興とジェンダー――現代エジプト社会を生きる女性たち』昭和堂

モーハンティ、C. T. 2012=2003『境界なきフェミニズム』堀田碧監訳、菊池恵子・吉原令子・我妻もえ子訳、法政大学出版局 (Chandra Talpade Mohanty 2003 Feminism Without Borders: Decolonizing Theory, Practicing Solidarity. Durham: Duke University Press.)

八木久美子 2011『グローバル化とイスラム――エジプトの「俗人」説教師たち』世界思想社

山田俊一 2008「経済発展と貧困削減――ムバーラク・プログラムを中心に」山田俊一編『エジプトの政治経済改革』アジア経済研究所、115-151頁

レイン、ウィリアム 1977=1836『エジプト風俗誌――古代と近代の奇妙な混淆』大場正史訳、桃源社 (Edward William Lane 1836 *The Manners and Customs of the Modern Egyptians*. Everyman's Library.)

欧文文献

Abaza, Mona. 2006 *The Changing Consumer Cultures of Modern Egypt: Cairo's Urban Reshaping* Leiden: Brill.

Abdel Rahman, Maha 2005 "Divine Consumption: 'Islamic' Goods in Egypt", In Maha Abdelrahman, Iman A. Hamdy, Malak Rouchdy, Reem Saad (eds.) *Cultural Dynamics in Contemporary Egypt*. Cairo: The American University in Cairo Press, pp. 69-78.

Abdel-Dayem, Ahmad and Ali S. Ibrahim 2007 Contextual Issues Impacting on Teacher Education: A Comparative Study between Japan and Egypt. Paper presented at Distance Education and Teacher Training in Africa Deta Conference 5-8 August 2007. Makerere University, Kampala, Uganda.

Abu-Lughod, Janet 1971 *Cairo: 1001 Years of the City Victorious*. Princeton: Princeton University Press.

Abu-Lughod, Lila 1993 *Writing Women's Worlds: Bedouin Stories*. Berkeley and Los Angeles: University of California Press.

—— 1991 Writing against Culture. In Richard G. Fox (ed.), *Recapturing Anthropology: Working in the Present*. Santa Fe: School of American Research Press, pp. 137-62.

—— 1990 "The Romance of Resistance: Tracing Transformations of Power through Bedouin Women." *American Ethnologist* 17 (1): 41-55.

—— 1986 *Veiled Sentiments: Honor and Poetry in a Bedouin Society*. Cairo: The American University in Cairo Press.

Abu-Lughod, Leila (ed.) 1998 *Remaking Women: Feminism and Modernity in the Middle East*. Cairo: The American University in Cairo press.

Ahmed El Saka 2010 (http://www.ahmedelsaka.tv/) 最終アクセス日2010年11月7日

Ahmed, Leila 1999 *A Border Passage: From Cairo to America: A Woman's Journey*. New York: Penguin Books.

Al Ahram Weekly 2008 Heated Teachers. Cool Officials. September 4-10, Issue No. 913. Written by Leila Reem.Amin, Galal.

Al Ahram Weekly Online. 2011 17 October Issue No.555 (http://weekly.ahram.org.eg/2001/555/cu7.htm) 最終アクセス日2013年10月6日

—— 2007 About the living is easy. Written by Morsi Ahmed. (http://weekly.ahram.org.eg/2007/852/lil.htm) 最終アクセス日2010年10月23日

—— 2007 Reading is key. Written by Dina Ezzat (http://weekly.ahram.org.eg/2007/852/eg9.htm) 最終アクセス日2015年1月23日

Amin, Galal 2011 *Egypt in the Era of Hosni Mubarak 1981-2011*. Cairo: The American University in Cairo Press.

Amin, Sajeda and Nagah H. Al-Bassusi 2002 Wage Work to Prepare for Marriage: Labor Force Entry for Young Women in Egypt. Paper presented at the annual meeting of the Population Association of America, Atlanta, 9-11 May.

Arab Republic of Egypt 2002 *Mubarak and Education: Qualitative Development in the National Project of Education, Application of Principles of Total Quality*. Cairo: Ministry of Education.

Armbrust, Walter 1996 *Mass Culture and Modernism in Egypt*. Cambridge: Cambridge University Press.

Assaad, Ragui 2002 The transformation of the Egyptian Labor Market: 1988-1998. In Ragui Assaad (ed.), *The Egyptian Labor Market in an Era of Reform*. Cairo: American University in Cairo Press.

Assaad, Ragui and Ghada Barsoum 2007 *Youth Exclusion in Egypt: In Search of "Second Chances"*. The Middle East Youth Initiate Working Paper. Number 2, September 2007. Wolfensohn Center for Development, Washington DC and Dubai School of government, UAE.

Assaad, Ragui and M. Arntz 2005 Constrained Geographical Mobility and Gendered Labor Market Outcomes under Structural Adjustment: Evidence from Egypt. *World Development* 33(3): 431-454.

Atiya, Nayra 1982 *Khul-Khaal: Five Egyptian Women Tell Their Stories*. Syracuse: Syracuse University Press.

Barsoum, Ghada 2018 Educated, But Will She Work? *The Cairo Review of Global Affairs*. 29. Spring 2018: 35-41.

—— 2004 *The Employment Crisis of Female Graduates in Egypt. An Ethnographic Account*. Cairo: The American University in Cairo Press.

—— 1999 Female Graduates in Egypt: The Jobs Dilemma. In Mohamed Farrag (ed.), *Human Development for the Twenty-first Century*. Proceedings of sixth American University in Cairo Research Conference.

Barsoum, Ghada, Ali Rashed and Dahlia Hassanien 2009 *Poverty, Job Quality and Labor Market Dynamics, When there is "No Respect" at Wok: Job Quality Issues for Women in Egypt's Private Sector*. Gender and Work in the MENA Region Working Paper Series. Number 2, August 2009, Population Council.

Basyouny, Iman Farid 1997 *Just A Gaze, Female Clientele of Diet Clinics in Cairo: An Ethnomedical Study*. Cairo: The American University in Cairo Press.

Benninger-Budel, Carin 2001 *Implementation of the Convention on the Elimination of All Forms of Discrimination Against Women*, 24th Session 15 January-2 February 2001.

Bier, Laura 2011 *Revolutionary Womanhood: Feminisms, Modernity, and the State in Nasser's Egypt*. Cairo: The American University in Cairo Press.

Bourdieu, Pierre 1986 The forms of capital. In J. Richardson (ed.), *Handbook of Theory and Research for the Sociology of Education*. New York: Greenwood, pp. 241-258.

—— 1966 The Sentiment of Honour in the Kabyle Society. In J. B. Peristiany (ed.), *Honour and Shame*. London: Weidenfeld and Nicholson, pp. 91-241.

Botman, Selma 1999 *Engendering Citizenship in Egypt*. New York: Columbia University Press.

Brown, Wendy 2012 Civilization Delusion: Secularism, Tolerance, Equality. *Theory and Event* 15(2).

CAPMAS 2013 *Statistical Year Book* Cairo: Central Agency for Public Mobilization and Statistics Egypt.

—— 2004 *Statistical Year Book* Cairo: Central Agency for Public Mobilization and Statistics Egypt. Central Agency for Public Mobilization and Statistics (CAPMAS) and the population Council.

Cocharan, Judith 2009 Results of Elementary and Secondary School Reorganizing 1980 to Present. In *Educational Roots of Political Crisis in Egypt*. Cairo: The American University in Cairo Press, pp. 195-215.

Cox, Wendel 2012 "The Evolving Urban Form: Cairo" New Geography 2012/06/13 (http://www.newgeography.com/content/002901-the-evolving-urban-form-cairo) 最終アクセス日 2021年11月25日

Daily News Egypt 2014 "Cairo celebrates Mother's Day" (http://i2.wp.com/www.dailynewsegypt.com/beta/wp-content/uploads/2014/03/8-29.jpg) 最終アクセス日 2014年10月23日

—— 2013a "Educating with a broomstick," written by Ethar Shalaby. 2013. 3. 24. (http://www.dailynewsegypt.com/2013/03/24/educating-with-a-broomstick/) 最終アクセス日 2003年8月16日

—— 2013b "Mother files report against school," written by Liliana Mihaila. 2013. 1.5. (http://www.dailynewsegypt.com/2013/01/05/mother-files-report-against-school/) 最終アクセス日 2021年12月7日

—— 2013c "International education in Egypt – the transition towards more transparency". written by Henri Kors. 2013. 7. 22. (http://www.dailynewsegypt.com/tag/henri-kors/) 最終アクセス日 2013年8月17日

Deeb, Lara 2015 Thinking Piety and the Everyday Together: A Response to Fadil and Fernando. *HAU: Journal of Ethnographic Theory* 5 (2): 93–96.

De Koning, Anouk 2005 *Global Dreams: Space, Class and Gender in Middle-Class Cairo*. Amsterdam: Amsterdam University.

Deutsche Schule der Borromaerinnen Bab-el-Louk "Geschichte" 2014 (http://www.dsbkairo.de/page.php?id=10) 最終アクセス日 2014年2月3日

Douban, Gigi 2006 "In Egypt's classrooms, lessons go only so far" The Christian Science Monitor 2006/09/21 (csmonitor.com/2006/0921/p04s02-wome.html) 最終アクセス日 2021年12月7日

Dupret, Baudouin 2011 *Practices of Truth: An Ethnomethodological Inquiry into Arab Contexts*. Amsterdam and Philadelphia: John Benjamins Publishing Company.

Dwyer, Daisy Hilse 1978 *Images and Self-Images: Male and Female in Morocco*. New York: Columbia University Press.

Egypt Independent 2013 From another era: Nasr Car weathers changing economic winds, written by Noha Mousafa, 2013.3.14 (http://www.egyptindependent.com/news/another-era-nasr-car-weathers-changing-economic-winds) 最終アクセス日 2013年8月9日

Egypt State Information Service N. D. "Education in Egypt." (http://www.sis.gov.eg/En/Society/Educational/090600000000000001.htm) 最終アクセス日 2013年4月16日

Egypt Today 2013 Unlearning Our Lessons (http://egypttoday.com/blog/2013/09/12/unlearning-our-lessons-2/) 最終アクセス日 2014年2月5日

—— 2003 (http://egypttoday.com/article.aspx?ArticleID=7123) 最終アクセス日 2009年8月13日

EHDR 2006 *Egypt Human Development Report 2005: Choosing our Future: Towards a New Social Contract*. Cairo: UNDP Egypt.

El Dawla, Aida Seif, Amal Abdel Hadi, and Nadia Abdel Wahab 1998 Women's Wit Over Men's: Trade-offs and Strategic Accommodations in Egyptian Women's Reproductive Lives. In Rosalind P. Petchesky and Karen Judd (eds.), *Negotiating Reproductive Rights: Women's Perspectives across Countries and Cultures*. London and New York: Zed Books, pp. 69-107.

El Feki, Shereen 2013 Sex for Sale. *In Sex and the Citadel: Intimate Life in a Changing Arab World*. Tronto: Anchor Canada, pp. 180-215.

el-Messiri, Sawsan 1978 Self-Images of Traditional Urban Women in Cairo. In Lois Beck and Nikki Keddie (eds.), *Women in the Muslim World*. Cambridge and London: Harvard University Press, pp. 522-540.

El-Saket, Ola 2011 "Remembering Abdel Halim Hafez, the voice of revolution" Egypt Independent (http://www.egyptindependent.com/news/remembering-abdel-halim-hafez-voice-revolution) 最終アクセス日2013年8月7日

El Sayed, Heba 2017 Mediated Imagination, Class and Cairo's Young Cosmopolitans. In Tarik Sabry and Layal Ftouni (eds.), *Arab Subcultures: Transformations in Theory and Practice*. London and New York: I.B. TAURIS, pp. 152-176.

El-Sayed, Nadine 2013 "Unlearning Our Lessons" Egypt Today 2013/09/12 (http://egypttoday.com/blog/2013/09/12/unlearning-our-lessons-2/) 最終アクセス日2014年2月5日

El Shakry, Omnia 2017 *The Arabic Freud: Psychoanalysis and Islam in Modern Egypt*. Princeton and Oxford: Princeton University Press.

Euromonitor 2000 Egypt: Sales of Cosmetics and Toiletries (Value). In *Consumer Middle East 2001*. London: Euromonitor International, p. 235.

—— 2006 Egypt: Sales of Cosmetics and Toiletries (Value). In *Consumer Middle East 2006*. London: Euromonitor International, p. 212.

Fabian, Johannes. 2007 *Memory against Culture: Arguments and Reminders*. Durham and London: Duke University Press.

Fadil, Nadia and Mayanthi Fernando 2015 Rediscovering the "Everyday" Muslim: Notes on an Anthropological Divide. *HAU: Journal of Ethnographic Theory* 5 (2):59-88.

Farag, Iman 2006 A Great Vocation, a Modest Profession: Teachers' Paths and Practices. In Linda Herrera and Carlos Alberto Torres (eds.), *Cultures of Arab Schooling: Critical Ethnographies from Egypt*. Albany: State University of New York Press, pp. 109-133.

Farrag, Mayar 1998 Emigration Dynamics in Egypt. In Reginald Appleyard (ed.), *Emigration Dynamics in Developing Countries Volume IV: The Arab Region*. Aldershot, Brookfield, Singapore and Sydney: Ashgate, pp. 44-88.

Fashion TV 2014 (http://www.fashiontv.com/) 最終アクセス日2014年10月4日

Feiler, Gil 2003 *Economic Relations between Egypt and the Gulf Oil States, 1967-2000: Petro-Wealth and Patterns of Influence*. Brighton and Portland: Sussex Academic Press.

Fortier, Corinne Aymon Kreil, and Irene Maffi (eds.) 2018 *Reinventing Love?: Gender, Intimacy and Romance in the Arab World*. Middle East, Social and Cultural Studies 5. Berlin, Bern, Bruxelles, New York, Oxford: Peter Lang.

Galal, Ahmed 2002 The Paradox of Education and Unemployment in Egypt. (http://citeseerx.ist.psu.edu/viewdoc/summary?doi=10.1.1.128.640) 最終アクセス日2013年3月27日

Gebel, Michael and Stefanie Heyne 2014 Stiff Competition for Privileged Jobs: Young Women's Transition from School to Work. In *Transition to Adulthood in the Middle East and North Africa: Young Women's Rising?* Hampshire: Palgrave Macmillan, pp. 122-144.

Ghannam, Farha 2013 *Live and Die Like a Man: Gender Dynamics in Urban Egypt*. Stanford: Stanford University Press.

—— 2004 Quest for Beauty: Globalization, Identity, and the Production of Gendered Bodies in Low-income Cairo. In Hania Sholkamy and Farha Ghannam (eds.), *Health and Identity in Egypt*. Cairo: The American University in Cairo Press, pp. 43-64.

—— 2002 *Remaking the Modern: Space, Relocation, and the Politics of Identity in a Global Cairo*. Berkeley, Los Angeles, London: University of California Press.

Gilman, Daniel J. 2014 *Cairo Pop: Youth Music in Contemporary Egypt*. Minneapolis: University of Minesota Press.

Goldboom, Tabea 2007 Conflicting Interests in a Rough Labor Market: Young Women and Unemployment in Cairo. In Thomas Hüsken (ed.), *Youth, Gender and the City: Social Anthropological Explorations in Cairo*. Cairo: Goethe-Institut Egypt, pp. 161-191.

Grippo, James R. 2010 What's Not on Egyptian Television and Radio!: Locating 'Popular' in Egyptian Sha'bi. In Michael Frishkopf (ed.), *Music and Media in the Arab World*. Cairo and New York: The American University in Cairo Press.

Hammad, Waheed and Nigel Norris 2009 Centralised Control: A Barrier to Shared Decision-making in Egyptian Secondary Schools. *International Studies in Educational Administration* 37 (2): 60-73.

Hammond, Andrew 2007 *Popular Culture in the Arab World: Arts, Politics, and the Media*. New York and Cairo: The American University in Cairo Press.

Hargreaves, Eleanore 1997 The Diploma Disease in Egypt: Learning, Teaching and the Monster of the Secondary Leaving Certificate. *Assessment in Education* 4 (1): 161-176.

Harik, Iliya 1998 Education Policy, *Economic Policy Reform in Egypt*. Cairo: The American University in Cairo Press, pp. 133-155.

Hartmann, Sarah 2008 *The Informal Market of Education in Egypt. Private Tutoring and Its Implications*. Mainz: Institut fur Ethnologie und Afrikanstudien, Johannes Gutenberg-Universitat.

Hassanien, Dahlia 2010 Gendering Decent Work: Obstacles to Performativity in the Egyptian Work Place. *Surfacing* 3 (1): 1-15.

Hendy, Rana 2015 *Women's Participation in the Egyptian Labor Market: 1998-2012*. Working Paper No. 907. Economic Research Forum.

Herrera, Linda 2013 Ramses College for Girls. In Mideast & N. Africa Encyclopedia. Encyclopedia of the Modern Middle East and North Africa, by the Gale Group, Inc. (http://www.answers.com/topic/ramses-college-for-girls) 最終アクセス日 2013年8月17日

Herrera, Linda and Carlos Alberto Torres 2006 Introduction: Possibilities for Critical Education in the Arab World. In Linda Herrera and Carlos Alberto Torres (eds.), *Cultures of Arab Schooling: Critical Ethnographies from Egypt*. Albany: State University of New York Press, pp. 1-24.

Hoodfar, Homa 1997 *Between Marriage and the Market: Intimate Politics and Survival in Cairo*. Berkeley and Los Angeles: University of California Press.

—— 1991 Return to the Veil: Personal Strategy and Public Participation in Egypt. In Nanneke Redclift and M. Thea Sinclair (eds.), *Working Women: International Perspectives on Labour and Gender Ideology*. London and New York: Routledge, pp. 104-124.

Human Rights Watch 2014. Overview of Mariage and Divorce Laws in Egypt (https://www.hrw.org/reports/2004/egypt1204/3.htm) 最終アクセス日2021年12月6日

Ibrahim, Saad Eddin 1982 Social Mobility and Income Distribution in Egypt, 1952-1977. In Gouda Abdel-Khaled and Robert Tignor (eds.), *The Political Economy of Income Distribution in Egypt*. New York: Holmes & Merit Publishers, pp. 375-434

IMF-World Economic Outlook Databases 2013 2013 (http://ecodb.net/country/EG/imf_gdp2.html) 最終アクセス日2013年11月2日

Inhorn, Marcia 2003 Global Infertility and the Globalization of New Reproductive Technologies: Illustratios from Egypt. *Social Science and Medicine* 56: 1837-1851.

—— 1996 *Infertility and Patriarchy: The Cultural Politics of Gender and Family Life in Egypt*. Pittsburg: University of Pennsylvania Press.

Joseph, Suad 1996 (1994) Gender and Family in the Arab World. In Suha Sabbagh (ed.) *Arab Women: Between Defiance and Restraint*. New York: Olive Branch Press, pp. 194-202. (First Published in 1994 in Women in the Middle East: Images and Reality. Massachusetts: MERIP.)

—— 1994 Brother/Sister Relationships: Connectivity, Love and Power in the Reproduction of Patriarchy in Lebanon. *American Ethnologist* (21) 1: 50-73.

Joseph, Suad (ed.) 1999 *Intimate Selving in Arab Families: Gender, Self, and Identity*. Syracuse, NY: Syracuse University Press.

Kamal, Montasser M. 2004 Fi nas wi fi nas: Class Culture and Illness Practice in Egypt. In Hania Sholkamy and Farha Ghannam (eds.), *Health and Identity in Egypt*. Cairo: The American University in Cairo Press, pp. 65-90.

Kandiyoti, Deniz 1998 Gender, Power and Contestation: 'Rethinking bargaining with Patriarchy.' In Cecile Jackson and Ruth Pearson (eds.), *Feminist Visions of Development: Gender Analysis and Policy*. London and New York: Routledge, pp. 135-151

—— 1991a Introduction. In Deniz Kandiyoti (ed.), *Women, Islam and the State*. Philadelphia: Temple University Press, pp. 1-21.

—— 1991b Islam and Patriarchy: A Comparative Perspective. In Nikki R. Keddie and Beth Baron (eds.), *Women in Middle Eastern History: Shifting Boundaries in Sex and Gender*. New York: Yale University Press, pp. 23-42.

—— 1988 Bargaining with Patriarchy. *Gender & Society* 2 (3): 274-290

Karim Abdel Aziz 2010 Karim Abdel Aziz (http://www.karimabdelaziz.net/) 最終アクセス日2010年11月7日

Khalifa, Atef M. 1973 *Status of Women in Relation to Fertility and Family Planning in Egypt*. National Center for Social and Criminological Research Cairo, Egypt.

Kholoussy, Hanan 2010 *For Better, For Worse: The Marriage Crisis That Made Modern Egypt*. Stanford: Stanford University Press.

Köppe, Friederike 2007 Children, Chatting and Tomatoes: Women's Networks in a Suburb of Cairo. In Thomas Hüsken (ed.), *Youth, Gender and the City: Social Anthropological Explorations in Cairo*. Cairo: Goethe-Institut Egypt, pp. 15-43.

Kreil, Aymon, Lucia Sorbera and Serena Tolino (eds.) 2021 *Sex and Desire in Muslim Cultures: Beyond*

Norms and Transgression from the Abbasids to the Present Day. London, New York, Oxford, Delhi, and Sydney: I.B. Tauris.

Krieger, Laurie Elizabeth 1986 Negotiating Gender Role Expectations in Cairo. In Tony Larry Whitehead and Mary Ellen Conaway (eds.), *Self, Sex and Gender in Cross-Cultural Fieldwork*. Urbana and Chicago: University of Illinoi Press, pp. 117-128.

—— 1984 *Body Notions, Gender Roles, and Fertility Regulating Method Use in Imbaba*, Cairo. Ph.D. Dissertation. The University of North Carolina at Chapel Hill.

Krieger, Laurie 1989 Nerves and Psychosomatic Illness: The Case of Um Ramadan. *Health Care for Women. International Journal* 10: 181-193.

Lagnado, Lucette. 2008 *The Man in the White Sharkskin Suit: A Jewish Family's Exodus From Old Cairo to the New World*. New York: HarperCollins Publishers.

MacLeod, Arlene Elowe 1996 Transforming Women's Identity: The Intersection of Household and Workplace in Cairo. In Diane Singerman and Homa Hoodfar (eds.), *Development, Change, and Gender in Cairo: A View from the Household*. Bloomington and Indianapolis: Indiana University Press, pp. 27-50.

—— 1991 *Accommodating Protest: Working Women, the New Veiling, and Change in Cairo*. Cairo: The American University in Cairo Press.

Mahmood, Saba 2005 *The Politics of Piety: The Islamic Revival and the Feminist Subject*. Princeton: Princeton University Press.

Martin, Luther H., Huck Gutman, and Patrick H. Hutton (eds.), 1988 *Technologies of the Self: A Seminar with Michel Foucault*. Massachusetts: University of Massachusetts Press.

Megahed, Nagwa 2010 Access to the University and Women's Participation. Higher Education in Egypt. Middle East Institute Viewpoints: Higher Education and the Middle East.(https://www.mei.edu/publications/access-university-and-womens-participation-higher-education-egypt) 最終アクセス日2021年12月1日

Mehdid, Malika 1993 A Western Invention of Arab Womanhood: The 'Oriental' Female. In Haleh Afshar (ed.), *Women in the Middle East: Perceptions, Realities and Struggles for Liberation*. London: Macmillan, pp. 18-58.

Mensch, Barbara, Barbara Ibrahim, Susan Lee, and Omaina El-Gibaly 2003 Gender Role Attitudes among Egyptian Adolescents. *Studies in Family Planning* 34 (1) 8-18.

Mernissi, Fatima 1975 *Beyond the Veil: Male-Female Dynamics in Modern Muslim Society*. London: Al Saqi Books.

Miller, Catherine 2004 Between Myth and Reality: The Construction of a Saîdi Identity in Cairo. In Nicholas Hopkins and Reem Saad (eds.), *Upper Egypt: Identity and Change*. Cairo: The American University in Cairo Press, pp. 25-54.

Minces, Juliette 1982 *The House of Obedience: Women in Arab Society*. London: Zed Books

Moghadam, Valentine 2001 Feminism and Islamic Fundamentalism: A Secularist Approach. *Journal of Women's History* (13) 1: 42-45.

—— 1993 *Modernizing Women: Gender and Social Change in the Middle East*. Cairo: The American University in Cairo.

Mohsen, Safia 1985 New Images, Old Reflections: Working Middle Class Women in Egypt. In Elizabeth Warnock Fernea (ed.), *Women and Family in the Middle East: New Voices of Change*. Austin: University of Texas Press, pp. 56-71.

Mostafa, Dalia A. 2008 *Roses in Salty Soil: Women and Depression in Egypt Today*. Cairo Papers in Social Science 28 (4) Winter 2005. Cairo: The American University in Cairo Press.

Naguib, Kamal 2006 The Production and Reproduction of Culture in Egyptian Schools. In Linda Herrera and Carlos Alberto Torres (eds.), *Cultures of Arab Schooling: Critical Ethnographies from Egypt*. Albany: State University of New York Press, pp. 53-81

Najmabadi, Afsaneh 2014 *Professing Selves: Transsexuality and Same-Sex Desire in Contemporary Iran*. Durham and London: Duke University Press.

Nelson, Cynthia. 2007 (1991) Old Wine, New Bottles: Reflections and Projections Concerning Research on Women in Middle Eastern Studies. *Pioneering Feminist Anthropology in Egypt: Selected Writings from Cynthia Nelson*. Cairo: The American University in Cairo Press, pp. 176-195.

OANDA Currency Converter EGP to JPY（https://www1.oanda.com/lang/ja/currency/converter/）最終アクセス日2021年12月5日

Omran A.R. and Roudi F. 1993 "The Middle East Population Puzzle" *Population Bulletin* 48 (1): 1-40.

Ortner, Sherry B. 2006 *Anthropology and Social Theory: Culture, Power, and the Acting Subject*. Durham and London: Duke University Press.

—— 1996 *Making Gender: The Politics and Erotics of Culture*. Boston: Beacon Press.

Ozyegin, Gul 2015 *New Desires and New Selves: Sex, Love and Piety among Turkish Youth*. New York and London: New York University Press.

Peterson, Mark Allen 2011 *Connected in Cairo: Growing up Cosmopolitan in the Modern Middle East*. Bloomington and Indianapolis: Indiana University Press.

Rageh, Abou-Zeid 1985 The Changing Pattern of Housing in Cairo. In Ahmet Evin (ed.), The Expanding Metropolis: Coping with the Urban Growth of Cairo, Singapore: Concept Media/Aga Khan Award for Architecture.

Ramady, Mohamed A. (ed.) 2016 *The Political Economy of Wasta: Use and Abuse of Social Capital Networking*. New York, Dordrecht, and London: Springer.

Ramses College for Girls 2013 Ramses College for Girls (http://www.ramsescollege.com/Default.aspx) 最終アクセス日2013年8月31日

Ramses College for Girls 2021 "history" (http://rcgschool.com/Viewer/Default.aspx?Lang=1&Page=40&Name=History) 最終アクセス日2021年12月7日

Rashad, Hoda and Magued Osman 2003 Nuptiality in Arab Countries: Changes and Implications. In Nicholas S. Hopkins (ed.), *The New Arab Family*. Cairo: The American University in Cairo Press, pp. 20-50.

Reynolds, Nancy Y. 2012 *A City Consumed: Urban Commerce, The Cairo Fire, and The Politics of Decolonization in Egypt*. Stanford: Stanford University Press.

Richards, Alan 1992 *Higher Education in Egypt. The Policy Research Working Papers*. Population and Human Resources Department, The World Bank.

Prasad, Pushkala 2018 *Crafting Qualitative Research: Beyond Positivist Traditions*. New York and London: Routledge.

Roque, Dahlia Tawhid 2020 *Negotiating Marriage, Family and Work: Experiences of Middle Class Egyptian Women*. London and New York: Routledge.

Rugh, Andrea B. 1985 Women and Work: Strategies and Choices in a Lower-Class Quarter of Cairo. In Elizabeth Warnock Fernea (ed.), *Women and the Family in the Middle East: New Voices of Change*. Austin: University of Texas Press, pp. 273-288.

—— 1984 *Family in Contemporary Egypt*. Syracuse and New York: Syracuse University Press.

Russell, Mona L. 2004 *Creating the New Egyptian Woman: Consumerism, Education, and National Identity, 1863-1922*. New York and Hampshire: Palgrave Macmillan.

Sayed, Fatma H 2006 *Transforming Education in Egypt: Western Influence and Domestic Policy Reform*. Cairo: The American University in Cairo Press.

Schielke, Samuli 2015 Living with unresolved differences: A reply to Fadil and Fernando. *HAU: Journal of Ethnographic Theory* 5 (2): 89-92.

—— 2012 Surfaces of Longing: Cosmopolitan Aspiration and Frustration in Egypt. *City and Society* 24 (1): 29-37.

—— 2010 Second Thoughts and the Anthropology of Islam, or How to Make Sense of Grand Schemes in Everyday Life. *ZMO Working Papers* 2: 1-16.

Schönfeld, Anne 2007 Cosmopolitan Identities and Intercultural Love Stories in a Globalized World. In Thomas Hüsken (ed.), *Youth, Gender and The City: Social Anthropological Explorations in Cairo*. Cairo: Goethe Institut Egypt, pp. 44-62.

Shahin 2013 (http://autocade.net/index.php/Tofaş_Şahin) 最終アクセス日 2013年8月9日

Sholkamy, Hamia and Farha Ghannam (eds.) 2004 *Health and Identity in Egypt*. Cairo: The American University in Cairo Press.

Sims, David 2010 *Understanding Cairo: The Logic of A City Out Of Control*. Cairo: The American University in Cairo Press.

Singerman, Diane 1997(1995) *Avenues of Participation: Family, Politics, and Networks in Urban Quarters of Cairo*. Cairo: The American University in Cairo.

Singerman, Diane (ed.), 2009 *Cairo Contested: Governance, Urban Space, and Global Modernity*. Cairo: The American University in Cairo.

Singerman, Diane and Paul Amar (eds.), 2006 *Cairo Cosmopolitan: Politics, Culture, and Urban Space in the New Globalized Middle East*. Cairo: The American University in Cairo.

Sizes.com 2015 feddan (http://sizes.com/units/feddan.htm) 最終アクセス日 2015年1月28日

Sobhy, Hania 2012 The De-facto Privatization of Secondary Education in Egypt: A Study of Private Tutoring in Technical and General Schools. *Compare* 42 (1): 47-67.

Stadiem, William 1991 *Too Rich: The High Life and Tragic Death of King Farouk*. London: Parkway Publishing.

SYPE 2011 *Survey of Young People in Egypt*. Cairo: Population Council.

Szyliowicz, Joseph S. 1973 *Education and Modernization in the Middle East*. Ithaca and London: Cornell University Press.

Toriyama, Junko 2004 *Living with Family and Foreigners: Egyptian Female Tourist Guides' Narratives on their Family, Work, and Identity*. MA Thesis. The American University in Cairo.

Toth, James F. 2016 *Ibn Al-Balad* Vs. *Ibn Al-Zawat*: In the Land of The Two Pharaohs. *Urban Anthropology and Studies of Cultural Systems and World Economic Development*. 45 (1/2): 153-264.

Tucker, Judith E. 1993 The Arab Family in History: "Otherness" and the Study of the Family, In Judith E. Tucher (ed.) *Arab Women: Old Boundaries, New Frontiers*. Indianapolis: Indiana University Press, pp. 195-207.

United Nations 2013 "Mean Age at The First Marriage", United Nations, Department of Economic and Social Affairs, Population Division. World Fertility Report 2012 (https://www.un.org/en/development/desa/population/publications/dataset/fertility/wfr2012/Data/Data_Sources/TABLE%20A.1.%20Mean%20age%20at%20first%20marriage.xlsx) 最終アクセス日 2021年9月14日

UNDP and INP 2005 *Egyptian Human Development Report*. Cairo: EHDR.

UNDP United Nations 2005 *United Population Prospects. The 2004 Revision Highlights*. New York.

Victory College 2013 (http://www.victory-college.com/DynamicPage.aspx?PageID=5) 最終アクセス日 2013年8月17日

Werner, Karin 1997 *Between Westernization and the Veil: Contemporary Lifestyles of Women in Cairo*. Bielefeld: Transcript Verlag.

Wikan, Unni 1996 *Tomorrow, God Willing: Self-Made Destinies in Cairo*. Chicago: The University of Chicago Press.

—— 1984 Shame and Honour: A Contestable Pair. *Man: The Journal of the Royal Anthroplogical Institute*. 19 (4): 635-652.

World Bank 2014 Labor participation rate, female (% of female population ages 15+) (http://data.worldbank.org/indicator/SL.TLF.CACT.FE.ZS) 最終アクセス日 2014年3月5日

—— 2015a Labor force participation rate, female (% of female population ages 15+) (modeled ILO estimate) (http://data.worldbank.org/indicator/SL.TLF.CACT.FE.ZS) 最終アクセス日 2015年1月24日

—— 2015b GDP per capita PPP (Current international $) (http://data.worldbank.org/indicator/NY.GDP.PCAP.CD?page=1) 最終アクセス日 2015年1月6日

Wynn, L. L. 2018 *Love, Sex, and Desire in Modern Egypt: Navigating the Margins of Respectability*. Austin: University of Texas Press.

—— 2007 *Pyramids & Night Clubs: A Travel Ethnography of Arab and Western Imaginations of Egypt, from King Tut and a Colony of Atlantis to Rumors of Sex Orgies, Urban Legends about a Marauding Prince, and Blonde Belly Dancers*. Cairo: The American University in Cairo Press.

法令

Law No. 139/1981 Article 4, Promulgating Education Law 2009

Law No. 23/1999

辞書

Hinds, Martin and El-Said Badawi (eds.) 1986 "*mhamilla*". *A Dictionary of Egyptian Arabic: Arabic-English*. Beirut: Librairie Du Liban, p. 912.